Nuova Narrativa Newton

926

Titolo originale: *The Mistake*
Copyright © K.L. Slater, 2017
K.L. Slater has asserted her right to be identified
as the author of this work.

Traduzione dall'inglese di Francesca Campisi
Prima edizione: ottobre 2018
© 2018 Newton Compton editori s.r.l., Roma

ISBN 978-88-227-2304-8

www.newtoncompton.com

Realizzazione a cura di Librofficina
Stampato nell'ottobre 2018 presso Puntoweb s.r.l., Ariccia (Roma)
su carta prodotta con pasta termomeccanica,
senza utilizzo di cloro, proveniente da foreste controllate,
nel rispetto delle normative europee vigenti in tema ambientale

K.L. Slater

Non fidarti di lui

Newton Compton editori

A Francesca Kim

Circondati solo di persone che ti porteran-
no più in alto.

Oprah Winfrey

Billy

Sedici anni prima

L'aquilone era precipitato lì da quelle parti, ne era certo. Non riusciva ancora a vederlo, ma sapeva che l'avrebbe trovato.

Era una perfetta giornata ventosa, la ragione precisa che aveva spinto lui e Rose a inaugurare l'aquilone. Nuvole d'argento e ardesia venavano l'azzurro del cielo, velando la tenue luce del sole senza comunque indebolirne il calore.

Ma in quella boscaglia Billy non poteva vederle. Sentiva il freddo sulle braccia nude, gli pizzicava la pelle mentre lui avanzava inceppicando su antiche radici che affioravano come ossa nodose sotto i suoi piedi incerti.

Ciononostante, si avventurava con coraggio nel fitto del bosco, creandosi un varco con il fidato bastone.

Aveva un ottimo senso dell'orientamento. Così aveva detto la maestra l'estate precedente, quando erano andati alla ricerca di insetti proprio lì, all'abbazia di Newstead. Perciò Billy marciava deciso, la bussola interna a confermargli che l'aquilone doveva trovarsi per forza nei paraggi, da qualche parte.

Voleva dimostrare alla sorella maggiore quanto era cresciuto, recuperando l'aquilone da solo per poi riportarglielo. Se avesse fatto il bravo, forse lui e Rose sarebbero potuti uscire altre volte.

In quel periodo non facevano mai niente insieme, nemmeno una partita a Monopoli.

Billy udì una specie di fruscio alle spalle. Interruppe la caccia all'aquilone per un istante e scrutò attraverso la fitta vegetazione senza scorgere nulla.

Forse era una volpe. Rose si sarebbe spaventata di sicuro, ma non lui. Ormai aveva otto anni e papà diceva che i ragazzi così grandi non si spaventavano certo degli orsi o dei lupi, né tantomeno di una volpe.

Billy inspirò l'odore freddo e umido del terreno, facendosi strada tra le foglie e i rami, lo sguardo acuto alla ricerca dell'aquilone bianco e azzurro che Rose gli aveva regalato per il compleanno solo poche settimane prima.

Un ramo spezzato e di nuovo un fruscio alle sue spalle. Billy si voltò di scatto, brandendo il bastone per difendersi da un'eventuale volpe pronta all'attacco. I suoi occhi colsero un'ombra in movimento, poi dalla vegetazione emerse una figura diretta verso di lui.

Billy sbuffò contrariato. E *lui* cosa ci faceva lì?

«Sto cercando il mio aquilone», spiegò. «Non ho bisogno di aiuto».

Quello sarebbe stato capace di prendersi tutto il merito di fronte a Rose.

Billy alzò lo sguardo e notò che l'altro aveva un'espressione... diversa, quasi rabbiosa, e non gli aveva ancora risposto né spiegato perché fosse lì. Eppure lui non aveva fatto niente di male. Si sentì la bocca prosciugata e il petto in fiamme.

«Ora sarà meglio che torni da Rose», disse, voltandosi per scappare fuori dai cespugli, ma prima di riuscire a schivarle, due braccia forti scattarono verso di lui e lo acciuffarono.

Billy udì il brusio delle voci poco distanti e provò a gridare, ma si accorse di non poterlo fare perché una grossa mano gli serrava la bocca e il naso.

Prese a scalciare e dimenarsi, ma ben presto gli mancò il fiato. Udì gracchiare un corvo nelle vicinanze e pensò all'aquilone nuovo, rotto e smarrito tra gli alberi.

Billy tentò disperatamente di inspirare aria nei polmoni affannati attraverso quelle dita che gli avvolgevano il naso e la bocca come una maschera di ferro.

Le voci che aveva udito un istante prima ormai risuonavano attutite e lontanissime.

Lentamente, come una luce che si affievolisce a poco a poco, tutto attorno a lui si fece buio, molto buio.

Capitolo uno
Rose

Oggi

Passo il lettore ottico sui due romanzi di Catherine Cookson in edizione a grandi caratteri che la signora Groves ha impiegato una buona trentina di minuti a scegliere, e attendo il segnale sonoro. Verificata l'avvenuta registrazione nel sistema bibliotecario, glieli porgo attraverso il bancone.

«Le andrebbe di firmare la nostra petizione, signora Groves?», domando.

L'anziana infila i libri nella borsa della spesa e sbircia l'elenco di firme che le indico. «Una petizione per cosa, cara?»

«Per salvare la biblioteca», spiego. «L'autorità locale ha pubblicato una lista di possibili chiusure nel corso del prossimo anno, che comprende anche la biblioteca di Newstead».

«Sul serio?», replica la signora Groves contrariata. «Ma è ridicolo».

«Lo so, ma se non facciamo qualcosa di concreto potrebbe accadere», continuo. «Ormai succede dappertutto. Ogni mese chiudono nuove biblioteche».

La donna mi guarda. «Lo sai che è stupendo il lavoro che fai qui in paese, Rose. Rendi la biblioteca così accogliente…». La sua espressione muta e io mi preparo al seguito. «Nonostante quello che hai passato… La tragedia che hai dovuto affrontare…». Le luccicano gli occhi.

«Grazie». Abbasso il capo e sfodero *quel sorriso* prima di cambiare discorso. «Ma ora dobbiamo batterci per quello in

cui crediamo, giusto? Hanno già tolto tanto al nostro paese».
Le avvicino la petizione.

La signora Groves si aggiusta gli occhiali e afferra foglio e penna.

«Verissimo, ma lascia che ti dica una cosa, mia cara: non ci toglieranno anche la biblioteca». La donna riempie il successivo spazio vuoto della raccolta firme con la sua grafia tremolante e alza lo sguardo con aria di sfida. «Gliela faremo vedere noi».

Sorrido, desiderando in silenzio che fosse così semplice. Newstead possiede una delle biblioteche più piccole della contea del Nottinghamshire. Apriamo solo tre giorni alla settimana: l'intero mercoledì e alternativamente mattino o pomeriggio gli altri due giorni.

Mi piace lavorare qui e non ho mai nutrito l'ambizione di trasferirmi in una biblioteca più grande. Ho iniziato la mia carriera circa otto anni fa, subito dopo l'università, come assistente bibliotecaria del signor Barrow. Quando lui è andato in pensione, ho sostenuto il colloquio di rito e mi hanno assegnato il suo posto.

La biblioteca ha sede in un edificio dal tetto piatto collocato all'ingresso del paese, di fronte alla scuola primaria, in una comoda posizione riparata rispetto alla strada principale. Nelle giornate serene, dalla mia scrivania, vedo il bosco oltre la trafficata Hucknall Road che ci scorre davanti.

Il sole, quando splende, inonda la mia postazione da metà mattina a metà pomeriggio.

All'interno, l'arredo è logoro e l'intero ambiente rivela i segni del tempo. I tappeti grigi e ispidi appaiono consunti nei punti di maggior passaggio e gli angoli dei cuscini che rivestono le sedie dell'accogliente sala di lettura sono ormai lisi e sfilacciati.

D'inverno l'aria fredda si insinua attraverso i telai di legno marcio delle finestre e spesso e volentieri l'antiquato impianto di riscaldamento a ventilazione non funziona.

Ma alla gente piace venire lo stesso.

La signorina Carter, ottuagenaria che vive da sempre in Abbey Road con i suoi tredici gatti, mi informa con cognizione di causa che in biblioteca percepisce «una sottile energia di sacralità». Sospetto che cambierebbe opinione se sentisse Jim Greaves, il custode part-time, imprecare a gran voce in marcato accento Geordie quando il riscaldamento si guasta.

Tuttavia, so bene cosa intende. Pur avendo un bisogno disperato di migliorie, la biblioteca emana una bella sensazione. Dev'essere per i libri meravigliosi che custodiamo. Scaffali e scaffali di personaggi brillanti, trame avvincenti e mondi che sembrano abbastanza reali da perdervisi di tanto in tanto, per qualche ora o per giornate intere.

Organizzo un paio di eventi di beneficenza l'anno e con i proventi siamo riusciti ad acquistare dei pouf colorati per ravvivare l'angolo dei bambini e attrezzare una stanza per le mamme con neonati accanto ai servizi.

La scorsa settimana è comparsa un'altra perdita dal tetto e Jim si è precipitato a comprare un nuovo secchio variopinto con i soldi del fondo cassa e, come se non bastasse, le pareti hanno un disperato bisogno di una bella tinteggiata, ma a me piace lavorare qui.

Mi sento a mio agio e al sicuro, nonostante quello che è successo.

Il mio lavoro mi permette di stare a contatto con gli abitanti del paese e con qualcuno dei nuovi residenti arrivati negli ultimi anni, senza rimanere troppo coinvolta nelle loro vite. Ho imparato a indossare una maschera convincente durante le ore di servizio. Dico le cose giuste, sfodero il solito sorriso e rassicuro tutti che, nonostante la tragedia di sedici anni fa, sto bene e tiro avanti.

Ho capito cosa vogliono davvero: dimostrarmi di non aver dimenticato Billy e che io risponda "sì, ora sto bene".

Perciò li accontento e mi limito a osservare con stanca rassegnazione il sollievo che inonda i loro volti preoccupati.

Nessuno nomina mai Gareth Farnham.

Per la psiche del paese, gestire l'orrore puro delle sue azioni passate è ancora troppo. Ma la sua ombra continua ad aleggiare, come uno sciame fluttuante di insetti, sopra la testa di chi ricorda.

Nel corso degli anni, ho adottato la risposta corretta a ogni domanda, sguardo compassionevole o mano posata sul braccio con le migliori intenzioni. Riesco a sostenere qualsiasi cosa senza problemi, finché non torno a casa e mi chiudo la porta alle spalle.

A quel punto comincia tutta un'altra storia.

Oggi lavoro solo mezza giornata, perciò rincasando mi fermerò alla cooperativa a comprare qualcosa per me e anche per Ronnie, il mio vicino.

Seduta qui, a rifoderare un paio dei volumi più consumati della biblioteca, non riesco a fare a meno di preoccuparmi per lui.

Attaccato con le unghie alla propria indipendenza, seppur alla soglia degli ottanta, di recente Ronnie non è stato bene per via di una fastidiosa influenza intestinale e, come se non bastasse, le sue gambe cominciano a fare i capricci, irrigidendosi in preda a dolori terribili quando lui cammina troppo. Ciononostante devo letteralmente implorarlo perché mi permetta di aiutarlo.

«Hai già tanti impegni, Rose, senza dover stare dietro a me», ha borbottato quando ieri sono passata a controllare cosa gli mancava nella dispensa e nel frigorifero.

L'ho guardato con rassegnazione.

«Ronnie, ti porto solo un po' di pane e latte al rientro dal lavoro domani, okay?»

«Okay». Mi ha rivolto un mezzo sorriso, con aria penitente.

Per gli altri Ronnie sarà soltanto un vicino come tanti, ma per me rappresenta la famiglia. Lui c'è sempre stato. Sono nata in questa casa e ricordo ancora quando la mamma mi raccontava che avevo a malapena imparato a camminare e già sgattaiolavo dai Turner per farmi viziare con le caramelle e il leggendario gelato alla fragola fatto in casa da Sheila.

«Ronnie lasciava aperto il cancelletto sul retro che separava i nostri giardini, così potevi andare da Sheila ogni volta che ne avevi voglia», rievocò una volta la mamma con affetto. «E quando lui e tuo padre andavano a bersi una birra, cercavi sempre di seguirli fino allo Station Hotel».

Fin dai primi istanti dopo la sparizione di Billy, Ronnie e Sheila Turner ci offrirono il loro sostegno. Ronnie rimase in piedi tutta la notte a coordinare una pattuglia di ricerca che setacciò i terreni dell'abbazia e i boschi dei dintorni fino all'alba del giorno seguente, mentre Sheila preparava da bere e da mangiare per tutti in attesa di notizie. La polizia, convocata dalla contea di Nottingham, disse che non aveva mai visto una mobilitazione del genere.

Quando il corpo di Billy fu ritrovato due giorni dopo, furono Ronnie e Sheila a sorreggerci. Diventammo piume in balia della tempesta per giorni interi che poi si trascinarono in settimane e mesi, e furono loro a tenerci ancorati a terra, impedendoci di vagare alla deriva.

Sheila è morta poco più di cinque anni fa e ora, da quando anche mamma e papà non ci sono più, siamo rimasti solo io e Ronnie. E io gli devo molto.

Comprargli due sciocchezze al supermercato non sarà mai un problema per me.

Capitolo due
Rose

Oggi

Dalla mia postazione, tengo d'occhio l'orologio e osservo l'inarrestabile ticchettio delle lancette che avanzano verso l'una.

La maggior parte della gente non vede l'ora di staccare dal lavoro, ma per me non è così. Io ho sempre il terrore di finire il turno.

Non appena anche l'ultimo utente ha lasciato la biblioteca, Jim chiude a chiave le porte esterne e rimane in attesa tintinnando le chiavi. Quando gli dico che ho delle cose da finire, ci rimane male e torna a rintanarsi in ufficio.

Mi sento in colpa perché so che, finché l'edificio non è vuoto, lui non può rincasare dalla moglie costretta sulla sedia a rotelle, con la quale è sposato da quarant'anni.

Ma oggi è uno di quei giorni in cui non trovo la forza per andarmene. Ho bisogno di prepararmi al rientro a casa.

Comincio avviando l'aggiornamento del software del sistema bibliotecario e nel frattempo affronto la pila dei libri riconsegnati in giornata, riponendoli sugli scaffali.

Paula, la mia assistente, viene solo il mercoledì, quando rimaniamo aperti tutto il giorno. Nelle mezze giornate, sono sola. La cosa non mi pesa, mi piace variare e trovo che le mansioni più banali – come sistemare i libri restituiti – risveglino i ricordi felici di quando lavoravo in biblioteca come volontaria e la vita era semplice e sicura.

All'epoca i libri mi aiutarono a riprendermi e ancora adesso non mi sento mai felice come quando mi circondano. A volte vorrei piantare le tende in ufficio, per non dover più tornare a casa.

Carico il carrello dei libri restituiti e lo spingo verso gli scaffali della parete in fondo: la sezione dei gialli. Forse il genere più richiesto della biblioteca.

I nostri utenti adorano le belle storie di mistero, da leggere tutto d'un fiato. Sembrano affascinati da quei racconti terribili o eventi spaventosi, tanto verosimili da poter accadere nelle vite ordinarie di ciascuno di loro. Naturalmente si tratta di paure *senza rischi*: si può chiudere il libro in qualsiasi momento e tenere le emozioni sotto stretto controllo.

Quando ero più giovane, adoravo i gialli per la stessa identica ragione. La scelta delle mie letture serali per conciliare il sonno cadeva spesso su un classico di Agatha Christie o un agghiacciante mistero di Ruth Rendell.

Ormai non tocco un libro del genere da sedici anni.

Leggere storie di personalità ingannevoli, degli strati oscuri della società e di personaggi subdoli che si presentano in un modo, ma ben presto si rivelano tutt'altro... mi provoca un disagio inquietante che può durare anche giorni.

Dopo aver riposto i libri in consegna e verificato l'esito dell'aggiornamento, inserisco nel sistema i nuovi titoli arrivati a metà mattina.

Abbiamo una copia del nuovo romanzo di Jeffery Deaver e due copie per ciascuno dei recenti bestseller di Martina Cole e Val McDermid. Tutti già prenotati da settimane. A essere precisi, una delle due copie di Martina Cole è per la moglie di Jim. Spero le sarà di magra consolazione, quando il marito tornerà a casa tardi anche stasera, grazie a *moi*.

Il nostro paese conta svariati avidi lettori che ancora oggi faticano a far quadrare i conti, nonostante la miniera sia ormai chiusa da tempo. Non si sono mai ripresi completamente e mai accadrà. In particolare i più anziani. Un tempo erano validi collaboratori della rete di distribuzione carbonifera su scala nazionale e ora, be', arrivano a malapena a fine mese con una pensione minima.

Non possono certo permettersi di spendere e spandere per le ultime uscite dei loro autori preferiti.

Il mio compito successivo è quello di inviare e-mail, messaggi di testo o in alcuni casi, per gli utenti più anziani e meno tecnologici, fare qualche telefonata per avvisare i lettori che i libri tanto attesi sono finalmente disponibili al prestito.

Domani faranno il loro ingresso in biblioteca a passo deciso, con il viso radioso e il sorriso trepidante, e per qualche ora dimenticheranno tutti i loro problemi.

E quando torneranno a consegnare i volumi, intratterremo lunghe conversazioni su ciò che pensano della trama, dell'ambientazione, dei personaggi. È uno degli aspetti salienti del mio lavoro, nonché una funzione di massima importanza della nostra biblioteca.

Il volto di Jim si illumina non appena gli porgo il libro.

«Questo aiuterà la mia Jan a sopportare il dolore più di qualunque medicina». Accarezza la copertina del romanzo con commozione genuina. «Le sarà di grande conforto. Grazie, cara».

Sorrido e avverto una forte determinazione. Proprio per questa ragione non possiamo permettere che chiudano la biblioteca.

Nell'istante stesso in cui lascio l'edificio, i pensieri positivi mi abbandonano e rimango intrappolata nel solito labirinto senza uscita: controllare tutto senza sosta.

Ogni singolo giorno, solo il cielo sa da quanti anni ormai, mi riprometto di smetterla. Ma una volta all'aperto, anche in mezzo a tanta gente, la mia reazione è automatica.

Sembra che io non possa farci proprio niente.

Mi guardo alle spalle ogni trenta secondi, scruto le auto in transito per accertarmi che non continuino a passarmi accanto. Non ascolto mai musica mentre cammino; non potrei proprio. Devo mantenere la piena consapevolezza dei passi che mi giungono alle spalle. Attraverso sempre la strada se trovo cespugli o alberi lungo il tragitto e mi tengo alla larga dai vicoli bui.

Anni fa Gaynor Jackson, la mia terapista, mi avvertì: «Questo atteggiamento ossessivo ti porterà all'esaurimento, Rose. Devi smetterla».

Ma ancora oggi, dopo tanto tempo, è l'unico modo per mantenere un vago controllo della situazione.

Uno dei motivi per i quali ho sospeso la terapia è che non sopportavo più l'ideologia utopica che Gaynor mi propinava come un disco rotto.

Non faceva che ripetere le solite frasi fatte: «Puoi imparare a controllare la paura» e «Devi sforzarti di vivere in uno stato di consapevolezza rilassata». Lei credeva in quei consigli, credeva davvero che funzionassero e forse sarebbe andata così. Se solo fosse stato facile come a parole.

Gaynor aveva le migliori intenzioni, ne sono certa. Ma i suoi consigli venivano dai libri. Era evidente dalla sua indole solare e dall'espressione naif che assumeva, quando io cercavo di esprimere il mio terrore, che non aveva mai provato un briciolo di paura in vita sua.

Non era mai rimasta a letto sveglia nelle notti d'estate, a versare litri di sudore in una stanza soffocante, per la paura di aprire anche il minimo spiraglio che permettesse a qualche malintenzionato di arrampicarsi sulla grondaia e introdursi in casa.

Non era mai corsa in bagno in preda alla nausea per aver sentito un rumore in giardino all'imbrunire e perché aveva il terrore di sbirciare fuori dalle tende.

Non era colpa sua, naturalmente. Ho capito un sacco di tempo fa che se uno non ha provato quel terrore puro sulla propria pelle, non capirà mai come possa debilitarti nel profondo.

O come la tua vita ordinaria e sicura possa scomparire in un battito di ciglia.

Capitolo tre

Sedici anni prima

In un primo momento, Rose non si era nemmeno accorta che qualcuno la stesse guardando.

Appesantita dall'enorme cartelletta nera del portfolio di arte, la borsa a tracolla e la valigetta voluminosa per l'occorrente da disegno, cercava di destreggiarsi con il carico, spostandolo da una mano all'altra, e per poco non cadde dalla pensilina dell'autobus.

La fermata si trovava in Hucknall Road, che delimitava i margini di Newstead e conduceva alla A611 per Nottingham. Il paese sorgeva da un lato della strada e dall'altro si estendeva il bosco, creando una curiosa fusione tra gli aguzzi spigoli d'acciaio di un'industria morente e la soffice foschia verde della natura.

Rose sospirò quando i suoi piedi toccarono terra. Dopo un'intera giornata al college, durante il viaggio le era calata addosso la consueta e familiare rassegnazione.

Succedeva tutti i giorni. Più l'autobus si avvicinava a casa, più il cuore di Rose diventava pesante, un blocco sospeso al centro del petto.

Non era sempre stato così. L'atmosfera in casa era peggiorata di netto negli ultimi mesi. Mamma e papà si gridavano contro, dicendosi cose orribili per infliggersi a vicenda più dolore possibile.

Ma Rose aveva notato nuovi, sgradevoli sviluppi. Quando si

stancavano di insultarsi, avevano preso il vizio di attaccare *lei*. Le rinfacciavano tutto ciò che aveva di sbagliato, tutti gli errori che aveva commesso e di essere una costante delusione.

Giorno dopo giorno, Rose si chiedeva per quanto sarebbe stata in grado di sopportarlo ancora.

Avrebbe compiuto diciotto anni a giugno e ormai mancavano solo un paio di mesi. Se davvero lo avesse voluto, avrebbe potuto lasciare il paese e ricominciare altrove, lontano da lì. Nessuno poteva impedirglielo.

Fantasticare le dava forza e conforto, senza riflettere su come avrebbe fatto a mantenersi. Sapeva anche che non avrebbe mai potuto lasciare Billy. Perciò il suo piano non era attuabile, eppure... quel pensiero la aiutava a tenere a distanza la situazione domestica che si aggravava sempre più.

Rose notò le piccole pozzanghere rivelatrici sul marciapiede dissestato e intuì che era piovuto abbastanza forte. Non aveva badato al tempo nel calduccio della classe, assorta nella sua arte.

Ma ora ricominciava a piovere e, mentre cercava di distribuire il carico in maniera più gestibile, Rose percepì l'odore di terra vecchia e umida e di foglie nuove e fresche; non era la prima volta che rifletteva su quanto fosse strano avere il bosco così vicino alla strada.

Aveva appena ritrovato l'equilibrio sulle comode suole basse, quando l'autobus richiuse le porte pneumatiche con un soffio e proseguì rombando lungo la via. Rose perse la presa e la valigetta stracolma le scivolò dalle dita, riversando sull'asfalto i preziosi pastelli.

«Pare proprio che ti serva una mano», disse una voce alle sue spalle. «Ti aiuto a portare qualcosa?».

Rose si voltò e vide un uomo che la osservava con aria divertita. La prima cosa che notò fu che sembrava un bel po' più grande di lei, forse vicino alla trentina. Emerse dal folto degli alberi con indosso una giacca di tela cerata verde che riluceva di gocce d'acqua e i capelli bagnati, appiccicati alle guance e alla fronte.

Rose alzò lo sguardo verso il cielo ma piovigginava appena, non al punto da inzuppare una persona in quel modo.

«Lo so, sono bagnato fradicio». L'uomo le rivolse un sorriso attraente, nonostante i denti fossero un po' irregolari. «Mi sono arrampicato sugli alberi e strofinato sulle foglie. Sai, per fotografare». Sollevò una macchina fotografica dall'aria costosa.

Rose notò che era calato un gran silenzio da quando l'autobus era ripartito. Non si vedeva nessuno in giro. Le nuvole cariche di pioggia si erano incupite e si domandò quanto sarebbe passato prima che le cateratte del cielo si aprissero.

Posò la cartelletta a terra e cominciò a raccogliere i pastelli sparsi, pregando che nessuno fosse finito nelle pozzanghere. I suoi genitori non potevano permettersi di comprarne altri e sarebbe stato un nuovo pretesto per sgridarla.

L'uomo continuava a fissarla. Lei si sentì avvampare, malgrado l'aria frizzante.

«Allora, non mi rispondi?»

«Come, scusi?». Rose infilò l'ultimo pastello nella valigetta e afferrò l'ingombrante cartelletta con la mano destra.

«Ti aiuto a portare qualcosa?»

«Oh, sì». Con le guance arrossate, gli porse il voluminoso portfolio. «Grazie».

Per quanto fosse innegabile che lo sconosciuto la intrigasse, Rose desiderò che sparisse per la sua strada e la lasciasse in pace. Sapeva bene di avere l'aria della perfetta idiota. Guance paonazze in tinta con i capelli rossicci. Che disastro.

«Mi chiamo Gareth Farnham», si presentò l'uomo. «Ti porgerei la mano ma mi hai caricato come un mulo».

Si era offerto lui, pensò Rose e lo guardò chiedendosi se ribattere qualcosa in propria difesa, ma l'altro le sorrise. Lei ricambiò appena e abbassò lo sguardo a terra.

«Fai strada, io ti seguo», suggerì l'uomo allegro.

Attraversarono la via e puntarono verso il paese. Le sembrava strano, camminare accanto a un uomo. Era molto più alto e robusto di lei e Rose si rese conto che la sensazione non le dispiaceva.

L'avrebbe accompagnata fino a casa? Si era solo offerto di darle una mano, dopotutto. Non implicava che lei gli piacesse... giusto?

In ogni caso, lui era troppo grande perché si potesse pensare una cosa *del genere*.

Se li avesse visti insieme, a sua madre sarebbe venuto un colpo e Rose non voleva neanche immaginare cosa avrebbe detto il padre. Considerato l'umore che lui aveva ultimamente, avrebbe anche potuto strozzarla.

Tuttavia, Gareth era piuttosto attraente. E molto maturo rispetto ai compagni del college di Rose che si comportavano ancora come dodicenni.

Sentendolo tossicchiare, Rose si accorse che le aveva chiesto qualcosa.

«Mi scusi, io...».

«Dicevo che puoi darmi del tu, ma non ti sei presentata». Gareth si fermò. «Sembri distratta... preoccupata per i compiti? Magari ti posso aiutare anche con quelli».

Le ammiccò sorridendo e lei avvertì una vampata di calore alla nuca.

«Scusa, io mi chiamo Rose», rispose lei e si guardò indietro, arrestando anche i propri passi.

L'uomo aveva la testa piegata di lato e la fronte corrugata come se cercasse di ricordare qualcosa, poi prese a recitare, con tono risonante e drammatico.

«*Ahimè, divelta nel fiore di tua bellezza, / su di te non peserà la tomba grave, / ma sulla tua zolla le rose germoglieranno foglie, / le prime dell'annata*».

La guardò raggiante e attese.

«Una poesia?». Rose sentì il rossore sul proprio viso aumentare di dieci volte.

«Di Lord Byron, la cui residenza, come saprai, sorge poco lontano dal paese». Gareth sorrise. «Come si chiama?»

«Abbazia di Newstead».

«Esatto, l'abbazia di Newstead. Vedi, volevo fare colpo recitando una poesia che contiene il tuo nome, *Rose*. Ho un'ottima memoria, mai avuto problemi con gli esami».

«*Hai* fatto colpo». Rose non poté evitare di sorridere. Si sentiva ancora a disagio ma in fondo poteva sforzarsi di fare conversazione. «Non... non ti ho mai visto in paese prima d'ora».

«Non avresti potuto, mi sono trasferito solo un paio di giorni fa», spiegò lui. «Ho preso in affitto uno dei nuovi appartamenti di Lacey Grove; ho ancora scatoloni dappertutto, purtroppo. Mi occuperò del nuovo progetto di rinascita. Ne hai sentito parlare?»

«Mi pare di sì», annuì Rose. «Realizzeranno un parco e un laghetto per la pesca dove un tempo sorgeva la miniera?»

«Esatto». Gareth sembrò compiaciuto che lei sapesse del progetto. «L'hai semplificato un po', ma in realtà è un programma di altissimo livello».

«Oh», esclamò Rose.

«Mettiamola così, ho dovuto scambiare due parole con i piani alti del governo per avviare la cosa». Gareth si interruppe e la guardò in trepida attesa. Poiché lei non commentava, riprese a parlare. «Aspetta e vedrai, porterà una ventata d'aria nuova».

Proseguirono verso il paese, lasciandosi alle spalle la vegetazione gocciolante.

«Sembra un gran bel progetto», osservò Rose, seppur in cuor suo trovasse crudele la pesca. Tuttavia, prometteva bene che finalmente piovessero finanziamenti sul paese colpito dalla disgrazia.

Il programma di riqualificazione del governo era un inizio positivo, ma perfino Rose era in grado di capire che ci sarebbero voluti ben altro che uno spiazzo d'erba e una pozza d'acqua per trasformare il suo paese, diventato una cittadina fantasma dopo la chiusura della miniera nel 1987.

Capitolo quattro

Sedici anni prima

La pioggia cominciò a scendere più fitta mentre costeggiavano la recinzione della scuola primaria.

Rose rabbrividì davanti ai bambini in poliuretano colorato allineati sul marciapiede. Erano solo delle sagome, un segnale visivo per gli automobilisti in transito accanto alla scuola; occhi che non vedevano scrutavano il loro passaggio, le piccole bocche immobili che celavano a malapena la disapprovazione.

In lontananza, comparvero alla vista le ville in mattoni a schiera, tetre contro il cielo grigio. Costruite in origine per i minatori, erano state progettate per durare nel tempo e, benché lo scopo iniziale fosse ormai andato perduto, si ergevano ancora solide e fuse una nell'altra come anelli di una catena d'acciaio.

«Ora posso portarlo io, se vuoi». Rose rallentò il passo e allungò verso la cartelletta il braccio appesantito dagli altri due carichi. «Grazie dell'aiuto».

Gareth strinse il portfolio a sé.

«Non è un problema portarti fino a casa». Sorrise. «Ti accompagno».

Il cuore di Rose si mise a martellare. Cosa sarebbe successo se la mamma l'avesse vista con Gareth o, ancora peggio, se l'avesse vista il papà? Detestava l'idea di fornire nuovi pretesti per lagnarsi di lei.

Da quando la miniera aveva chiuso, il padre era diventato imprevedibile e trascorreva la maggior parte del tempo allo Station Hotel, a sorseggiare lo stesso boccale di birra per tutta la sera per evitare discussioni accese con la moglie sullo sperperare fondi preziosi per un paio di bicchieri di troppo.

Quando la vecchia miniera cessò l'attività, Ray Tinsley aveva trentasette anni. Lavorava lì da sempre, dopo aver lasciato la scuola a quindici anni. Ray era un addetto agli scavi: trascorreva dodici ore al giorno, o anche la notte, a una temperatura di trentotto gradi, in ginocchio a scavare tunnel poco più alti o larghi del proprio corpo.

Era il lavoro più duro ma retribuito meglio, perciò Ray e i suoi colleghi guadagnarono un certo status nella comunità locale. Dal momento che gli straordinari erano parecchi, i soldi non erano mai stati un problema a casa Tinsley.

Il giorno in cui la miniera chiuse i battenti, raccontò Stella alla figlia anni dopo, Ray aprì un conto di deposito e vi versò l'indennità di licenziamento, convinto che lui non sarebbe finito nel "mucchio degli scarti" come prevedevano alcuni e perciò non avrebbe avuto bisogno di quel denaro per molto tempo.

«Non sono vecchio, ho ancora tanto da offrire», dichiarò con sicurezza salutando di buon mattino la moglie e la figlioletta di cinque anni, per recarsi al centro dell'impiego nel suo primo giorno di disoccupazione.

Si propose con solerzia per svariati impieghi nella zona, spingendosi fino ai calzaturifici in sviluppo di Mansfield e Nottingham. Ma anche gli altri minatori disoccupati avevano fatto lo stesso e alcuni erano più giovani di lui.

Due mesi dopo che il marito aveva perso il posto, Stella notò che le sue domande d'impiego erano calate. Ray si muoveva con passo più lento, le spalle più basse. Nessuno sembrava avere il minimo interesse ad assumere un uomo dalle competenze minerarie così specifiche e ormai alla soglia dei quarant'anni.

«Allora, che dici, Rosie?»

«Cosa?». Rose tornò al presente con un sussulto. Sentì la valigetta dei colori scivolarle nella mano umida. L'aveva chiamata

Rosie. Nessuno la chiamava così, a parte il nonno quando era piccola.

«Eri assorta nei pensieri», commentò Gareth con un sorriso. «Ti ho chiesto se ti piacerebbe venire con me all'Odeon di Mansfield, magari mercoledì sera?».

Rose lo vide scrutare preoccupato le nuvole cariche di pioggia. «Non sei obbligata, ci mancherebbe, è solo che essendo nuovo nella zona e tutto il resto... non conosco ancora nessuno. Mi fa un po' tristezza passare tutte le sere da solo davanti alla TV, capisci?».

Rose rammentò il suo inizio al West Notts College di Mansfield. Anche altri studenti della sua vecchia scuola, che conosceva solo di vista, si erano iscritti nello stesso college. Ma nessuno frequentava il corso d'arte, perciò lei trascorreva l'intervallo e la pausa pranzo sempre sola, guardando gli altri che ridevano e commentavano le lezioni.

Aveva odiato quella situazione al punto da progettare di mollare la scuola e cercarsi un lavoro. Quella fantasticheria includeva mollare tutto quanto, genitori compresi. Poi Cassie aveva lasciato il corso di parrucchiera al Clarendon College di Nottingham e si era iscritta a quello di arte che frequentava Rose.

Tipico di Cassie. Sempre tira e molla, avanti e indietro.

«Non per farti pressione, ma cosa ne dici?», insisté Gareth. «Scegli tu il film?».

Lui era troppo grande per Rose, ma rispondergli con un secco "no" sarebbe stato scortese. Inoltre, il pensiero di sfuggire all'orribile atmosfera di casa, anche solo per una sera, la tentava.

Non accadeva mai niente di nuovo o eccitante da quelle parti, ma qualcosa era successo proprio a lei.

Sarebbe stata una sciocca a rifiutare l'invito. Oltretutto, vedere la faccia di Cassie, non appena le avesse riferito del suo *appuntamento*, non aveva prezzo.

«Grazie», si sentì rispondere. «Sarebbe proprio bello andare al cinema».

Più si avvicinavano a casa, più Rose si agitava. Gareth continuava a chiacchierare e lei dovette chiedergli più volte di ripetere.

Se il padre fosse stato sulla solita sedia con lo schienale a rete, a guardare fuori dalla finestra come capitava spesso, le avrebbe fatto il terzo grado per ore.

Quando Rose si rintanava subito in camera sua, la rimproverava di non aiutare la madre con la cena. Se si tratteneva al piano terra troppo a lungo, lui metteva in dubbio che si impegnasse a sufficienza per il corso. Rose era arcistufa del mantra incessante: «Ci costa un sacco di soldi pagarti gli studi, lo sai, vero?».

Gareth sembrò percepire il suo disagio. Quando Rose gli comunicò che avevano imboccato la sua via, le restituì la cartelletta chiazzata dalla pioggia.

«Allora, mi dai il tuo numero?», le chiese, tirando fuori dalla tasca un cellulare Nokia.

«Io... non ho un telefonino», confessò Rose.

«Cosa? Come mai?».

Rose non aveva intenzione di rivelare che a casa sua non si potevano permettere di comprare cellulari. Non era neanche riuscita a trovarsi un lavoretto in paese per il sabato; in quel posto non c'era niente di niente. Da poco prestava servizio come volontaria in biblioteca il mercoledì pomeriggio, perché non aveva lezioni, ma non le davano un centesimo; semplicemente, le piaceva stare in mezzo ai libri.

Detestava dipendere da mamma e papà per ogni minima cosa. Si sentiva una bambinetta e pure in colpa perché non dava il suo contributo. Soprattutto ora che la scarsità di liquidi pareva essere la principale causa di contrasto tra i suoi genitori.

«Non importa». Gareth le fece l'occhiolino. «Dammi il tuo numero di casa, così ti chiamo per metterci d'accordo per mercoledì».

Rose aprì la bocca e la richiuse di nuovo. Non poteva dargli il numero di casa, perché non voleva che i genitori sapessero della sua intenzione di rivederlo. Ma se glielo avesse confessato, avrebbe fatto la figura della poppante.

Gareth la scrutò per un istante, poi la sua espressione si distese in un ampio sorriso.

«Ah, ho capito. Devo rimanere il tuo piccolo, sporco segreto, giusto?»

«No!», esclamò lei mortificata. «Non è affatto così. È solo che... be', mio padre, lui...».

«Non dire altro». Le dita di Gareth rimasero sospese sulla tastiera del cellulare. «Dammi il numero così ti chiamo domani sera; non sapranno chi sono. Per le otto va bene?»

«Ma...».

«Devi solo farti trovare accanto al telefono. Penseranno che sono una tua amica».

Rose non era convinta dell'accordo, ma lui pareva talmente entusiasta che non voleva far scoppiare quella bolla di sapone. Pensò di dettargli una cifra sbagliata, ma poi come avrebbe fatto Gareth a contattarla? Sembrava così gentile. E anche se lei intendeva ingigantire la faccenda dell'appuntamento di fronte a Cassie, in fondo non si trattava d'altro che fargli compagnia al cinema, perché Gareth non conosceva nessuno da quelle parti.

Niente di sospetto. Perfino il padre, se non fosse stato così teso in quel periodo, avrebbe capito.

L'incontro con Gareth era un'occasione troppo bella per lasciarsela sfuggire. Era ancora prematuro, Rose lo sapeva, ma poteva segnare l'inizio di qualcosa di positivo nella sua piatta vita di paese... Sempre che non avesse rovinato tutto permettendo alle proprie insicurezze e apprensioni familiari di intromettersi.

«Non ricordi il tuo numero di casa?». Gareth socchiuse gli occhi e per un brevissimo istante Rose temette che fosse seccato, poi lui le sorrise e lo sguardo gli si illuminò di nuovo.

Gli dettò rapidamente il numero.

«Bene», mormorò lui digitando le cifre sul cellulare. «Allora ti chiamo alle otto. Domani sera».

Lei annuì. Gareth ammiccò, sfoderando di nuovo il sorriso sexy che fece fare al cuore di Rose una doppia capriola.

Quando raggiunse il cancello di casa e si guardò indietro, Rose vide che la stava ancora guardando. Gareth la salutò con la mano e lei gli sorrise, ma aveva le mani occupate e non poté ricambiare il cenno.

Capitolo cinque

Sedici anni prima

Rose spalancò la porta sul retro con il piede e barcollò goffamente all'interno, sforzandosi di reggere il materiale del corso d'arte.

Ovviamente Billy, il fratellino di otto anni, era arrivato a casa subito prima di lei. Si sedette su uno sgabello in cucina e si sfilò le scarpe da ginnastica consumate.

«Ti ho vista con un tipo in fondo alla strada». Billy fece un sorrisetto e si ficcò in bocca una manciata di caramelle gommose alla Coca-Cola fissando Rose che avanzava a fatica dentro casa. «Ti aiutava a portare le cose. È il tuo ragazzo?».

Lei lanciò un'occhiata ansiosa alla porta, chiedendosi se i genitori avessero sentito, ma in salotto la TV era accesa perciò dovevano essere entrambi sul divano, a mangiare la cena davanti allo schermo.

«Abbassa la voce», sibilò al fratello. «Non è il mio ragazzo».

«Come si chiama?»

«Gareth».

«Allora come fai a sapere il suo nome se non è il tuo ragazzo?». Billy scoppiò a ridere e schivò la mano di Rose che per colpirlo aveva lasciato cadere la cartelletta.

«Non è il mio ragazzo, Billy». Rose si morse il labbro. «Vuoi mettermi nei guai con mamma e papà?».

Lui prese dalla tasca altre caramelle e scosse il capo con cenno solenne. Rose non era l'unica vittima dei malumori del padre. A giudicare dallo stato della zazzera arruffata del fratellino, Rose dedusse che non si era spazzolato i capelli in tutto il giorno. Posò la borsa e l'occorrente da disegno sul tavolo a ribalta e cominciò a lisciare con le mani i ricci scarmigliati di Billy. Lui ondeggiava la testa da una parte all'altra per evitare le dita meticolose della sorella.

«Allora smetti di dirlo, altrimenti ti sentiranno. Dài, beviamoci qualcosa». Rose prese due bicchieri dalla credenza e aprì il frigorifero in cerca del succo d'arancia fresco che non trovò. «Cosa hai fatto a scuola, oggi?»

«Roba noiosa», rispose Billy con una smorfia.

Rose aveva propinato innumerevoli discorsetti al fratello sull'importanza di impegnarsi a scuola.

Sospirò. «Sei ancora sicuro di voler diventare un pilota da grande?».

Lui fece spallucce ma non rispose.

«Perché quella faccia?». Rose riempì i bicchieri di una bibita all'aroma di arancia in mancanza del succo.

«Carl Bennett, che è in classe con me, dice che è solo uno stupido sogno». Billy fissò la sorella oltre il bordo del bicchiere con gli espressivi occhi castani. «Dice che la gente come noi non può fare lavori entusiasmanti, solo andare in miniera perché qui non c'è altro».

«Non è più così, Billy», replicò Rose. «Ormai la miniera è chiusa da una vita e per i ragazzini come te è una vera fortuna. Puoi diventare quello che vuoi, se ti impegni davvero». Bevve una lunga sorsata di bibita. «Ricordi quante volte ti ho detto che è importante studiare?».

Ma lui non l'ascoltava più; si era messo ad allineare con precisione le figurine del calcio sul lato opposto del tavolo.

Rose moriva dalla voglia di chiamare Cassie per raccontarle di Gareth, ma il telefono era in corridoio e i suoi genitori avrebbero sentito di sicuro. Per il momento avrebbe dovuto tenere tutto per sé. Le sembrò una specie di segreto succoso che solo lei conosceva.

La sera, le ci volle un sacco di tempo per addormentarsi.

Il giorno seguente, al college, Cassie aspettava Rose alla fermata dell'autobus e andò subito in delirio non appena l'amica le confidò il suo segreto.

«Che cosa? Ti ha davvero dato un *appuntamento*?», domandò incredula.

Rose sfoderò un gran sorriso, pensando che gli occhi azzurri e sgranati di Cassie correvano il serio rischio di saltare fuori dalle orbite.

«Quanti anni ha?»

«Non lo so di preciso. Ma come ti ho detto, sembra un bel po' più grande di me». Le due ragazze si incamminarono lungo Nottingham Road verso il college, abbarbicato sulla collina. «A occhio e croce sarà sulla trentina».

Cassie si illuminò. «Scommetto che mercoledì sera *lo farete*. Sarà lui il primo, te lo dico io».

«Oh, per l'amor del cielo! Andiamo solo al cinema!». Rose guardò l'amica di traverso, ma non riuscì a trattenere un sorriso.

«Come no, non me la bevo. Non ti vedi: stai sbavando dalla voglia, mia cara verginella».

Cassie balzò indietro con un gridolino mentre Rose tentava di colpirla con la borsa a tracolla. Poi iniziò a ballare intorno a lei, intonando *Like A Virgin* di Madonna.

«Dài, piantala», sibilò Rose, guardandosi attorno per accertarsi che nessuno avesse sentito.

«Parlo sul serio, Rose, stai facendo progressi». Cassie si mise al passo con l'amica. «Cominciavo a temere che avresti ereditato dalla signorina Carter il titolo di zitella ufficiale del paese».

«Molto divertente».

Cassie aveva la stessa età di Rose, ma in materia di ragazzi era molto più esperta. Ne aveva già avuti tre fissi ed era andata a letto con tutti. Fino a quel momento erano state solo storie con i coetanei del college, ma Rose notò che l'età di Gareth la affascinava particolarmente.

«Sarei pronta a uccidere per farmela con uno più grande», commentò l'amica sognante. «Con tutta quell'esperienza».

«Cassie!».

«È vero!». Cacciò fuori la lingua. «Se pensi di fare la santarellina tutta casa e chiesa, puoi sempre presentarlo a *me*. Magari potrei insegnargli un paio di cosette».

«Ah, senti questa…», proseguì Rose, ignorando la provocazione, «mi ha recitato una poesia di Byron». Attese di vedere l'amica impallidire d'invidia.

«Ora mi prendi in giro», sbuffò Cassie.

«È vero!». Rose ridacchiò e le diede una gomitata. «C'era perfino il mio nome nella poesia. Parlava delle foglie di una rosa, le prime dell'anno».

Il sorriso di Cassie si spense. «Che fortuna sfacciata, Rose, sembra l'uomo dei sogni. Guai a te se mandi tutto all'aria».

«In che senso?»

«Mostrandoti troppo naif. Devi fargli vedere che non sei una bambina solo perché sei più giovane».

«E come?».

Cassie sospirò sconsolata. «Ne parliamo più tardi. Vieni da me stasera e ti spiego io come si accalappia un uomo».

Sporse il seno in fuori e lo sbatté contro l'amica di proposito. Le due ragazze si sbellicarono dal ridere.

Rose si sentì pervadere da un piacevole tepore. La vita era bella. Eccitante.

Capitolo sei
Rose

Oggi

Entro nella piccola cooperativa locale dove faccio la spesa di solito.

Ci sono due grossi supermercati a circa cinque chilometri dal paese e so benissimo che l'offerta è più ampia e i prezzi migliori, ma qui mi sento molto più a mio agio.

Conosco tutte le cassiere, i commessi e perfino il direttore del negozio. Posso guardarmi attorno con calma e addirittura rilassarmi un po', se mai ci riuscirò in un luogo pubblico.

Per me il cibo è importante, lo è sempre stato. È un compagno fidato, l'amico che non chiede nulla in cambio.

Tutte le mattine, quando mi sveglio, allontano i pensieri gravosi e spiacevoli che mi girano per la testa e li sostituisco con immagini di cibo. Cosa mangerò a colazione, cosa mi porterò al lavoro per pranzo e, naturalmente, l'evento principale della giornata: cosa mi preparerò per cena.

Comincio ogni nuovo giorno con la promessa di migliorare, ripetendo a me stessa che sono in grado di interrompere questa routine alimentare distruttiva. Ma qualcosa dentro di me si è spezzato e non faccio che deludermi… Quando scende la sera, la speranza mattutina chiude il cerchio ritornando all'autodisprezzo.

L'armadio doppio della mia camera da letto è pieno zeppo di vecchi vestiti che non indosso più. Quelli che mi calzano in maniera decente si contano sulle dita di una mano: un paio di jeans, un paio di pantaloni neri per il lavoro, una camicetta e due cardigan colorati, utili a dissimulare la moltitudine di difetti che mi salta subito all'occhio quando mi guardo allo specchio.

Dovrei vendere la roba vecchia su eBay e usare il ricavato per comprare qualcosa di nuovo e di buona qualità che mi stia bene. Se solo riuscissi a prendere un paio di chili nei punti giusti, avrei decine di combinazioni da sfruttare tra gli indumenti che ora mi cadono troppo larghi sulle spalle ossute o sui fianchi scheletrici.

Un sacco di donne farebbe a cambio con il mio fisico, lo so. Ma solo perché non conosce tutta la storia. Io non sto bene, non sono magra in senso attraente. Sono rinsecchita, malnutrita e affamata.

Per gran parte del tempo, ho una fame da *morire*.

Regolarmente, una vocina interiore mi incita a reagire al circolo vizioso distruttivo nel quale, a livello conscio, mi rendo conto di essere intrappolata. Ho tentato più volte di elaborare un piano, ma tutte le diete all'ultima moda sulle riviste femminili… sembrano alimentare la mia paura anziché placarla.

Così la settimana scorsa ho fatto qualche ricerca online su come mangiare bene e ho trovato la soluzione adatta a me. In pratica, consiste nel consumare tre pasti ponderati al giorno, eliminare gli snack a base di zuccheri e compiere scelte più sane in generale. Scritto nero su bianco sembra semplice.

Eppure, mentre prendevo nota dei piatti suggeriti, sapevo già che il terrore di ingrassare avrebbe battuto quasi di sicuro la possibilità di adottare un'alimentazione normale.

Per me la questione è sempre stata che devo mangiare *tutto*. Devo farlo per forza, per riempire i vuoti del nulla, i buchi che mi attraversano come se fossi una fetta di formaggio svizzero. L'unica cosa che sono in grado di controllare è ciò che succede *dopo* aver mangiato.

Quando ebbe inizio il mio "problema con il cibo" – così lo definì papà, per evitare lo stigma della denominazione medica ufficiale, e tale rimase – mancavano ancora anni prima che i vestiti cominciassero a starmi larghi. Ma quando iniziai anche a perdere peso, non ci fu modo di smettere.

Infilo la mano in borsa e tiro fuori la lista scribacchiata della spesa. Mi sono convinta a compilarla ieri, mentre ero seduta alla scrivania con il mio panino. I miei occhi hanno cominciato a guizzare dalla farcitura di pollo e insalata al pacchetto di patatine al gusto cipolle e formaggio, fino alla piccola banana che mi ero preparata la mattina, e ho avuto un vero e proprio attacco di panico.

Se avessi continuato a mangiare così, mi sarei gonfiata, sarei ingrassata di nuovo.

Quelle parole, colate dalle sue labbra tese e crudeli, mentre mi afferrava per i capelli e mi strattonava la testa all'indietro: schifosa... vigliacca... obesa... ripugnante...

Ieri mi rimbalzavano senza sosta nella testa come palline da ping pong e ho provato la necessità impellente di tentare per l'ennesima volta a riprendere in mano la situazione.

Frequentare la palestra comunale nella vicina Hucknall e mescolarmi agli sconosciuti mi è sembrato fuori questione, così come fare lunghe passeggiate da sola nei campi attorno al paese. Troppi nascondigli adatti a chiunque abbia cattive intenzioni. Ma mi è parso altrettanto ovvio che se non avessi fatto qualcosa, sarei rimasta così, intrappolata in quel circolo vizioso e pericoloso.

Così, eccomi con la mia lista di idee cariche di ottimismo per preparare pasti nutrienti e sazianti, pronta a perlustrare le corsie armata di cestino di metallo.

Prima di raggiungere il reparto verdure scambio qualche convenevole con una persona del paese e un paio di commesse. Nessuna domanda inquisitoria, per fortuna, solo osservazioni sul tempo e sull'ordine del giorno dell'imminente incontro del comitato comunale. Cose che posso reggere.

Poso nel cestino un cespo di lattuga romana, due pomodori e

un cetriolo. Aggiungo una confezione di uova e prendo dal frigorifero del salmone già cotto, condito con una salsina piccante allo zenzero. Al posto delle solite bibite gassate, agguanto una bottiglia d'acqua da due litri.

Svoltando verso la corsia successiva, osservo la spesa nel mio cestino e non riesco a vedere niente di fresco e salutare. Solo cibi scialbi, insipidi e tutt'altro che invitanti.

Quanto vorrei che il cibo cessasse di avere un ruolo così determinante nella mia vita per essere io a controllar*lo*, anziché il contrario, ma al solo pensiero di eliminare i miei piatti preferiti mi piange il cuore.

Come riuscirò a riempire le interminabili serate, mangiando soltanto foglie e un bocconcino di pesce? Io sono abituata a quelle che definisco "cene senza fine". Consistono in un piatto di lasagne già pronte, oppure di spaghetti al ragù, accompagnati da una fetta o due di pane all'aglio e seguiti da una bella porzione di torta con la panna. Il tutto innaffiato da una buona bottiglia di Sauvignon Blanc fresco, di cui ho già bevuto un bicchiere appena rientrata dal lavoro, dopo aver chiuso a chiave tutte le porte. A quel punto faccio un "salto di sopra", come lo chiamo io.

Poi scendo di nuovo e mi preparo un caffè con qualche biscotto al cioccolato o cracker con il formaggio.

Per finire mi concedo un paio di Baileys con ghiaccio e, dopo un secondo giretto al piano di sopra, in genere mi addormento davanti a una serie di Netflix.

Mi rendo conto che come serata possa non sembrare un granché, ma è la mia vita. Mi sono adattata alla solitudine costruendomi attorno questa specie di santuario, fondato in buona parte su cibo, bevande e televisione.

È il mio modo per dimenticare tutto il resto: ciò che è accaduto in passato e il futuro che non potrò mai sperare di avere. A volte, per un brevissimo lasso di tempo, funziona davvero.

«Buongiorno, Rose».

La signorina Carter mi si para di fronte nella corsia numero 2, con un cestino stipato di lettiera per il gatto e svariate lattine di croccantini al tonno.

«Buongiorno». Sorrido.

«La tua spesa sembra molto… salutare». Sbircia nel mio cesto e poi mi scruta, con sguardo sottile. «Come ti senti in questi giorni, Rose?».

Tento di smorzare la vampata di irritazione che mi si accende nel petto. Quelle poche parole paiono innocenti, ma in realtà sottintendono: "Vedo che hai della lattuga nel cestino… stai forse ricadendo nel problema con il cibo?".

«Molto bene, grazie, signorina Carter», rispondo con tono volutamente gioviale. «Sto proprio benissimo».

I suoi occhi mi esaminano da capo a piedi, soffermandosi per un paio di secondi sulla cintura dei pantaloni. «È bello sentirtelo dire», replica lei chiaramente poco convinta. «Non diventare matta con quell'insalata, però. Puoi ancora permetterti qualche chilo in più, mia cara».

Uno degli svantaggi di vivere nello stesso paesino dalla mentalità ristretta per tutta la vita è che la gente sembra non afferrare mai che non sei più la ragazzina incapace di un tempo… bensì un'adulta in grado di badare a se stessa, senza alcun bisogno di suggerimenti villani e spesso privi di tatto.

La gente del posto ha la memoria lunghissima. Chiedi a un ex minatore qualsiasi e sarà ben felice di puntare ancora il dito contro gli *scabs*, nomignolo affibbiato nel 1984 ai "crumiri" che si rifiutavano di scioperare.

Tutti gli abitanti del paese sapevano della mia bulimia, come poteva essere altrimenti? All'epoca, nasconderlo era impossibile. Dopo la morte di Billy, cominciai a perdere circa mezzo chilo ogni due, tre giorni per settimane e sembravo uno zombi, con l'apparato digerente andato in pezzi.

Fu un tentativo plateale, purtroppo fallito, di volatilizzarmi.

Farfuglio un pretesto alla signorina Carter e mi sposto nella corsia successiva. Il manico di plastica del cestino mi scivola nella mano sudata e sento un rivolo di sudore raccogliersi nell'incavo alla base della schiena.

Mi fermo un istante a fissare gli scaffali con sguardo assente e, non appena riesco a mettere a fuoco, vedo ripiani e ripiani stipati di biscotti e dolciumi.

Espiro a fondo e sento le spalle rilassarsi. Finalmente un po' di conforto.

Capitolo sette
Rose

Oggi

Esco dal supermercato e, carica di sacchetti di plastica pieni fino all'orlo, attraverso il paese effettuando i consueti controlli di rito.

Casa mia dista solo un paio di minuti a piedi, ma mi sembra di metterci una vita ad arrivare.

Mentre il cuore mi batte sempre più in fretta, malgrado sia quasi certa che non ci sia nessuno da temere intorno a me, fisso lo sguardo sul marciapiede e conto i passi. La sensazione di disagio si allevia quando la mia casetta in mattoni a schiera si affaccia alla vista. La familiarità mi fa stare bene. La desidero con ardore. Ne ho bisogno.

Incontrare la signorina Carter e subire i suoi commenti sulle mie scelte alimentari ha scoperchiato un vaso di Pandora che non ero pronta ad affrontare.

Talvolta riesco a erigere per tempo le mie difese, se so che per qualche motivo verrà menzionato il passato. Per esempio, se un utente in biblioteca cita i fatti di tanto tempo fa e mi chiede se va tutto bene, riesco a gestire la situazione senza problemi.

Ma quando non me l'aspetto, come oggi al supermercato, basta un paio di commenti incauti a farmi mancare il terreno sotto i piedi e posso impiegare giorni per ristabilirmi.

Osservo i sacchetti della spesa ricolmi, i cui manici incidono la pelle delicata dei miei palmi.

Sono scappata dalla signorina Carter e, non appena ho raggiunto la cassa, avevo già rimandato a data da destinarsi tutti i buoni propositi di dieta salutare, infatti mi sono ritrovata tra le mani *due* cestini di metallo zeppi di cibi consolatori, un balsamo potente contro i ricordi dolorosi che la donna aveva inavvertitamente scomodato.

Affretto il passo verso il numero civico 13, quello di casa mia, ma prima di entrare e chiudermi dentro a chiave, devo consegnare la spesa a Ronnie.

Spingo il cancelletto di legno del numero 11. Mi guardo alle spalle per accertarmi di essere sola e percorro svelta il viale tra le due case, che conduce dietro la proprietà di Ronnie.

Due aloni umidi cominciano a irritare la pelle delicata sotto le ascelle. Riprendo fiato e mi affretto verso il retro dell'abitazione.

Sotto le suole piatte e consumate delle scarpe, sento le lastre di cemento del vialetto, rotte e aguzze.

Abbasso gli occhi sulle bordure di centonchio che traboccano ai lati del sentiero. I cuscini verdi e ricchi di foglie sono punteggiati da graziosi e minuscoli fiorellini a forma di stella dall'aria innocente che, quatti quatti, soffocheranno qualunque altro segno di vita.

Quando è in casa, Ronnie tiene aperta la porta sul retro, perciò mi limito a bussare alla finestra della cucina ed entro subito.

Ho provato a metterlo in guardia contro ladri e malviventi, ma non mi sta a sentire. Continua a credere che sia come negli anni Ottanta, quando lui e gli altri inquilini delle villette a schiera vivevano e lavoravano sulla base della reciproca fiducia comunitaria che tutti davano per scontata.

Ora in paese ci sono tanti nuovi residenti quanti abitanti originari. Forestieri. Ci si imbatte di continuo, e a ogni angolo, in facce mai viste.

Un pericolo che conosco fin troppo bene.

Di solito, nei giorni in cui faccio un salto da Ronnie, lo trovo sempre indaffarato in cucina con quel suo modo incerto e distratto tipico degli ultimi tempi. Altre volte gli piace sedersi al tavolo e concentrarsi su parole crociate criptiche che ormai fatica a completare.

Ma oggi non c'è.

Poso il sacchetto con la spesa sul ripiano della cucina, lasciando i miei e la borsa accanto alla porta per quando uscirò.

«C'è nessuno?», chiamo, attraversando la stanza. Ronnie non ama accomodarsi in salotto prima dei programmi televisivi serali, perciò suppongo sia in bagno al primo piano.

Indugio ai piedi delle scale. Vengo a far visita a Ronnie e Sheila da sempre, eppure mi fa ancora uno strano effetto trovarmi nell'immagine riflessa della mia stessa casa, che tuttavia mi appare così diversa.

Allungo il collo verso la porta che conduce in salotto.

I mobili sono tutti datati, ma di una qualità che ha retto bene negli anni. Un tappeto Axminster a motivi blu e marroni percorre l'ingresso fino al salotto, il cui spazio è riempito da una credenza in noce e un mobile per il televisore. Il divano Chesterfield rosso scuro a tre posti e la poltrona abbinata con lo schienale alto appaiono ancora più imponenti nella stanza angusta e l'unica finestra, rivestita di tendine di merletto, è incorniciata da pesanti drappeggi di velluto di una tinta simile al divano.

L'ambiente è cupo e spento, ma Ronnie e Sheila non erano grandi fan dell'arredo leggero e minimalista. Appartenevano a una generazione che preferiva la confusione: più gli oggetti erano elaborati e meglio era. Avevano scelto con amore quei mobili di qualità, acquistandoli con l'ottima rendita guadagnata da Ronnie in miniera, dove era noto come il Superiore, una sorta di caposquadra dei sotterranei.

Quando papà – l'allora giovane Raymond Tinsley – cominciò a lavorare alla miniera di carbone di Newstead, dopo aver lasciato la scuola, Ronnie godeva già di una posizione consolidata e rispettata nella scala gerarchica della miniera e, poiché conosceva bene la nostra famiglia, prese papà sotto la sua ala protettiva. Le cose funzionavano così negli anni in cui ci si prendeva ancora cura gli uni degli altri.

Non c'è traccia di Ronnie nemmeno in salotto.

Comincio a salire le scale, con un senso di presagio che mi opprime il petto.

«Ronnie?», chiamo.

Sento grattare a terra e, mentre mi avvicino al pianerottolo, un gemito fiacco. Arrivata in cima, busso titubante alla porta del bagno, con il cuore che batte forte.

Spalanco la porta e mi saltano subito all'occhio i piedi scalzi di Ronnie e le caviglie bianche e ossute, allora entro nel minuscolo gabinetto e lo trovo riverso a terra, il volto tirato dal dolore.

D'istinto, mi copro naso e bocca con la mano per il tanfo di vomito e non solo. Lui mi guarda, strabuzzando gli occhi, e mormora qualcosa. Esco dal bagno per riprendere fiato.

«Stai tranquillo, Ronnie, ora chiamo l'ambulanza».

Poi mi precipito di sotto a prendere il cellulare.

Capitolo otto
Rose

Oggi

Afferro il cellulare dalla borsa e chiamo subito l'ambulanza, pregando che non sia troppo tardi.

Salgo di nuovo e sistemo un asciugamano ripiegato sotto la testa di Ronnie, poi tiro lo sciacquone per eliminare il contenuto raccapricciante della tazza, infine scavalco le sue gambe distese sul pavimento di linoleum usurato e pieno di crepe per aprire la finestrella satinata accanto alla vasca.

«L'ambulanza sta arrivando, Ronnie», lo rassicuro. «Sei scivolato a terra?».

Lui non risponde, ma strabuzza gli occhi sempre di più e deglutisce a stento, la bocca distorta. Mi passa per la mente che possa avere avuto un leggero ictus e mi auguro di sbagliarmi.

«Forse sei solo debole per l'indisposizione dei giorni scorsi, Ronnie», cerco di confortarlo. «Sei svenuto?».

Il suo sussurro è così lieve che lo sento a malapena. «No».

Muove le labbra come per aggiungere qualcosa, ma non ci riesce. Lo sistemo in una posizione il più comoda possibile e scendo a controllare se arriva l'ambulanza.

Nel giro di pochi minuti, risalgo con due paramedici.

«Come si chiama il paziente?», chiede il più alto dei due, mentre marciamo verso il piano superiore.

«Ronnie».

«È cosciente?»

49

«Sì, ma non riesce a muoversi e ha difficoltà anche a parlare», spiego.

«Com'è successo?»

«Non so. L'ho trovato a terra quando sono passata a portargli la spesa. Negli ultimi giorni ha avuto lo stomaco sottosopra».

«Ha idea di quanto sia rimasto a terra prima che lei lo trovasse?»

«Purtroppo no, mi spiace». Mi sento inutile, come se in qualche modo dovessi riuscire a fornire maggiori dettagli.

Uno dei paramedici rimane sul pianerottolo perché il bagno è troppo piccolo per soccorrere Ronnie in due. Indugio accanto alle scale per un po', ma mi sento d'intralcio e torno di sotto.

Per la sua età Ronnie se la cava bene a tenere la casa in ordine, ma ora che me ne sto seduta nella sua cucina, anziché entrare e uscire al volo come sempre, noto i segni della trascuratezza. Il pavimento ha un bisogno disperato di una spazzata e il piano da lavoro è ricoperto di macchie opache e briciole stantie. È chiaro che manca da tempo una pulizia approfondita.

Mi sento in colpa. Avrei dovuto dargli una mano a tenere tutto a posto molto prima.

I Turner si sono prodigati per noi dopo la scomparsa di Billy e a me, mi vergogno a dirlo, non è mai passato per la mente di fare visita a Ronnie durante la settimana per aiutarlo nelle faccende di casa.

Di recente ho visto sul «Nottingham Post» la pubblicità di un paio di quartieri residenziali per pensionati, in costruzione appena fuori dalla città. Spuntano come funghi: alloggi eleganti, appositamente concepiti, integrati di tutti i servizi utili a semplificare la vita alla popolazione anziana-ma-ancora-in-gamba.

Vedrei bene Ronnie in un contesto simile, ma non sarò certo io a suggerirglielo. Gli anziani del paese tendono a rimanerci fino alla fine dei loro giorni, come se avessero nel sangue la polvere della miniera. Anche se i recenti complessi abitativi di Jasmine Gardens hanno attirato nuovi residenti, in paese aleggia la sensazione implicita che loro non siano abitanti del villaggio "legittimi". Non come Ronnie o, suppongo, come me.

«Potrebbe portarci un bicchiere d'acqua, per favore?», chiede uno dei paramedici dal primo piano.

Apro diverse ante in cerca dei bicchieri e devo trattenerne il contenuto con la mano, tanto sono stipate di cianfrusaglie. Finalmente riesco a salire con l'acqua.

Porgo il bicchiere. «Come sta?»

«È messo maluccio, poveretto. Disidratato. Vive da solo? Nessun familiare vicino?»

«La moglie è morta circa cinque anni fa e ora vive solo. Ha un figlio, Eric, ma sono passati almeno dieci mesi dall'ultima volta che è venuto a trovarlo. Vive con la famiglia in Australia». Alzo le spalle in segno di disapprovazione. «Ma io abito nella casa accanto e ci conosciamo bene. Passo qui tutti i giorni, anche solo per controllare al volo che stia bene e se gli serva qualcosa».

«Dovrebbero esserci più persone come lei», commenta l'uomo desolato. «Non costa poi molto dare un'occhiata ai vicini anziani, no?».

La testa dell'altro paramedico fa capolino dalla porta del bagno.

«Una fortuna che lei sia passata a trovarlo proprio oggi», commenta sottovoce, guardando il collega. «È un virus tremendo. Dobbiamo portarlo via, ma è troppo debole per camminare».

Scendo ad aspettare mentre loro trasportano il povero Ronnie sulla barella. È pallido come un lenzuolo e sembra invecchiato di dieci anni da ieri.

«Non preoccuparti, Ronnie...». Gli stringo la mano con delicatezza e sento la sua pelle fredda e sottile come carta premere contro il mio palmo. «Penserò io a legare Tina e darle da mangiare. Controllerò che qui a casa sia tutto a posto».

Lui apre la bocca per rispondere, ma il fiato gli si blocca in gola e comincia a tossire.

«Stai calmo, Ronnie», interviene uno dei paramedici. «Respira e basta, piano piano. Non cercare di parlare».

Prima di ripartire, attendono che smetta di tossire. Ma Ronnie continua a mormorare.

«N... Non... Io...».

«Cosa c'è, Ronnie?». Mi chino verso di lui. «Cosa vuoi dirmi?»

«Non andare...». Tossisce, la voce roca e quasi sconnessa.

«Credo voglia che resti con lui», spiego. «È così, Ronnie? Non vuoi che me ne vada?».

Lui ritenta, finché finalmente afferro le sue parole. Capisco cosa cercava di dirmi.

«Non... andare... di sopra», sussurra.

Capitolo nove

Sedici anni prima

Rose divorò il pasticcio di carne fatto in casa che la mamma le aveva messo davanti e addusse un pretesto per uscire il prima possibile.

I suoi stavano litigando di nuovo per i soldi. Perfino Billy aveva trovato la scusa di una partita di calcio al campo e si era precipitato fuori prima di lei.

Cassie e la sua famiglia vivevano in Byron Street, all'altro capo del paese, dieci minuti a piedi di buon passo da casa di Rose.

Era un pomeriggio gradevole, così decise di prendere la strada più lunga per arrivare dall'amica. Mentre camminava, ripensò alle lezioni della giornata. Aveva scelto di riprodurre su carta delle figure classiche a carboncino, invece Cassie aveva utilizzato i pastelli più vivaci e le sue moderne esplosioni di colore si erano rivelate agli antipodi rispetto agli sforzi più conservatori di Rose.

Cassie adorava Picasso e Bansky; Rose preferiva Van Gogh e Turner. Il famoso detto sugli opposti che si attraggono... be', a loro due calzava alla perfezione.

Rose aveva capito che sarebbero diventate amiche per la pelle fin dal primo giorno di scuola elementare, quando si erano scambiate gli appendini per le giacche e i grembiuli da pittura: Cassie voleva quello rosso e lei quello rosa chiaro.

Ora l'amica viveva con la madre Carolyn e il fratello maggiore Jed. Il padre, noto a tutti come Bomber, ma che in realtà si chiamava Brian, era stato un grande amico di Ray, il papà di Rose. Quando erano piccole, i due uomini si trovavano spesso al circolo dei minatori a bere una birra dopo il lavoro ed erano soci della medesima sala da biliardo di Hucknall.

Bomber morì in miniera. Ray Tinsley stava lavorando allo stesso turno quel giorno, ma in un punto più distante. Il soffitto del tunnel nel quale lavorava Bomber cedette. Per settimane, dopo l'accaduto, riecheggiò in paese il racconto di come tutti i minatori, incluso Ray, avevano scavato la terra a mani nude per raggiungere il compagno prima dell'intervento della squadra di sicurezza.

Lo avevano trovato, ma ormai per Bomber non c'era più niente da fare.

Quando tornò a casa, Ray era distrutto. Fu una delle due uniche volte in cui Rose lo vide piangere. Il padre disse che non aveva mai visto niente del genere; la testa di Bomber era rimasta schiacciata come un pancake. Rose non lo riferì mai a Cassie.

Ray soffrì di incubi per mesi di fila. Il National Coal Board, l'ente nazionale per l'industria carbonifera, negò l'errore umano e il tribunale decretò che il cedimento del tunnel era avvenuto per «volontà di Dio», perciò non era attribuibile all'inadempienza della ditta in termini di sicurezza.

L'ente nazionale decise comunque di risarcire Carolyn con una piccola somma, che la stampa locale definì «atto riparatorio».

Rose stava per bussare alla porta dell'amica, che invece si aprì nel medesimo istante per mano del fratello di Cassie.

«Ciao, Jed», lo salutò.

Lui bofonchiò qualcosa e le sfrecciò accanto come un fulmine, diretto alla strada.

«Quando si dice andare di fretta», disse Rose a Cassie, comparsa sulla soglia.

«Lascialo perdere». L'amica alzò gli occhi al cielo. «È un parassita schifoso, vive sulle spalle della mamma. Si è fatto dare un bigliettone da dieci da scolarsi allo Station Hotel.

Abbiamo appena avuto una megadiscussione in proposito. Comunque sia...», cambiò discorso, «andiamo di sopra davanti allo specchio. Ti farò diventare Christina Aguilera in un batter d'occhio».

Rose fece una smorfia divertita. «Hai la bacchetta magica in camera, per caso?»

«No, solo le mie incredibili doti artistiche. Da questa parte, *madame*».

Nella minuscola stanza al piano superiore, Cassie aveva messo in bella mostra sul ripiano della specchiera tutto l'armamentario per il trucco. Rose si sedette sullo sgabello, commossa che l'amica si prodigasse tanto per aiutarla. La implorava da una vita di poterla truccare, e lei aveva acconsentito. Ma, ogni volta che arrivava il momento, sembrava intromettersi sempre qualcos'altro.

«Devo rientrare alle sette e mezza, nel caso Gareth chiamasse prima», disse Rose.

«Sì, cavolo, me l'hai già detto... almeno tre volte!», sospirò Cassie. «Vuoi rilassarti un minuto?».

Schiacciò un pulsante sul lettore CD e la stanza si riempì della voce di Britney Spears che cantava *I'm a Slave 4 U*. Raccattò da terra un paio di vecchi collant beige aggrovigliati e se li passò attorno alle spalle. Poi cominciò a ruotarli e annodarli perché ricordassero un serpente.

«Cass, sei proprio identica a Britney ai Video Music Awards... *come no!*». Rose scoppiò a ridere, mentre l'altra si liberava dei collant per lanciarglieli.

«*Bleah*». Rose se li tolse di dosso e li scaraventò a terra. «Dài, mettiti al lavoro altrimenti arriverà subito l'ora di tornare a casa».

Cassie abbassò un po' il volume della musica.

«Sei molto carina, sai, Rose», osservò, sollevando una ciocca dei lunghi capelli ramati dell'amica e fissandola sulla nuca. «Devi solo imparare a valorizzarti meglio».

Ordinò a Rose di girare lo sgabello per voltare le spalle alla specchiera.

«Così sarà una sorpresa, come nei programmi di cambio look che danno alla tele», spiegò.

Gli occhi di Rose perlustrarono la stanza. Notò il letto disfatto e le lenzuola sporche che avevano bisogno di una bella rinfrescata. Il comodino traboccava di tazze e piatti usati e sacchetti di patatine vuoti, in un angolo della stanza giaceva una pila di vestiti da lavare. Non c'era da stupirsi che puzzasse di stantio.

«Scusa, so che c'è un casino terribile». Cassie fece spallucce, senza il minimo imbarazzo.

Rose si sforzò di distogliere lo sguardo dal caos e di fissarlo sul viso dell'amica.

Cassie era ancora ossessionata dal gruppo pop dei No Doubt, che ormai giravano da un pezzo. Aveva ispirato il suo look a quello della cantante Gwen Stefani: capelli ossigenati all'inverosimile, trucco pesante e abiti aderentissimi. La somiglianza era impressionante.

Purtroppo Rose sapeva bene che, anche vestendosi da pop star, bazzicare per un paesino insignificante come Newstead non suscitava lo stesso effetto che calpestare il palcoscenico come i veri artisti. Anziché destare ammirazione per la somiglianza con la famosa cantante, Cassie si era guadagnata ben presto la reputazione di ragazzina ribelle dal look provocante. Non che la descrizione fosse tanto errata, pensò Rose; all'amica piaceva essere sempre sopra le righe.

«Preferirei guardare lo specchio per vedere cosa combini», brontolò Rose. «Credevo mi avresti insegnato come usare questa roba».

«Te lo insegnerò infatti», rispose secca Cassie, versando un po' di base da trucco sul dorso della mano e intingendovi una spugnetta sudicia. «Ma prima voglio dimostrarti quanto *puoi* essere bella. Dài, rilassati».

Rose non ci riusciva. Non le piaceva avere Cassie a un centimetro dalla faccia; così vicina da notare che aveva un sopracciglio più alto dell'altro, tre cicatrici da varicella sulla guancia sinistra e un enorme foruncolo rosso e pronto a esplodere in mezzo alla fronte. L'unica cosa positiva era non essere costretta a guardarsi allo specchio. Rose detestava i propri capelli rosso Tiziano e la pelle diafana. Li odiava con tutta se stessa.

Se da un lato le sembrava di essere seduta su quello sgabello da ore, controllando l'orologio di continuo si rese conto che erano passati appena venti minuti.

«*Ta-da!*». Cassie tolse la pinza dai capelli di Rose, scompigliandoli perché le ricadessero sulle spalle. «Ora puoi voltarti».

Capitolo dieci

Sedici anni prima

Rose strizzò forte gli occhi, si voltò verso lo specchio e li riaprì. «Wow», sussurrò.

«"Wow" è la parola giusta», concordò Cassie. «Sembri una modella. Dimostri almeno vent'anni, anziché i tuoi dodici circa».

Rose le fece una linguaccia allo specchio, ma i suoi occhi tornarono subito all'immagine riflessa. Non riusciva a smettere di guardarla.

Il paragone della modella era un po' esagerato, ma sembrava davvero più adulta, molto più navigata e sofisticata.

Constatò compiaciuta che l'amica aveva messo in risalto il verde dei suoi occhi, sfumando con tocco leggero un ombretto color oro e cioccolato, e ne aveva ridefinito l'aspetto tondo e infossato con un eye-liner nero sottile. Così, notò Rose, sembrava meno un maiale e più una gattina sinuosa.

La pelle pallida e cosparsa di macchie era diventata una tela di porcellana uniforme e senza difetti, e per la prima volta in vita sua le labbra, dall'intensa tonalità prugna, apparivano carnose e sensuali.

«Sei un autentico schianto», dichiarò Cassie con un enorme sorriso. «Che te ne pare?»

«Non riesco a crederci. Mi piace da morire!». Rose si girò, ancora seduta, e abbracciò forte l'amica.

«Attenta a non sbavare tutto», rise Cassie, allontanandola un poco. «Non voglio che il mio straordinario talento vada sprecato».

«Grazie infinite, Cass».

«*De nada*», rispose l'altra con un cenno della mano. «Ora, veniamo a cosa dovrai fare al cinema con Gareth. Qualche idea?».

Rose corrugò la fronte. «Guardare il film e poi parlarne insieme?»

«No, no, no!», esclamò Cassie, scuotendo il capo disperata in sincronia con le parole. «Quando uscirai dall'Odeon, non dovrai ricordare un bel niente del film, stupidina».

«Perché?»

«Perché sarai *fin troppo* impegnata a guardarlo, se capisci cosa intendo…». Cassie si sedette sul bordo del letto e picchiettò lo spazio vuoto accanto a sé. Rose si sedette ubbidiente. «Allora, immagina di essere al cinema proprio in questo istante, okay? Il film è cominciato e tu sei bella comoda e rilassata. Dopo una decina di minuti o giù di lì, potresti allungare una mano verso la sua gamba, così». Premette la mano sulla coscia di Rose e cominciò a sfregarla in modo seducente.

«Piantala!», strillò lei e si scostò con un balzo, ridendo a crepapelle.

«Rose! Non è un gioco. Gareth non è un bambino, sarà abituato a frequentare *donne vere*. Donne sicure di sé che sanno perfettamente cosa fare. Capisci cosa intendo?».

Rose scivolò di nuovo al suo fianco.

«Se ti sembra troppo ardita come prima mossa, puoi semplicemente posargli la testa sulla spalla o spostare una gamba verso di lui in modo che le vostre ginocchia si sfiorino, così». Cassie premette leggermente il ginocchio contro il suo.

«Okay», rispose Rose dubbiosa.

Per la mezz'ora successiva, l'amica le illustrò l'intera gamma di possibilità: dal banale sfioramento di ginocchia fino a rasentare il rapporto completo sulla poltrona del cinema. Rose non intendeva seguire nessuno dei suggerimenti, ma ascoltò in silenzio fingendo di prestare la massima attenzione.

Aveva imparato fin dalle elementari che, quando Cassie si metteva in testa qualcosa, non c'era verso di fermarla. Era più semplice lasciarla parlare.

La madre dell'amica fece capolino alla porta. «Vado a bere qualcosa con Barbara allo Station Hotel. Caspiterina, ma sei proprio tu, Rose? Sei favolosa».

«Grazie, Carolyn». Rose sorrise imbarazzata. Era bello, una volta tanto, sentirsi sicura del proprio aspetto.

Appena Carolyn uscì, le ragazze scesero in salotto. Cassie accese il CD di Britney al doppio del volume consentito dalla madre e Rose andò a prendere i due Bacardi Breezer che l'amica aveva nascosto in fondo al frigorifero.

Poi iniziarono a piroettare con movenze sensuali, scambiandosi colpi di fianchi e glutei a ritmo di musica, e a tracannare dalla bottiglia. Nel giro di poco caddero sul divano, esauste e incapaci di parlare a forza di ridere.

Quando Rose ripartì, si era già fatto buio. Imboccò la strada a passo veloce, gustandosi l'aria fresca e il silenzio dopo tutta la musica sparata nei timpani. Si sentiva il traffico scorrere regolare sulla strada principale del paese, ma nelle vie secondarie non si vedeva l'ombra di un'automobile.

Si era divertita un mondo a casa di Cassie. Quando si era guardata allo specchio, dopo il cambio di look, si era sentita come una farfalla appena uscita dal bozzolo. Non avrebbe mai immaginato di poter diventare così... *attraente*.

Poteva abituarsi sul serio a usare quell'aggettivo per se stessa?

Ora, rientrando a casa, aveva l'impressione che l'avessero estrapolata dal solito tran tran di ragazzina del college per collocarla sul sentiero per diventare donna. Un appuntamento con un uomo vero e una nuova immagine sexy nel giro di poche ore... Rose riusciva a malapena a capacitarsene.

Ma lo avrebbe fatto, si disse tra sé, si *sarebbe* abituata, perché era un sacco più eccitante di come era stata la sua vita fino a quel momento.

Passando sotto un lampione, Rose guardò l'ora. Non erano nemmeno le sette e un quarto. Non aveva alcuna fretta di rincasare, per atterrare con un tonfo e ritrasformarsi nella solita monotona Rose. Anche se in realtà era impaziente di parlare con Gareth, nonostante l'agitazione al pensiero che il padre la scoprisse al telefono con un ragazzo.

Decise di percorrere il tragitto lungo e poi tagliare attraverso il parco e sbucare in fondo alla sua via.

Mentre camminava, rivide nella mente l'immagine di Gareth: i suoi capelli scuri e ordinati e gli occhi espressivi. Non era troppo muscoloso né magro; aveva una corporatura perfetta per la sua statura, che Rose stimava attorno al metro e ottanta, una decina di centimetri più alto di lei.

Aveva una voce profonda e autorevole. Mentre chiacchieravano, le era parso così colto e maturo... Era semplicemente perfetto!

Varcando la soglia del piccolo parco che l'anno prima il comune aveva costellato di giochi e strutture d'arrampicata per i bambini della zona, Rose pensò a come sarebbe stato baciare Gareth e rabbrividì.

D'impulso, si sedette su un'altalena, dondolandosi piano senza staccare i piedi da terra. Chiuse gli occhi e sorrise, la testa appoggiata contro la catena gelida, immaginando di premere la guancia contro il petto di Gareth.

Un rumore alla sua sinistra le fece riaprire gli occhi di scatto. Rose balzò in piedi e scrutò verso i cespugli bui dai quali era giunto quel suono di ramo spezzato.

«C'è nessuno?». Si avvicinò e si rimise all'ascolto.

Niente. Probabilmente era stato un gatto. Rose alzò le spalle e ridacchiò tra sé e sé, di nuovo immersa nelle sue fantasie a oggetto maschile mentre si dondolava sull'altalena. Ecco il risultato di qualche goccio e danza selvaggia di troppo.

Eppure, non ricordava di essersi mai sentita così eccitata e nervosa in ugual misura.

Sospirò, pensando che avrebbe fatto meglio a rientrare per non perdere la chiamata di Gareth.

Raggiunse l'uscita del parco e attraversò la strada fino alla sua abitazione, con le luci già accese nel salotto che si affacciava sulla via.

Non si guardò alle spalle. Né vide la figura che sbucava dai cespugli e rimaneva a osservarla mentre lei girava la chiave nella porta d'ingresso.

Capitolo undici

Sedici anni prima

Quella notte, sdraiata nel suo letto, Rose faticò a prendere sonno. Dopo essersi finalmente appisolata, si risvegliò di soprassalto alle due del mattino in uno stato di eccitazione sfiancante.

Erano i pensieri, le possibilità. Ma, soprattutto, a impedirle di riposare era il suono della voce profonda e sensuale di Gareth che le riecheggiava nella mente.

La sera prima l'aveva chiamata, come promesso. Alle otto in punto.

L'attesa era stata snervante perché all'improvviso, alle sette e mezza, aveva telefonato Kath, un'amica della mamma. Le due donne erano famigerate per le chiacchiere interminabili, perciò Rose tirò un gran sospiro di sollievo quando Stella concluse la chiamata dopo una ventina di minuti per guardare *MasterChef*.

«Perché sei qui sola soletta, Rose?», chiese Billy ad alta voce, superando la sorella seduta sull'ultimo gradino della scala, vicino al mobiletto del telefono.

«È il mio nuovo angolo per la lettura», rispose lei con un sorriso tirato.

«E il libro dove sarebbe?». A volte quel bambino era fin troppo sveglio. Ma Rose sapeva come liberarsene.

«Com'è andata a scuola oggi, Billy? Quali lezioni avevi?».

Il fratellino si imbronciò, bofonchiando qualcosa di incomprensibile, e sgattaiolò in cucina. Rose sentì la porta sul retro aprirsi e poi richiudersi. Mancava poco alle otto; troppo tardi

63

perché Billy uscisse. Perché la mamma non lo richiamava? Gareth avrebbe telefonato da un momento all'altro e non poteva occuparsene lei.

Gli ultimi cinque minuti di attesa furono una vera tortura. Il padre si alzò dalla poltrona e le passò accanto senza dire una parola. Rose non era certa che l'avesse notata; in quei giorni Ray sembrava vivere in un mondo tutto suo.

Lo sentì trafficare in cucina. Poco dopo, lo vide tornare con un panino e una lattina di birra.

Rose si chiese se sarebbe riuscita a spiccicare parola non appena avesse squillato il telefono. Aveva le labbra secche e le pizzicava ancora la pelle dove Cassie aveva rimosso il trucco in fretta e furia.

«Tanta fatica e ora mi tocca togliertelo», aveva brontolato l'amica, percuotendo la faccia di Rose con una salvietta ruvida. «Bastava dirlo che ti faceva schifo».

«Cass, non mi fa schifo, lo sai. Ma secondo te cosa direbbe mio padre se mi vedesse arrivare a casa conciata così?»

«Così come?»

«Tutta in tiro. Hai fatto un lavoro straordinario, ma non posso rischiare che mi facciano il terzo grado se domani sera voglio uscire con Gareth, giusto?»

«Direi di no», ammise Cassie di malumore.

La verità era che, per quanto l'amica avesse fatto un lavoro superstraordinario con il make-up, più Rose guardava la propria immagine riflessa e più si sentiva a disagio. Non sembrava *lei* in quello specchio, tanto per cominciare. Non che le piacesse il suo aspetto ordinario, ma preferiva partire da un trucco più naturale; un look che non la trasformasse in una persona completamente diversa.

Non lo avrebbe confessato a Cassie, però. Non avrebbe mai osato.

Lo squillo acuto del telefono la fece sobbalzare.

«Rispondo io, sarà Beth, una compagna del college», annunciò Rose ai genitori prima di afferrare la cornetta. Loro non replicarono.

«Pronto?»

«Ciao, sono Gareth».

A Rose venne la pelle d'oca lungo tutte le braccia. «Oh, ciao».

Tentò disperatamente di mostrarsi tranquilla e rilassata come se parlasse con un'amica, ma si rese conto di sembrare piuttosto una ragazzina sulle spine. Si augurò che Gareth intuisse che la conversazione doveva rimanere ambigua, nel caso i genitori di Rose origliassero dalla stanza accanto.

«Puoi parlare?», domandò lui.

«Sì, certo».

«Allora, che hai fatto di bello, oggi?».

Rose non poteva certo raccontargli della scuola, dal momento che fingeva di conversare con Beth Teague, iscritta al suo stesso corso d'arte e che i suoi genitori avevano già visto un paio di volte.

«Oggi pomeriggio sono stata da Cassie».

«Ah, ho capito». Gareth rise. «Ora devo mettermi a fare la studentessa del college, giusto? Infilare una gonna e i tacchi alti e spettegolare dei bei ragazzi».

Rose ridacchiò.

«Cassie è la tua amica del cuore, immagino».

«Sì. Abita in Byron Road».

«Okay. E cosa avete fatto da lei?».

Rose esitò. Non poteva nemmeno dirgli che l'amica le aveva dato lezioni di trucco e palpeggiamenti al cinema.

«Scusa. Non puoi rispondere a questa domanda perché i tuoi genitori stanno ascoltando?»

«No, no. Siamo state in camera sua. Sai, ad ascoltare musica e chiacchierare. Le solite cose».

«Chiacchiere da ragazzine sui maschi dei sogni, eh?». Gareth scoppiò in una risatina bassa e gutturale.

Rose si sentì avvampare e non riuscì a replicare.

Lei e Cassie frequentavano ancora il college, ma dal punto di vista legale erano adulte, dal momento che avevano entrambe compiuto diciotto anni. Non erano certo due ragazzine ingenue e sciocche come sembrava insinuare lui... Che la ritenesse più giovane? Forse Cassie aveva ragione a insistere sul trucco.

Si accordarono per la sera successiva.

«Se mi raggiungi all'imbocco della tua via, ti aspetto all'incrocio vicino alla scuola», suggerì Gareth. «Ho una Ford Escort grigia metallizzata».

Aveva la macchina! Per qualche ragione, la cosa la eccitava ancora di più.

«Hai pensato al film che vorresti vedere?».

Rose ci aveva pensato. Aveva spulciato poco prima la programmazione dei cinema sul giornale locale.

«Magari... *Shrek*?»

«*Shrek*?».

Rose provò imbarazzo per il tono sorpreso di Gareth. Era il genere di film che vedeva sempre con Cassie: dividevano una confezione di popcorn e rivisitavano i cartoni Disney dell'infanzia. «Pensavo fosse... non so, carino e leggero. Divertente».

«Okay. Be', ho detto che potevi scegliere, perciò vada per *Shrek*».

«No, dài», ritrattò Rose frettolosa. «Se c'è qualcosa di meglio...».

«Be'... Se guardassimo *La mummia – Il ritorno*?»

«Va bene, come preferisci».

«D'accordo, allora. Se ti fa paura, puoi sempre stringerti a me». Rose percepì il tono ironico. «Ma se ci tieni davvero a vedere *Shrek*, dillo pure».

«No, sul serio. *La mummia – Il ritorno* andrà benissimo. Perfetto».

«Ottimo. Allora ci vediamo domani alle sette. Prima ti porto a bere qualcosa».

Rose salutò "Beth" e concluse la telefonata.

Rimase seduta sul primo gradino della scala per qualche minuto, a godersi l'oscurità intima dell'atrio. Cosa aveva fatto per meritare che un uomo di classe come Gareth le chiedesse di uscire? Nonostante i suoi diciotto anni, in fin dei conti non era altro che una ragazzina del college che abitava in un paesino noioso in cui non succedeva mai niente.

Non era neanche capace di mettersi l'ombretto come si deve, per la miseria.

Rose avvertì un pizzico di nausea. Sarebbero andati a bere qualcosa in un bar elegante?

Gareth le aveva detto di essersi appena trasferito a Newstead per lavorare al nuovo progetto di rinascita. Rose era certa che non appena avesse visto le altre ragazze del paese – la stessa Cassie con la sua aria da diva del rock – o magari Stephanie Barrett, una brunetta tutte curve che l'anno precedente si era classificata terza al concorso di bellezza locale, si sarebbe reso conto che stava perdendo il suo tempo con l'anonima e slavata Rose Tinsley.

Con sua immensa vergogna, e grande ilarità di Cassie, Rose aveva a malapena baciato un ragazzo prima di allora e adesso un *uomo* affascinante, con tanto di lavoro e automobile, le aveva chiesto di uscire.

Malgrado si sentisse la ragazza più banale del paese e considerasse Gareth troppo grande per lei, Rose non riusciva a ignorare l'eccitazione spumeggiante e irrefrenabile che le scorreva nelle vene.

Capitolo dodici
Rose

Oggi

Il giorno dopo il collasso di Ronnie, arrivo al lavoro un po'
prima del dovuto.

L'ingresso riservato ai dipendenti è aperto, ma mi rincuora
non vedere traccia di Jim. Gli voglio un gran bene ed è proprio
di compagnia, ma non sempre capisce quando è ora di finirla
con le chiacchiere e lasciarmi lavorare in pace.

La sua risata tonante e l'acceso umorismo Geordie baste-
rebbero a far morire di vergogna qualsiasi bibliotecario; dopotutto, è rinomato il nostro amore per i bisbigli appena sus-
surrati.

La biblioteca non aprirà al pubblico per altri cinquanta minuti, così mi preparo un caffè e mi metto comoda sulle poltro-
ne dell'angolo lettura per spulciare un voluminoso fascio di
documenti. Ho continuato a rinviarne la consultazione perché
non mi sembra altro che una montagna di chiacchiere ufficiali
da parte delle autorità locali, nelle quali elencano le loro ragioni per la chiusura di quindici biblioteche nella contea di
Nottingham.

Una lettera di accompagnamento annuncia la visita dei funzionari presso ciascuna struttura per visionare la sede e incontrare di persona i bibliotecari. Annoto sull'agenda la data della
visita a Newstead e proseguo.

Un brivido mi sale lungo la spina dorsale al pensiero di cosa
accadrà se perderò il lavoro. Mi sento al sicuro qui: conosco il

posto e quasi tutte le persone che frequentano la biblioteca con regolarità. Sono diventate la mia famiglia.

Sarei costretta a cercare un altro lavoro.

Ho dei risparmi da parte, ma ammontano a poco più di due mesi di stipendio. Il pensiero di ricominciare da capo altrove... magari costretta a trasferirmi in un altro posto... mi opprime il petto come se i polmoni stessero per esplodere.

Non posso permettermi di rimuginare oltre. Non sono ancora abbastanza forte da considerare un cambiamento di vita così radicale mentre ancora lotto per sopravvivere giorno dopo giorno.

«Buongiorno, Rose», saluta Jim alle mie spalle, facendomi sobbalzare. «Non volevo spaventarti. Come sta Ronnie?».

In paese si era sparsa la voce dei suoi problemi di salute. Dopo appena pochi minuti da quando l'ambulanza aveva condotto Ronnie in ospedale, si era radunato un capannello di vicini preoccupati, ansiosi di dargli una mano in qualsiasi modo.

«Buongiorno a te, Jim». Faccio un bel respiro per riprendermi e mi volto. «Ho chiamato l'ospedale appena sveglia e mi hanno detto che ha trascorso una notte abbastanza irrequieta, ma ora sta meglio. Vado a trovarlo nel pomeriggio».

«Gli porteresti i miei auguri e quelli di Janice, cara? E fammi un fischio se il giardino ha bisogno di una sistemata o di qualche altro lavoretto. Non esistono più persone come Ronnie, questo è sicuro». Il sorriso di Jim si spegne in un'espressione triste. «Ha fatto tutto quello che poteva per il nostro Joe, non lo dimenticherò mai. Ha provato a resuscitarlo proprio lì davanti alla miniera, in mezzo alla folla che sbraitava. Ha un cuor di leone, il nostro Ronnie Turner».

Conoscevamo tutti la storia. Joe, il fratello gemello di Jim, apparteneva a un gruppetto di minatori che nel 1984 avevano scelto di non scioperare. Regolarmente additati come "crumiri" dai colleghi che protestavano, diventarono oggetto di calunnie e intimidazioni da parte della gente locale.

Una mattina, quando l'autobus del National Coal Board che trasportava i minatori operativi superò la massa di scioperanti rabbiosi e senza un soldo in tasca, il blocco della polizia non resse. Mentre i lavoratori scendevano dall'autobus, la folla insorse contro di loro lanciando oggetti.

Un pezzo di mattone volante colpì Joe Greaves alla nuca. L'uomo non riprese più conoscenza e il colpevole non fu mai identificato.

Avvennero numerosi incidenti simili, testimonianza di quegli anni turbolenti, come rimasero noti a livello locale, ma quasi nessuno dall'epilogo altrettanto tragico. Tuttavia, la mancanza di giustizia in seguito alla morte di Joe alimentò il malcontento e la sfiducia della comunità, che hanno continuato a covare sotto la superficie fino a oggi.

«Dirò a Ronnie che hai chiesto di lui, Joe», lo rassicuro alzandomi in piedi. «Ora puoi aprire la porta principale, per favore. Ci sarà l'assalto, presumo, con tutti quei deliziosi libri nuovi, in attesa di essere presi in prestito».

«Ah, avresti dovuto vedere la faccia della mia Janice quando le ho portato a casa il libro, ieri sera. Ci ha affondato subito il naso». Jim assume una finta espressione seria. «Guarda, mi sono perfino dovuto preparare la cena da solo».

Sorrido e mi dirigo alla mia postazione mentre lui apre le porte. Come previsto, c'è già una manciata di persone in fila, in gran parte avvisata ieri dai miei messaggi.

Ma le prime domande non riguardano i tanto attesi libri.

«Come sta il povero Ronnie?». La signora Brewster protende verso di me la mole imponente e si appoggia al bancone per riprendere fiato. «Non ho fatto che pensare a lui da quando ho saputo».

La signorina Carter la segue a ruota e io riferisco a entrambe ciò che ho appreso quella mattina per telefono dall'infermiera.

«Avevo intenzione di organizzare una piccola colletta per il signor Turner», propone timidamente la signorina Carter. L'anziana, magra come un chiodo e con i capelli grigi raccolti in uno chignon, mi scruta attraverso le lenti da professoressa. «Se non è troppo presuntuoso da parte mia».

«La trovo una splendida idea», rispondo con un sorriso, sperando non abbia ulteriori quesiti sulle mie abitudini alimentari. «Ronnie ne sarà commosso, ne sono certa».

Capitolo tredici
Rose

Oggi

Dopo il lavoro, prendo l'auto e punto dritta al Kings Mill Hospital per vedere come sta Ronnie.

Conosco il numero del reparto, perciò supero la reception e seguo le indicazioni che conducono ai piani superiori.

L'orario di visite è già iniziato, così non devo mettermi in fila. Suono il citofono all'ingresso del reparto sorvegliato e mi protendo in avanti per parlare con la voce incorporea. «Sono qui per fare visita a Ronnie Turner. Sono un'amica, la sua vicina di casa».

Nessuna risposta tranne un sonoro *clac* d'apertura, allora spingo la pesante porta antincendio.

Addentrandomi nel reparto, vengo assalita dall'odore di antisettico e il vacuo silenzio del corridoio esterno viene rimpiazzato dal brulicante andirivieni del personale indaffarato e delle visite ai pazienti. Mi avvicino a un'infermiera al bancone della reception.

Le spiego di nuovo chi sono. «Sono più che una vicina per Ronnie, a dire il vero», preciso. «Sono una cara amica. Ho chiamato io l'ambulanza».

«Capisco. Ebbene, temo che Ronnie stia riposando al momento», replica lei. «Questa mattina ha avuto una piccola ricaduta».

«Una ricaduta?». Deglutisco, ansiosa di conoscere il seguito.

«Soffre di crisi respiratorie, perciò i dottori gli hanno attaccato l'ossigeno e lo hanno sedato leggermente».

«Posso vederlo, solo per qualche minuto?», chiedo, ma lei scuote il capo.

«Non è cosciente al momento; non si accorgerebbe neanche della sua presenza. Farà meglio a tornare domani, ma le suggerisco di telefonare prima in reparto per assicurarsi che il paziente sia pronto a ricevere visite».

«Va bene», rispondo rassegnata. «Può avvisarlo che sono passata?».

La donna annuisce, già distratta da un altro visitatore.

Nella strada verso casa, ripenso alle parole dell'infermiera e ricorro al solito stratagemma: ripetermi che le cose sarebbero potute andare peggio. Sto malissimo al pensiero di andarmene senza aver visto Ronnie. Mi preoccupa che al suo risveglio sarà l'unico paziente senza visite al capezzale.

So che è proprio in questi momenti che gli anziani si sentono soli e trascurati, come se a nessuno importasse più niente di loro.

Mi spremo le meningi. Ora come ora non posso vederlo di persona, ma ci sarà senz'altro qualcosa che posso fare per dimostrargli la mia vicinanza... e che sto pensando a lui.

Finalmente mi viene un'idea.

La casa di Ronnie è in pessimo stato. Il minimo che possa fare è renderla pulita e accogliente per il suo ritorno.

Sono certa che farebbe una bella differenza.

Tornata a casa, mi preparo un panino al pomodoro e formaggio e una tazza di tè. Non mi va altro, nonostante il frigorifero e la dispensa siano ancora pieni di tutte le provviste sfiziose della mia ultima, gigantesca spesa compulsiva.

Mia madre era una fanatica dei fornelli e adorava cucinare pietanze luculliane da zero. Io in pratica scaldo solo cibi già pronti e a volte mi rendo conto che dovrei sforzarmi almeno un po' per preparare con le mie mani qualcosa di genuino e nutriente.

Credo dipenda da una questione generazionale: oggi alle

donne viene inculcato che nella vita ci sono un sacco di cose più importanti di cui occuparsi anziché cucinare, come se trarre piacere dalle attività domestiche fosse umiliante. Pare ci sia sempre qualcuno che sa meglio di noi donne ciò che le donne dovrebbero fare.

Dopo aver finito il tè, mi assale la stanchezza. Ho poca energia, è così da sempre. Avrei una gran voglia di riempire la vasca da bagno e immergermi per una mezz'oretta, poi andare a letto presto con una vaschetta di gelato e l'ultimo libro che sto leggendo: uno dei titoli in lizza per il Man Booker Prize.

In qualità di bibliotecaria, avverto spesso la pressione di dover dare il buon esempio leggendo i pezzi grossi della letteratura, ovvero il genere di libri in cui, per capirci qualcosa, mi ritrovo a tornare indietro di continuo per rileggere l'ultima mezza pagina.

Questa è proprio una di quelle sere in cui preferirei un bel romanzetto femminile.

Tuttavia, concedermi un bagno caldo e andare a letto presto non gioverà a Ronnie. Perciò prendo un paio di detersivi dal mobiletto, afferro qualche strofinaccio e mi dirigo verso la casa accanto.

Lascio accese le luci e chiudo la porta sul retro, poi faccio scivolare le chiavi nella tasca del maglione. Fuori è buio e l'aria fresca mi sferza le mani e il viso.

Il mio cuore accelera i battiti, pulsando contro il petto con ritmo irregolare. Provo a tranquillizzarmi a parole, come mi ha insegnato la terapista tanti anni fa.

Sto bene. Sono al sicuro. Ora respiro a fondo per calmarmi.

Apro il cancelletto, lo stesso che da bambina ho attraversato centinaia di volte per andare a trovare Ronnie e Sheila.

La mia mente schizza all'indietro e indugio per qualche istante sul cancello, concedendomi un tuffo nel passato. Rivedo mamma e papà in salotto. Billy sta costruendo uno dei suoi capolavori Lego sul tavolo della cucina e io sono in questo stesso punto e sto portando a Sheila l'ultimo numero di «Woman's Own», che la mamma ha finito di leggere.

Un cane abbaia in un giardino poco distante e la visione si dissolve. Premo la mano contro il cancelletto e sento il legno umido e scheggiato sotto le dita.

L'attimo che immaginavo è esistito davvero in passato, eppure allora non ci facevo caso. La mia famiglia era sempre lì. Niente per cui sentirsi grati; anzi, spesso era proprio il contrario. C'erano un sacco di motivi per irritarsi: mamma e papà che battibeccavano per i soldi; Billy che continuava a chiedere questo e quello o mi assillava per giocare un'altra infinita partita a Monopoli.

Mi seccavano. All'epoca mi sembrava non facessero altro.

Quanto vorrei che fossero ancora qui a seccarmi. Vorrei essermi presa del tempo per parlare con papà di quello che provava, privato da un giorno all'altro del lavoro e del suo ruolo nella comunità. Vorrei aver proposto alla mamma di fare una passeggiata insieme nei prati dell'abbazia, tanto per uscire di casa e discutere di qualcosa che non fosse la mancanza di soldi o di papà che beveva troppo.

E Billy. Quanto vorrei avere un'altra occasione per passare del tempo con mio fratello.

Avrei dovuto giocare un migliaio di partite a Monopoli con lui e insegnargli a restare al sicuro. Avrei dovuto insistere che era giusto voltare le spalle e allontanarsi da qualsiasi situazione gli creasse disagio.

Anche se implicava fare i maleducati con qualcuno di nostra conoscenza.

Qualcuno come Gareth Farnham.

Sento sbattere le portiere di un'automobile in strada e riemergo dalla foschia del passato. Non giova a nessuno, indugiare nelle reminiscenze. Tantomeno a me.

I rimpianti non risolvono nulla. I rimpianti non mi restituiranno la mia famiglia, questo è certo.

Cerco nella tasca la chiave di riserva di Ronnie. Ha abitato per anni nel cassetto della mia cucina, ma in tutto questo tempo non ho mai avuto occasione di usarla.

Ronnie non si è mai ammalato seriamente prima di adesso. Non va mai in vacanza – nemmeno per un week-end – e a parte un salto nei negozi del paese o, di rado, allo Station Hotel per una birra, non esce mai di casa.

Una cosa è sicura: in futuro, non voglio rimpiangere di non aver fatto il possibile per lui nel momento del bisogno. Voglio aiutarlo meglio che posso e ripagarlo almeno in parte della gentilezza che ha dimostrato a me e alla mia famiglia nel corso degli anni.

Lui si è sempre prodigato per aiutare chiunque ed è giunto il momento di offrirgli la mia gratitudine personale. Penso alla signorina Carter e alla sua colletta di "pronta guarigione", e alla proposta di Jim di prendersi cura del giardino di Ronnie mentre è in ospedale.

C'è tanto amore per lui in questa comunità.

Apro la porta, entro nella cucina di Ronnie e accendo la luce. C'è puzza di chiuso qui dentro. Non ci ho mai fatto caso prima, ma non può essersi materializzata dall'oggi al domani.

Mi rendo conto, con una certa vergogna, che non ho notato fin troppe cose riguardanti Ronnie. È sempre stato una figura rassicurante sullo sfondo; sempre presente, fino a oggi. Come la mia famiglia, suppongo.

Poso i detersivi sul piano da lavoro della cucina. A quanto pare, la degenza di Ronnie in ospedale si prolungherà più del previsto, ma non importa.

Quando stasera rincaserò, le stanze al piano terra di questa casa saranno pulite e immacolate, pronte per il suo ritorno.

E domani, nonostante la curiosa richiesta che mi ha fatto mentre lo portavano in ospedale, intendo affrontare anche il primo piano.

Capitolo quattordici

Sedici anni prima

Dopo l'attesa del primo appuntamento, che le era parsa lunga una vita, finalmente Rose era pronta per uscire.

Aveva calcolato un largo anticipo per raggiungere l'imbocco della via e incontrare Gareth subito dopo la curva, all'incrocio nel quale lui le aveva detto di aspettarla in macchina.

«Dove hai detto che vai?». Ray Tinsley bevve un'altra sorsata di birra dalla lattina e fece un rutto, scoccando uno sguardo di disapprovazione alla figlia che lo salutava a distanza di sicurezza dall'ingresso.

«Sei bellissima, Rose», le sussurrò Billy alle spalle e lei allungò una mano dietro per stringere la sua.

Nonostante le istruzioni dettagliate di Cassie, alla fine Rose aveva deciso di vestirsi in modo poco appariscente. Non aveva altra scelta, se voleva tenere segreto l'appuntamento.

Indossava dei pantaloni neri di sartoria, un paio di décolleté ragionevolmente basse e una camicetta bianca che la madre le aveva comprato un anno prima da Marks & Spencer. In pratica era l'abbigliamento che aveva indossato al colloquio di selezione per il corso d'arte.

Dal suo punto di vista, era un abbinamento piuttosto "in tiro" rispetto ai jeans, T-shirt e scarpe da ginnastica che metteva tutti i giorni.

Ma Cassie non l'avrebbe scelto neanche morta. Appuntamento sexy o niente appuntamento.

«È bello vedere che hai fatto un piccolo sforzo per vestirti meglio, tesoro. Sei molto carina».

«Grazie, mamma». Rose guardò il padre per rispondergli. «Esco con alcune compagne del college. Beviamo qualcosa e poi andiamo al cinema, papà. Non farò tardi».

«Mi auguro proprio di no», brontolò lui. «Non ci hai messo tanto a cominciare a bere, da quando frequenti quella scuola».

«Suvvia, Ray, non essere ingiusto». Stella posò una mano sul braccio della figlia. «Rose è una brava ragazza e non esce quasi mai. Hai abbastanza soldi, tesoro?».

Lei annuì. «Allora vado».

«E come pensi di arrivarci?», latrò il padre.

«In autobus», tagliò corto lei, come se fosse ovvio. Per fortuna, Ray non replicò.

Rose tornò nell'ingresso. «Ops, ho dimenticato la giacca. Corro di sopra a prenderla, poi vado».

«Divertiti», disse la madre, sedendosi davanti al televisore con un sacchetto di patatine.

Rose salì in camera e si passò in fretta un po' di fard sulle guance e un rossetto leggero sulle labbra. Aveva già applicato un velo di mascara, ma non poteva destare i sospetti dei genitori.

Se Cassie l'avesse vista così sobria dopo gli sforzi dell'altra sera, sarebbe andata su tutte le furie.

Rose scese di corsa e si precipitò fuori dalla porta. Billy l'aspettava in cortile. «Ti accompagno fino alla fermata dell'autobus», propose.

«No!». Il cuore di Rose cominciò a martellare. «Non stasera, Billy».

«Ma mi stufo. Non so cosa fare».

Rose guardò il fratello, che le fece tanta pena. Da quando aveva cominciato il college a settembre, non gli aveva dedicato molto tempo.

Avevano dieci anni di differenza, ma lei lo adorava. Giocavano sempre a qualche gioco da tavola: Cluedo, Scarabeo e il preferito di Billy, l'interminabile Monopoli.

Ma ora, con gli studi d'arte e l'impegno da volontaria presso la biblioteca locale, Rose aveva meno tempo a disposizione.

Mentre lo osservava, Billy si voltò appena e Rose notò un'ombra sulla sua mandibola.

«È un livido quello?». Allungò la mano verso di lui.

«Mi è arrivata una pallonata», rispose Billy scontroso, facendo un passo indietro. «Ieri, quando siamo andati a giocare al campo».

«Senti, domani sera facciamo qualcosa insieme». Rose avanzò verso il vialetto che costeggiava la casa e si girò a guardare l'espressione desolata del fratello. «Promesso».

«Che cosa?»

«Non so, Billy. Scegli tu. Pensa a qualcosa che ti piace e domani mattina me lo dici». Rose non si voltò più; doveva sbrigarsi.

Raggiunse l'incrocio concordato almeno cinque minuti prima e fu sorpresa di vedere già parcheggiata una Ford Escort grigia metallizzata.

Avvertì il sangue affluire alle guance e dovette fare appello a tutta la propria forza di volontà per non scappare via.

Mentre si avvicinava all'automobile, sentì una musica a volume alto e notò che Gareth aveva il finestrino abbassato. Le note di *All Rise* della boyband Blue rimbombavano all'esterno, attirando l'occhiataccia di un uomo, che lei per fortuna non conosceva, a passeggio con il cane sul lato opposto della strada.

Rose chinò la testa e sbirciò attraverso il finestrino del passeggero per accertarsi che fosse proprio Gareth. Quando lui le fece l'occhiolino, prese una bella boccata d'aria e aprì la portiera.

«Ciao, Rose». Gareth sorrise e abbassò la musica. «Sei molto carina».

«Grazie». Rose salì sull'auto. Lui si voltò sul sedile e si mise a fissarla. Il rossore sul viso e sul collo della ragazza si accentuò. «Qualcosa non va?», chiese.

«Non c'è niente che *non va*». Gareth le sfiorò una guancia sorridendo. «Guardo solo quanto sei bella. A te va bene, no?»

«Sì», squittì lei, pregando tra sé e sé che il sedile si aprisse di colpo e la ingoiasse in un boccone.

E comunque, non andava bene, non proprio. Anche senza specchio, Rose sapeva di essere un gigantesco disastro: capelli rossi, faccia rossa. Si sentiva chiaramente fuori luogo e non avrebbe mai dovuto presentarsi lì.

Gareth riportò lo sguardo al volante e girò la chiave. L'accensione tossicchiò ma non partì. Lui girò ancora un paio di volte.

«Adoro i tuoi colori», commentò, alla vista di Rose che si scostava la chioma dal viso. «I tuoi capelli rossi e la tua pelle così liscia».

Lei non voleva che le facesse complimenti solo per metterla a suo agio. Detestava il proprio aspetto.

«Sei molto bella». Gareth sorrise, senza smettere di osservarla, mentre Rose era tutta concentrata a mordicchiarsi le unghie. «Non sei abituata ai complimenti, vero?».

Lei fece spallucce, nella speranza che l'altro cambiasse argomento.

«Be', allora farai meglio ad abituarti, perché per me sei bellissima».

L'automobile finalmente prese vita e partì lungo Hucknall Road. Rose espirò a lungo e in silenzio.

«Così sei riuscita a scappare da Colditz?»

«Come?»

«Da tuo padre, intendo. Credevo fosse per lui che mi sono dovuto fingere una tua compagna di scuola, l'altra sera al telefono».

Le sorrise e Rose si ritrovò a ridere di quel commento e rilassare un pochino le spalle.

«È filato tutto liscio», rispose. «Papà ha fatto qualche domanda su dove andassi e come. Poi, come se non bastasse, il mio fratellino Billy si è offerto di accompagnarmi alla fermata dell'autobus».

«Hai un fratellino, eh? Sembra una bella seccatura».

«Non mi dà problemi, a dire il vero». Rose sorrise con malizia. «Preso a piccole dosi».

Capitolo quindici

Sedici anni prima

All'inizio Rose aveva temuto che il tragitto verso il cinema si sarebbe trascinato in modo penoso, frenato dalla sua scarsa sicurezza di sé. Invece chiacchierarono piacevolmente del più e del meno.

«Dove vivevi prima di trasferirti qui?», chiese.

Gareth armeggiava con la radio, alzando e abbassando il volume della musica.

«Prima di venire a Newstead, intendo», insisté Rose. «Non riesco a individuare il tuo accento. Non sembra del Nottinghamshire, ma...».

«Non saprei da dove cominciare», la interruppe lui. «Ho vissuto ovunque. In tutto il Paese, per non dire il mondo».

«Wow», commentò Rose sinceramente impressionata. «Tipo dove?»

«È un interrogatorio formale? Devo chiamare il mio avvocato?», rise Gareth e lei fece altrettanto.

«Sono solo invidiosa», precisò Rose. «Io non sono mai stata all'estero».

«Sul serio?». Gareth la guardò, radioso in viso. «Che cosa dolce».

«Non è dolce, è triste». Rose fece una smorfia. «Il posto più lontano che ho visitato è Newquay, in Cornovaglia».

«Sei la classica ragazza della porta accanto, vero, Rosie? Pura e incontaminata».

Lei strinse le labbra e guardò fuori dal finestrino.

«Mio padre era nell'esercito», raccontò Gareth. «Prestava servizio in Germania, ma ci siamo spostati molto». Indugiò prima di proseguire. «In realtà, i miei si sono separati quando ero piccolo. È sciocco, davvero, ma mi fa ancora male parlarne».

«Oh! Mi dispiace», si affrettò a scusarsi Rose, rimproverandosi per il poco tatto. «Capisco benissimo e non intendevo ficcare il naso nella tua vita».

Dopo qualche istante di silenzio imbarazzato, ripresero a chiacchierare.

Gareth mostrò più entusiasmo nel descrivere il nuovo progetto di rinascita nel quale era coinvolto.

«Abbiamo un mucchio di cose in programma che, alla lunga, procureranno lavoro alla gente locale».

«Sembra magnifico, proprio quello di cui il paese ha bisogno», commentò Rose raggiante. «Se le cose miglioreranno da queste parti, ti saremo tutti molto grati, Gareth».

Lui rise. «Faccio solo il mio lavoro; non sono il tipo a cui piace attirare l'attenzione. Presto ci sarà un'intera squadra di persone a lavorare al progetto, inclusi i volontari del posto. Sai, se volessi… oh, non importa».

Rose lo guardò. «Cosa volevi dire?»

«Solo che, se ti interessa, potrebbe farci comodo il tuo aiuto, ma so che presti già servizio volontario in biblioteca».

Rose pensò ai terribili pomeriggi con il signor Barrow, che scartava il suo panino all'insalata di pollo ogni giorno alle dodici in punto e misurava il dorso dei libri con il righello perché le etichette risultassero tutte alla stessa altezza.

Rose adorava quei libri meravigliosi, ma il tempo trascorso in biblioteca era più monotono e prevedibile che eccitante, come invece sarebbe stato aiutare Gareth e il suo team.

«Lavoro in biblioteca solo il mercoledì pomeriggio», precisò. «Sono sicura che potrei ritagliarmi un po' di tempo per il tuo progetto».

«Sarebbe splendido, Rose». Gli occhi di Gareth si soffermarono su di lei troppo a lungo, dovendo prestare attenzione alla strada. Rose trattenne il fiato finché lui non voltò di nuovo lo sguardo. «Il progetto rimetterà in piedi il paese e sarebbe magnifico che ne facessi parte».

«Spero tanto che tu abbia ragione», disse Rose, provando una tristezza improvvisa. «Mio padre è l'ombra dell'uomo di un tempo. Il giorno in cui hanno chiuso la miniera ha iniziato a spegnersi».

«Non ha trovato altro?».

Rose scosse il capo. «Non per mancanza di tentativi, ma da queste parti non si muove niente».

Gareth svoltò a destra con una manovra secca e Rose si accorse che erano arrivati in un parcheggio. Alla fine, il viaggio verso Mansfield le era sembrato brevissimo. Aveva chiacchierato senza problemi e ora si sentiva molto più rilassata. Anche il suo viso aveva ripreso un colorito normale.

Gareth spense il motore.

«Io *ho* ragione sulle migliorie che apporteremo in paese. La mia speranza è che imparerai a fidarti del mio giudizio». Ammiccò e Rose avvertì una nuova ondata di calore salirle lungo il collo. «Resta con me e la tua vita migliorerà. Credi di farcela? Ti fidi di me, Rose?»

«Be'… sì, credo di sì». Rose esitò sotto lo sguardo penetrante di Gareth e si chiese se lui intendesse già proporle un secondo appuntamento.

Solo in seguito, rivivendo quella conversazione nella mente, Rose avrebbe notato la stranezza di quella domanda dal momento che si erano appena conosciuti.

Capitolo sedici
Rose

Oggi

Di venerdì la biblioteca apre solo il pomeriggio, dalle due alle sei, perciò decido di sfruttare la mattinata per continuare le mie pulizie a sorpresa da Ronnie.

Ieri sera, nonostante la stanchezza, sono stata felice di dare una mano lavorando a casa sua fino a tardi prima di rientrare.

Spesso le mie serate vuote si dilatano, ecco perché tendo ad andare a letto presto quasi tutti i giorni, se non ho niente da guardare alla televisione. È incredibile quanto girino lente le lancette dell'orologio, se non hai nessuno con cui discorrere della giornata o dei problemi del mondo davanti a un bicchiere di vino.

Ormai dovrei esserci abituata, suppongo. Eppure è stato un bel diversivo veder volare le ore come ieri sera.

Ho dato da mangiare a Tina, la gatta di Ronnie, poi ho iniziato dalla cucina, strofinando a fondo i ripiani e le ante degli armadietti. Ho ponderato se svuotarli e pulirli anche all'interno, ma temevo di varcare il limite. Non volevo far pensare a Ronnie che ero stata troppo invadente in sua assenza.

Oltretutto, mi è bastata un'occhiata sbrigativa per capire che alcuni armadietti erano stipati fino all'orlo con ogni sorta di oggetti strampalati – gomitoli di lana, confezioni ancora intatte di mollette per il bucato o del necessario per il cucito – che dovevano essere rimasti lì, congelati nel tempo, in seguito alla morte di Sheila cinque anni fa.

Dopo aver pulito e strofinato tutta la cucina, ho passato lo straccio sul pavimento, chiudendomi la porta alle spalle per lasciarlo asciugare.

Poi ho preso l'aspirapolvere dal mobile del sottoscala nel piccolo ingresso e mi sono trasferita in salotto.

Una volta spolverato, sprimacciato i cuscini e finalmente aspirato il tappeto sfilacciato e rappezzato, ho deciso che oggi avrei rimosso le pesanti tende di velluto per spalancare le finestre. Una bella arieggiata alla casa avrebbe senz'altro giovato.

Perciò, stamattina, è ora di finire il lavoro.

Esco in giardino e inspiro l'aria mattutina, umida e terrosa. Non è poi così male qui: ho ricordi felici di quando ci giocavo da piccola.

Come i vari compleanni festeggiati in famiglia, a base di hamburger e bibite, con gli adulti seduti sulle scomode sdraio a righe dalla struttura in metallo che papà aveva stipato sul nostro praticello fangoso.

Era il periodo in cui lavorava ancora alla miniera e faceva sempre un sacco di straordinari. Anche dopo la chiusura, gli era rimasta la sensazione che prima o poi la ruota avrebbe ripreso a girare.

Al pari delle generazioni precedenti, papà dava per scontato che il suo futuro fosse già pianificato: lavorare per il National Coal Board – o NCB, come veniva abbreviato – prima di ritirarsi con una bella pensione comoda. Guadagnata onestamente fino all'ultimo penny, sgobbando per decine di migliaia di ore in un ambiente sporco e surriscaldato, a quasi mille metri sottoterra, sul fronte di abbattimento.

Alla mamma piaceva stare in giardino. A partire dalla primavera, riempiva le bordure di fiori colorati e curava il prato con il suo piccolo tosaerba elettrico. Era un'anima creativa, e niente la rendeva più felice che curare il giardino o cucinare.

Io invece riesco a malapena a tenere il cortile ordinato in questi giorni, ma non ho né il pollice verde della mamma né la sua creatività.

Varco il cancello che porta al giardino di Ronnie e lì è tutta un'altra storia. Il cortile sul retro è ricoperto di cemento. Ricordo di averglielo visto fare con le sue stesse mani qualche anno fa.

«Il prato è troppo impegnativo», aveva brontolato rivolto a papà, da una parte all'altra della siepe. «Meglio godersi la vita che spezzarsi la schiena in giardino, dico bene, Ray?».

Avevano riso e papà si era detto d'accordo, salvo poi storcere il naso verso la mamma, dopo che Ronnie era rientrato.

«Razza di pelandrone», si era lagnato. «Quanto mai ci vorrà a tenere ordinato un fazzoletto di terra, eh?»

«Non ci vorrà molto per *te*, ma di certo impegna un bel po' del mio tempo», aveva precisato la mamma.

Ora il cemento del cortile di Ronnie è sporco e dal centro si irradiano profonde crepe, come strade dismesse su una piantina non aggiornata.

Entro in casa e provo soddisfazione nel constatare che, dopo le grandi pulizie di ieri, la cucina ha un'aria fresca e ordinata come non la vedevo da anni.

Apro la piccola finestra accanto al forno, poi estraggo il tappeto striato dalla lavatrice avviata ieri sera e lo stendo sul filo della biancheria appena fuori dalla porta sul retro. Oggi c'è una brezza frizzante, perciò non impiegherà molto ad asciugarsi.

In salotto, spalanco le tende il più possibile e apro le due finestre in alto.

Valuto che forse potrei suggerire a Ronnie di sostituire i pesanti drappeggi di velluto con delle graziose tende più corte e leggere.

Sarei felice di accompagnarlo per negozi a scegliere nuovi tessuti d'arredo, ma ho la vaga sensazione che lui non vorrà cambiare... Troppi ricordi di Sheila si conservano ancora tra le pieghe e la polvere.

Ferma ai piedi delle scale, alzo lo sguardo verso il piano superiore, la borsa dei detersivi stretta tra le mani, e noto che anche lassù serve una bella passata d'aspirapolvere.

Non mi ero mai chiesta come facesse il mio vicino a tenere in ordine la casa. Come gran parte delle coppie dell'età di Ronnie e Sheila, i due avevano mantenuto i rispettivi ruoli tradizionali per quasi tutta la durata del matrimonio e lei era una casalinga formidabile, che si riempiva d'orgoglio nel tenere la casa sempre lustra e in perfetto ordine.

Dopo la morte della moglie, Ronnie si sarà visto strappare dal suo ambiente sicuro e, impegnato a lottare contro il proprio dolore, ha lasciato che tutto il resto gli scivolasse sopra.

Salgo al primo piano, e rimando a più tardi la pulizia delle scale. Sono quasi a metà rampa, quando mi si bloccano i piedi al pensiero della richiesta di Ronnie.

«Non andare di sopra», erano state le sue ultime parole, prima che lo portassero via in barella.

Credo di sapere perché lo abbia detto. Quasi certamente è perché quassù la casa è in condizioni pessime e lui si vergognava all'idea che la vedessi. Figuriamoci se Ronnie non si preoccupa di quello che la gente possa dire di lui, anziché pensare solo a guarire.

Certo, non vorrei ignorare in modo spudorato la sua richiesta esplicita, ma è davvero indispensabile dare una rinfrescata al bagno prima che lui ritorni. L'odore terrificante di ieri era la prova lampante che si fosse sentito male proprio lì, subito prima che io lo trovassi. Anche se il pensiero mi fa rivoltare lo stomaco, come minimo devo disinfettare il gabinetto e passare lo straccio sul pavimento.

Per fortuna la finestrella del bagno è rimasta spalancata tutta la notte e l'aria all'interno non è pesante come me l'aspettavo.

Verso nel water una dose generosa di candeggina e la lascio agire per un po', poi pulisco anche il lavandino e la vasca da bagno.

Mi si stringe il cuore nel vedere ammassata in un angolo una serie di boccette di prodotti femminili.

Un altro ricordo di Sheila dal quale il povero Ronnie non sembra ancora pronto a separarsi.

Capitolo diciassette
Rose

Oggi

Esco dal bagno, intenzionata a scendere in cucina per recuperare secchio e straccio e dare una bella passata al pavimento, quando noto che la porta della camera di Ronnie è socchiusa.

Come a casa mia, la stanza da letto principale si affaccia sulla strada mentre la seconda, più piccola, dà sul retro.

La curiosità ha la meglio su di me e decido di dare una sbirciatina all'interno. So che metterei in imbarazzo Ronnie se fosse qui, ma desidero tanto che al suo rientro trovi tutta la casa a posto. Cambiargli le lenzuola e arieggiare la stanza farà una bella differenza, specialmente se dopo le dimissioni dovrà restare a riposo per un certo periodo.

Apro piano la porta e do un'occhiata in giro. Caro vecchio Ronnie, si è rifatto anche il letto e tutto sommato la camera è abbastanza in ordine. Passerò l'aspirapolvere anche qui, insieme al resto, ma per il momento mi limito a spalancare la finestra per cambiare aria.

Tornando sul pianerottolo, noto che la porta della seconda camera è ben chiusa.

Se Ronnie somiglia a me, la stanza degli ospiti sarà diventata una specie di discarica, usata per conservarci qualunque cosa. Altre cianfrusaglie che avrebbero dovuto essere buttate anni fa, presumo.

Potrei dare un'occhiata veloce anche lì dentro, così avrò passato in rassegna l'intera casa e avrò un'idea precisa su quello che c'è da fare.

Attraverso il pianerottolo, socchiudo la porta e infilo dentro la testa.

Non riesco a trattenere un sorriso. Avevo ragione: Ronnie usa davvero la stanza degli ospiti come discarica. Anzi, sembra ridotta anche peggio della mia, il che è tutto dire.

Scatole su scatole, piene di roba. Sembra tutto intoccato e mi domando quando sarà stata l'ultima volta in cui Ronnie ha messo piede qui dentro o ha avuto bisogno di qualcosa.

Un fruscio, seguito da un tonfo alle mie spalle, mi fa sobbalzare.

«Oh! Sei tu, Tina», dico alla gatta e lei mi fissa con aria d'accusa. «Sì, lo so. Ronnie mi ha detto di non salire e invece eccomi qua. Be', resterà tra noi, okay? Dài, andiamo in cucina che ti preparo da mangiare».

Allungo la mano verso la porta per richiuderla, ma Tina mi sfreccia davanti e sparisce come un lampo tra le scatole accatastate.

Sospiro e mi dirigo verso le scale, lasciando la porta aperta. Uscirà da sola quando sarà pronta.

Mezz'ora più tardi, ho pulito anche le scale e il pianerottolo e la gatta è *ancora* rintanata nella stanza-ripostiglio. Avvolgo il filo dell'aspirapolvere e mi piazzo sulla soglia, le mani sui fianchi.

«È ora di uscire, Tina», chiamo rivolta alle scatole.

Un fruscio, una grattata e poi silenzio. Comincio a chiedermi se non ci sia un topolino là in fondo. C'è un odore strano, in effetti, ma sarà perché la camera rimane chiusa quasi tutto il tempo.

La finestra è sul lato opposto, bloccata da una barriera di scatoloni e sacchi dell'immondizia ricolmi di roba. Se nemmeno Ronnie ci entra mai, non vale la pena che mi spezzi il collo per arieggiare.

«Tina?».

Silenzio.

Me la immagino accovacciata là sotto, a godersi il piacere perverso di mettere alla prova la mia pazienza, com'è tipico dei gatti. Un simile ammutinamento richiede rimedi estremi. Scendo in cucina e torno con una lattina di cibo per gatti che ho trovato in un sacchetto sul piano da lavoro.

Fischio e schiocco la lingua, muovendo il contenitore per diffonderne l'aroma e stuzzicare Tina, ma lei non si muove.

«Okay, fa' come ti pare». Sospiro e mi volto per andarmene.

Lascerò la porta della stanza aperta, così lei potrà uscire quando ne avrà voglia. Poi mi viene in mente che non so cosa ci sia dentro quelle scatole. Forse Ronnie chiude la porta per una ragione precisa.

Non mi va che rientri a casa senza preavviso mentre sono al lavoro e scopra che Tina ha rovinato stoffe o graffiato ricordi dal valore sentimentale.

Se però lascio la porta aperta, Ronnie scoprirà che ho ficcato il naso all'interno... non è proprio così, ma potrebbe sembrare.

Entro di nuovo e sposto qualche scatola per crearmi un varco verso il centro della stanza, dove sento rovistare Tina. Se solo riuscissi a scovarla, potrei acciuffarla e sbatterla fuori. Così Ronnie non lo verrebbe mai a sapere.

Per lo più, ci sono contenitori di cartone di quelli che si prendono liberamente accanto alle casse del supermercato. Non essendo veri e propri scatoloni da imballaggio con le ali che si chiudono a incastro, riesco a vedere il contenuto della maggior parte di essi mentre li sposto.

Giornali ingialliti, con articoli che un tempo avranno destato l'interesse di Ronnie o Sheila, pile di vestiti che odorano di muffa, scatole piene di fotografie ancora infilate nelle buste rosse e gialle della Kodak e un paio ricolme di vecchi cavi ormai inutilizzabili.

Deduco con una certa sicurezza che Ronnie non butta via niente da almeno un decennio.

Colgo una visione fulminea di pelo rossiccio mentre Tina si

addentra sempre di più in fondo alla stanza, dietro un'altra montagna di scatole. Rimuovo anche quella e mi intrufolo rapida, afferro la gatta nel modo più delicato possibile e lei miagola indignata.

«Credevi davvero di potermela fare, signorina?».

Tento di schivare i suoi artigli tesi, tenendola ben lontana davanti a me per ripercorrere il varco attraverso la stanza, ma non sono abbastanza veloce e Tina mi aggancia il braccio con un'unghia uncinata, lasciandomi un brutto graffio.

«Ahia!». Barcollo e vado a sbattere contro una delle poche scatole di cartone con le ali ben chiuse, che cade a terra, riversando tutto il contenuto.

Senza mollare la gatta, scavalco il disastro, decisa a sistemare tutto dopo aver portato Tina di sotto.

Un triangolino di tessuto rosso cattura la mia attenzione.

C'è qualcosa in quella stoffa... nel colore...

Il mondo smette di girare per un secondo e il battito del cuore mi rimbomba nella testa.

Il mio cervello la riconosce al volo. Sembra proprio...

«*La copertina di Billy*», sussurro con voce così lieve che mi domando se ho davvero parlato.

A malapena mi accorgo che Tina mi sfugge dalle braccia con un sibilo perché la stringevo troppo.

Mi chino a toccare con il polpastrello l'angolo esposto del tessuto. Lana pettinata. Sofficissima.

Barcollo di nuovo. Sento le gambe molli e cado in ginocchio accanto alla scatola.

Afferro l'orlo del triangolino di stoffa tra indice e pollice e lo tiro verso di me. Il resto della copertina rossa emerge dal contenuto del pacco e me la ritrovo tra le mani.

La guardo con attenzione. Noto alcune chiazze di colore sbiadite.

La avvicino al viso e annuso.

Esiste un mucchio di copertine rosse, dice la vocina nella mia testa. *Potrebbe trattarsi di una delle tante che somigliano a quella di Billy.*

Può essere, rifletto, e la stringo più forte.

E poi la vedo, proprio lì nell'angolino. La piccola B dorata, ricamata dalla mamma. Studiata di proposito per rimanere discreta e non imbarazzare Billy, ma allo stesso tempo utile a identificare la copertina se si fosse smarrita.

Gli sforzi della mamma sono valsi allo scopo. Non c'è dubbio: *questa* è la copertina di mio fratello.

Quella che si era portato per il nostro picnic all'abbazia.

Quella che la polizia non riuscì mai a trovare.

Quella che Billy aveva con sé il giorno della sua morte.

Capitolo diciotto
Rose

Oggi

Nascosta per anni sotto pacchi di fazzoletti e federe ripiegate, la copertina di mio fratello ora è qui sulle mie ginocchia.

Non so dire di preciso quanto a lungo sia rimasta seduta sul pavimento, nella stanza-ripostiglio di Ronnie. La luce mi sembra diversa e fatico a respirare nell'aria ispessita.

Non ho l'orologio, ma saranno passate ore. Il pensiero del lavoro fa una breve apparizione nella mia mente, poi scivola via di nuovo.

Sono bloccata in un universo parallelo nel quale niente ha più senso. Nel quale, se non riesco a scrollarmene fuori, il giorno si fonderà con la notte e la vita reale rimarrà sospesa.

Sono in una dimensione in cui accade l'impossibile.

Abbasso lo sguardo sulla copertina di Billy.

La cercammo per settimane. Gli abitanti del posto, la polizia e la gente dei paesi vicini. Anche dopo il ritrovamento del corpo di Billy, ci dissero che la copertina era di vitale importanza per le indagini.

E mi rendo conto all'istante che forse non avrei dovuto toccarla. Non è più l'oggetto di conforto di mio fratello: è una prova. La prova cruciale che potrebbe contenere le tracce di un killer.

Il viso di Ronnie mi si affaccia alla mente.

Ripenso a quando mi ha accompagnata alla tomba di Billy solo pochi mesi fa, come tutti gli anni da quando mamma e papà non ci sono più.

Ci andavamo io, lui e Sheila ma, dopo la morte della moglie, Ronnie ha continuato a venire con me a trovare Billy al cimitero, anno dopo anno.

A volte, anziché nel giorno del ritrovamento, in quello del funerale. Non importa quando, basta onorare la sua memoria.

Anni fa, poco dopo averlo perso, dovetti costringermi a ridurre il numero delle visite. La mia terapista diceva che mi avrebbe giovato, che correvo il serio rischio di ritardare la guarigione. Ma erano state le parole di Ronnie a centrare l'obiettivo.

«Non puoi continuare a vivere facendo visita ai morti, Rose», mi aveva detto con dolcezza, venendo a cercarmi nella stanza buia dalla quale non uscii quasi mai per oltre un anno, dopo la morte dei miei genitori. «Billy era pieno di vita. Non avrebbe mai desiderato questo».

Attraverso la nuvola di smog del dolore che mi aveva soffocata per tanto tempo, la verità delle parole di Ronnie fece breccia come un radioso fascio di luce, e d'istinto capii che aveva ragione lui.

Ronnie Turner non ha distrutto la vita; al contrario, l'ha salvata.

Lui mi ha aiutata *a vivere*. Ha aiutato tutti noi, mentre lottavamo per sopravvivere dopo la perdita di Billy... Lui non può, nel modo più assoluto, essere coinvolto nella morte di mio fratello.

Devo rifiutare anche solo l'idea di prenderlo in considerazione.

Tutte le cose meravigliose che Ronnie ha fatto per me vorticano nella mia testa come frammenti di carta nella burrasca. Vorrei fermare e chiudere tutto per bene in una scatola, per riprendere il controllo della situazione e riflettere da zero.

Dev'esserci una ragione logica che spieghi perché la copertina di Billy è rimasta nascosta qui, in questa stanzetta, per tanti anni.

Provo a riordinare i pensieri, ma l'intera faccenda è troppo grande per me. La scoperta di stamattina è semplicemente troppo assurda per riuscire a concepirla.

Affondo il viso nella copertina di Billy e annuso di nuovo l'odore stantio della stanza di Ronnie. Non rimane altro ormai, nessun altro odore. Ma non importa.

Mi basta sapere che mio fratello adorava questo pezzo di stoffa. Lo teneva a letto con sé tutte le sere e se lo infilava nello zaino per portarselo dietro ogni volta che poteva. Billy era un'anima solitaria, non aveva dei veri e propri amici che potessero prenderlo in giro per quell'abitudine.

Dopo la sua scomparsa, la mamma dovette setacciare la sua cameretta per riferire alla polizia se era tutto a posto o mancava qualcosa. Lei notò subito che lo zaino e la copertina non c'erano.

«L'ho ritrovata, mamma», sussurro alle pareti bianche e vuote.

Capitolo diciannove

Sedici anni prima

Rose ritenne i loro primi appuntamenti un vero successo.

Gareth si rivelò un fan accanito del cinema, così ci andarono quasi sempre.

Cassie aveva indovinato almeno una cosa: ogni volta, Rose vedeva il film a malapena. Ma era soprattutto perché nascondeva la faccia tra le mani durante le scene sanguinarie e rivoltanti degli horror che tanto piacevano a Gareth, che non per il fatto che lui le infilasse la lingua in gola.

Al contrario, Gareth era un perfetto gentiluomo.

La portava spesso a bere qualcosa in un piccolo bar vicino al cinema, che dava poco nell'occhio. Lui prendeva una birra e lei un aperitivo al vino bianco.

Rose non temeva più, come all'inizio, di dover allacciare una relazione sofisticata da cocktail bar. Il locale era tranquillo e discreto e lei si sentiva perfettamente a suo agio.

Oltretutto, Gareth non voleva saperne di farle spendere un solo penny per le bevande o il biglietto del cinema.

«Io lavoro, e per di più guadagno uno stipendio di tutto rispetto, mentre tu stai ancora studiando. Lasciati viziare un po'», dichiarò risoluto la prima volta che Rose tentò di pagare i popcorn.

E così fu. Lasciò che lui l'aiutasse a sedersi, che le tenesse aperte le porte per farla entrare per prima e non obiettò neppure quando lui insistette per scegliere al suo posto il gusto del gelato, affermando che quello cioccolato e uvetta fosse di gran lunga superiore alla noiosa vaniglia che lei avrebbe preferito. E aveva ragione lui; era molto più bello così.

Le piaceva l'idea di lasciargli le redini della situazione e che lui si prodigasse così. Sembrava che Gareth tenesse davvero a lei, anche se Rose era consapevole che non fosse possibile, non così presto.

Allontanarsi da casa e dalle costanti critiche dei genitori apportò un incredibile cambiamento al suo umore. Rose spiegava bene, ogni volta che usciva con lui, che aveva appuntamento con gli amici del college. Era straordinariamente facile sgattaiolare fuori senza subire alcun controllo e godersi la lontananza da quell'atmosfera opprimente.

Aveva notato che Billy non la implorava più di accompagnarla e, anche se negli ultimi tempi era diventato piuttosto taciturno e riservato, sembrava aver trovato il modo di cavarsela senza di lei.

Gareth diceva che gli avrebbe fatto bene e Rose si convinse che aveva ragione.

Dopo il film, lui la riaccompagnava sempre a casa, si salutavano allo stesso incrocio al quale si incontravano, in largo anticipo rispetto al coprifuoco delle undici che il padre aveva stabilito l'anno precedente e non aveva più cambiato.

Dal momento che Rose usciva di rado, prima di allora non si era mai posto il problema.

«Non vogliamo certo farti passare dei guai con il tuo vecchio, no?». Gareth sorrise e Rose sospirò di sollievo per essere arrivata a casa in tempo.

In quell'occasione, lui le diede il solito bacio casto sulla guancia e le chiese di uscire di nuovo il venerdì seguente.

«Pare ci sarà bel tempo. Hai qualche idea per una passeggiata nei dintorni, al posto del cinema?»

«Sì, potremmo fare un picnic alla chiesa di Annesley», propose lei. «C'è un parco delizioso».

«Oh. Io avevo pensato di visitare l'abbazia e fare una passeggiata nei giardini. Poi potremmo bere qualcosa da me, se ti va», rilanciò Gareth. «Cosa ne dici?»

«Splendido», rispose Rose, annuendo eccitata per l'invito a casa sua, ma chiedendosi allo stesso tempo quale scusa presentare al padre.

Gareth piegò la testa da un lato e sembrò indovinare il suo dilemma.

«Pensi di riuscire a scappare da Colditz, Rosie?».

Lei fece spallucce, mordendosi il labbro. «Mi verrà in mente qualcosa».

Non doveva pensare ai genitori in quel momento. Voleva solo godersi gli ultimi minuti con Gareth.

Lui insistette per accompagnarla a piedi fino all'imbocco di Tilford Road e, dopo aver perlustrato la via, le posò un unico, delicato bacio sulle labbra tremanti.

Rose stava quasi per mettersi a ballare verso casa, invece si allontanò a passo fermo, sentendo contro la schiena lo sguardo rovente di Gareth. Lui rimase a fissarla finché non la vide arrivare in fondo alla strada, poi si salutarono con un cenno della mano mentre Rose infilava la chiave nella porta.

Erano al quarto appuntamento e non sarebbe potuto andare meglio di così. Rose era uscita nei panni della solita sciocca ragazzina del college ed era rientrata sentendosi una vera donna.

Gareth sarebbe stato un ottimo partito per qualunque ragazza dei dintorni, eppure aveva scelto di uscire con *lei* e di invitarla a casa sua. Sembrava ci tenesse davvero.

Cassie sarebbe stata *stra*gelosa.

Il giorno seguente Rose girovagò per il college leggera e sognante. Di ritorno in autobus nel pomeriggio, sorrise ripensando alla reazione di Cassie dopo il racconto dettagliato della serata.

«Sul serio, Rose, credi di aver trovato il vero amore?», le aveva chiesto con occhi sgranati.

«Come faccio a chiamarlo "amore", stupidella?», sbuffò Rose. «Ci siamo appena conosciuti».

Ma Cassie era sempre stata innamorata dell'idea di innamorarsi.

«Gareth sembra così coinvolto e appassionato. Secondo me, si è innamorato di *te*, anche se tu non provi ancora lo stesso». L'amica le stritolò il braccio. «Sono pazza di gelosia!».

Lei non respinse la sua ipotesi sui sentimenti di Gareth. Anzi, l'idea non le dispiaceva per niente.

Cassie volle sapere nei minimi dettagli l'abbigliamento e il trucco scelti per l'appuntamento. Come prevedibile, se la prese quando Rose le confessò la verità nuda e cruda.

«Stai scherzando? Mi stai dicendo che sei uscita con i tuoi jeans del cavolo e una maglietta?», chiese inorridita. «Devi farti dare una controllatina al cervello. Sei proprio una sfigata, Tinsley».

«Gareth ha detto che ero adorabile», puntualizzò Rose.

«Ma è ovvio, sono i primi appuntamenti!». Cassie abbassò il tono. «Avete... insomma, avete giocherellato un pochino al cinema?»

«No».

«E in macchina quando siete rientrati?»

«No!».

Cassie scosse la testa lentamente e la fissò come se Rose non avesse speranze. «Be', ti consiglio di dare una bella accelerata, la prossima volta. Ormai uscite insieme da un pezzo e, insomma, non vorrai mica rischiare di annoiarlo, giusto?».

Rose si vide costretta ad ammettere di no.

«Quando lo rivedrai?»

«Venerdì sera. Faremo una passeggiata all'abbazia di Newstead e poi mi ha chiesto di andare da lui, se riesco a trovare una scusa plausibile da raccontare ai miei».

Cassie si rabbuiò. «Ma ti ho detto la settimana scorsa che mia mamma passerà la notte da zia Noreen e diamo una festa a tutto alcol, non ti ricordi?»

«Cavolo, mi dispiace, Cassie. Me l'ero scordato».

«Fantastico». Cassie incrociò le braccia con aria offesa.

«Non preoccuparti, cambierò giorno con Gareth».

«Davvero?», sorrise l'amica con imbarazzo. «È carino da parte tua, Rose, grazie. Non sarebbe lo stesso senza di te. Anzi…», aggiunse illuminandosi in viso, «perché non porti anche lui?»

«Oh!». Rose deglutì. «Non so, insomma…».

«Che c'è?»

«Be', è molto più grande di tutti gli altri invitati e potrebbe sentirsi a disagio».

«Ah, capisco. Ora non andiamo più bene per te, giusto?»

«Non dire fesserie». Rose le diede una spintarella amichevole. «Glielo chiedo, okay?»

«Ci conto», sorrise Cassie. «Almeno potremo rifarci gli occhi in mezzo a tutti quei ragazzini brufolosi del college e agli amici sfigati di Jed».

Gareth si era accordato con Rose per richiamarla quella sera alle otto e lei aveva ridacchiato del suggerimento di usare la solita tattica per rispondere al telefono.

«Indosserò di nuovo la mia gonnellina frou-frou e fingerò di essere la tua amichetta del college».

«Beth», aveva precisato Rose.

«Sì», aveva confermato lui. «Diventerò Beth».

Ora, mentre scendeva dall'autobus con un balzo, Rose pensò a come dirgli che dovevano rinviare l'appuntamento.

A dire il vero, non aveva la minima voglia di andare da Cassie quel venerdì sera. L'amica aveva già organizzato altre «feste a tutto alcol», come le chiamava lei, ed erano noiose da morire se non ci si ubriacava, cosa che Rose non faceva mai.

Eppure, si sentiva in colpa a darle buca all'ultimo momento dopo aver preso l'impegno con lei.

Era certa che Gareth avrebbe capito.

Capitolo venti

Sedici anni prima

Gareth chiamò all'ora concordata e Rose lo informò subito del cambio di programma.

«Che significa, che vuoi spostare il nostro appuntamento?»

«Non ho detto che *voglio*», esitò lei. I suoi genitori erano entrambi in salotto e doveva ponderare le parole, ma per fortuna la televisione era a tutto volume. «Mi ero dimenticata di aver promesso a Cassie che sarei andata da lei, dato che la madre è via per la notte».

«Capisco», osservò Gareth seccato. «E immagino fossi anche preoccupata per la scusa da rifilare a tuo padre per il nostro appuntamento».

«Be'… sì». Rose provò un certo sollievo sentendolo così comprensivo verso la sua difficoltà a inventare scuse. «È vero. Ma a parte quello, Cassie ci rimarrebbe male se non andassi».

«Capisco che tu preferisca vedere la tua migliore amica, anziché uscire con me», replicò lui con durezza. «Suppongo non mi resti altro da fare che consigliarti di stare attenta, Rose».

«Attenta?»

«So che tu e Cassie siete buone amiche, ma pensaci bene: una vera amica non si immischierebbe nei piani di qualcuno a cui vuole bene». Sospirò. «Secondo me, è gelosa perché hai conosciuto una persona che tiene davvero a te. Attenta a non farle rovinare le cose tra noi, tutto qui».

Sembrava molto scocciato e Rose si sentì terribilmente in colpa. «Non lo farebbe mai, lei è felice per me, ma mi dispiace averti deluso, io...».

«È solo che vorrei non aver rinunciato all'opportunità di un week-end a Londra».

«Londra?»

«Sì, alcuni miei amici partono venerdì all'ora di pranzo per una gita a Londra. In genere, sono sempre il primo a cogliere queste occasioni, ma non ho esitato un attimo a rinunciare al viaggio. Ho scelto senza il minimo dubbio di vedere te. Non importa».

«Oh!».

«Non sentirti in colpa, Rose, lo capisco», disse Gareth con tono affabile. «Suppongo che ci vedremo in giro per il paese nel corso della settimana e spero vorrai ancora partecipare al progetto».

Rose ripensò a come erano stati bene insieme e che, prima di conoscere lui, non faceva altro che passare il suo tempo da Cassie per scappare da casa propria. Annoiata a morte a furia di riguardare in televisione i vecchi episodi dei *Simpson*. Era matta a voler cancellare l'appuntamento?

Sembrava quasi che quel disguido potesse cambiare le cose tra loro.

«Ti prego, dimentica tutto», si affrettò a ritrattare con improvvisa determinazione.

«Non c'è problema. Non voglio costringerti a trascorrere la serata con me se preferisci la compagnia di Cassie», replicò lui con fermezza. «Se preferisci vedere la tua amica, lo capisco».

«Ma io non voglio vedere lei!». Rose si morse il labbro e abbassò la voce a poco più di un sussurro. «Me ne sono appena resa conto. Preferisco di gran lunga vedere te».

«E che mi dici del tuo vecchio?»

«Non preoccuparti per lui», gli rispose. «Mi farò venire in mente qualcosa».

Il giovedì, Rose scese dall'autobus sorridendo tra sé e si avviò verso casa.

Era difficile credere che nel giro di poco la sua vita fosse cambiata radicalmente in meglio. I giorni e le notti che prima scorrevano monotoni, adesso erano pieni di aspettative ed eccitazione per quello che le riservava il futuro con Gareth.

Era stata un po' dura quel giorno informare l'amica che non sarebbe andata alla festa di venerdì.

«Ah! Bello vedere che mi stai già piantando in asso». Cassie aveva premuto così forte il pastello che usava per le sfumature da spezzarlo.

«Cassie, non prenderla in questo modo», aveva spiegato Rose. «Ho solo sbagliato a prendere due impegni per la stessa sera, tutto qui, e Gareth ha annullato il week-end a Londra per stare con me».

«Buon per lui», aveva mormorato Cassie.

Rose era rimasta a fissare la testa dell'amica sempre più china sul blocco da disegno. Cassie aveva finto di essere assorta nel lavoro, ma Rose sapeva che era solo uno stratagemma per non guardarla.

Forse in fin dei conti aveva ragione Gareth nel dire che fosse gelosa di loro due.

«*Buu!*».

Rose cacciò uno strillo mentre qualcuno sbucava fuori dal nulla sulla via di casa.

«Billy!». Si portò una mano sul cuore. «Ti ho detto un milione di volte di non farlo. Mi farai venire un infarto».

«Ti va di giocare a carte?», chiese lui, mentre giravano verso la porta sul retro.

«Sono appena tornata, Billy», sospirò Rose. «E devo…».

«Ma avevi detto che stasera avremmo fatto qualcosa insieme», si lagnò il fratello.

«Infatti», garantì lei, mascherando con astuzia di aver completamente dimenticato la promessa. «Hai deciso cosa ti piacerebbe fare?»

«Be', non possiamo giocare a Monopoli perché papà è impegnato in salotto», spiegò lui imbronciato.

«Impegnato a fare cosa?»

«Boh. Sta parlando con qualcuno». Billy fece spallucce. «La mamma ha detto che non posso entrare».

«Okay, possiamo sempre allestire il gioco sul tavolo della cucina», suggerì Rose. «Però dopo cena, altrimenti le daremo fastidio. Tanto prima devo finire un lavoro per la scuola».

Quando Rose entrò dalla porta secondaria, Stella stava spianando un impasto in cucina.

«Ciao, tesoro», la salutò, asciugandosi la fronte con il dorso infarinato della mano. «Tutto bene, oggi?»

«Sì, mamma, grazie». Rose indicò con un cenno la porta chiusa del salotto. «Che combina papà, lì dentro?».

Stella sorrise. «Ha detto di farti entrare non appena fossi tornata».

«Posso andare anch'io?», si intromise Billy.

«No, Billy», rispose Stella con autorità. «Solo Rose».

Il bambino mise il broncio e si sedette con un tonfo su uno sgabello malfermo in un angolo.

«Con chi sta parlando papà?», domandò di nuovo Rose.

«Non lo so di preciso, tesoro. Vai a vedere tu stessa».

Lei si sfilò le scarpe da ginnastica e posò la borsa di tela del college in fondo alle scale. Rimase in ascolto per un momento, cercando invano di riconoscere le voci attutite.

Quando aprì la porta, Billy si infilò in salotto insieme a lei, ma Rose non se ne accorse nemmeno.

Era rimasta senza fiato nel posare lo sguardo sull'ospite del padre.

Capitolo ventuno

Sedici anni prima

«Eccoti qua!», annunciò Ray e i due uomini si alzarono in piedi. «Gareth, le presento mia figlia Rose».

Lui fece un passo avanti e le porse la mano.

«Piacere, Rose, sono Gareth Farnham. Lieto di conoscerti». Gli occhi di Gareth penetrarono i suoi, luccicanti di malizia. «Tuo padre mi stava raccontando che sei un'artista brillante».

Davvero suo padre aveva fatto un complimento su di lei?

Il viso di Rose si infiammò. Le sembrava che il corpo intero le andasse a fuoco. Cosa ci faceva Gareth *lì*? Sapeva benissimo dove abitava – certo che lo sapeva, perché l'aveva accompagnata un sacco di volte – ma...

«Hai dimenticato le buone maniere, Rose?», domandò il padre con tono brusco. «Il gatto ti ha mangiato la lingua?»

«Chiedo scusa», disse lei piano, allungando il braccio verso Gareth. Lui avvolse le dita attorno alle sue e le diede una stretta vigorosa e significativa, ammiccando furtivo.

Billy fece un passo avanti e puntò il dito. «Ehi, Rose, ma lui non è...».

«Billy!», esclamò secca lei, rendendosi conto all'istante che il fratello li aveva visti insieme all'imbocco della strada, appena un paio di giorni prima. «Non dovresti essere qui. Vai ad aiutare la mamma a preparare la tavola».

Il bambino sgattaiolò fuori dalla stanza. Rose notò con sollievo che il padre non aveva fatto caso all'accenno di Billy.

«Gareth è impegnato nel nuovo programma di rinascita, Rose. Quello di cui parlavano i giornali la settimana scorsa», annunciò Ray con entusiasmo. «Cercano residenti con esperienza per dare una mano e pare che abbiano fatto il mio nome».

Rose osservò l'espressione speranzosa sul viso arrossato del padre e le si strinse il cuore.

«Buone notizie, eh, Rose? Quasi non riesco a crederci».

«Una notizia meravigliosa, papà», rispose lei, senza guardare Gareth.

«Ho spiegato a tuo padre che all'inizio sarà un lavoro volontario», precisò lui. «Ma una volta avviato il progetto, ci espanderemo in fretta e si creeranno senz'altro dei posti retribuiti per il futuro».

«Non riesco a crederci», ripeté Ray. «Tutti questi anni nel dimenticatoio e ora potrei ritrovarmi con un impiego allettante a un passo da casa. Se vuole la verità, Gareth, credevo che la mia vita lavorativa fosse ormai bell'e finita».

Mentre Ray fissava fuori dalla stretta finestra con l'inglesina che dava sulla strada, Rose lanciò un'occhiata furtiva a Gareth, ma non riuscì a sorridergli.

«Tutt'altro che finita, signor Tinsley. Abbiamo bisogno di gente come lei a bordo, persone che conoscano il paese e la comunità. Mi interessano molto le sue idee sul futuro».

«Ray. La prego, Gareth, mi chiami solo Ray».

«Benissimo, Ray. Allora, Rose, dicevo a tuo padre che sono nuovo nella zona e sto cercando di ambientarmi. Mi ha detto che tu sei una specie di autorità per quanto riguarda l'abbazia di Newstead. È uno dei luoghi che mi piacerebbe visitare».

«Non è proprio così, insomma, non ne so poi molto...». Lui le scoccò un'occhiata eloquente. «Ma sarei lieta di raccontarle quello che conosco».

«Fantastico. Pensavo proprio di farci un salto domani, dopo il lavoro». Gareth si rivolse di nuovo al padre di Rose. «Sa per caso se c'è una scorciatoia che passa per il paese, Ray?»

«Perché non lo accompagni, Rose?». Ray sembrò entusiasta del proprio suggerimento. «Puoi raccontargli tutto quello che sai sulla storia dell'abbazia mentre siete sul posto».

Sia Gareth sia suo padre le puntarono gli occhi addosso. Rose deglutì, ma aveva la gola riarsa. Con il cuore che le batteva forte, cercava ancora di capacitarsi della presenza di Gareth lì, a casa loro, in salotto con suo padre.

E ora lo stesso Ray la incoraggiava a uscire con lui. Le sembrava tutto così disonesto.

Forse avrebbe dovuto rallegrarsene, ma la verità era che non le piaceva che qualcuno si prendesse gioco di suo padre. Aveva già sofferto abbastanza, scandagliando la zona per anni in cerca di lavoro e ora... be', le pareva di nuovo ottimista. Non lo vedeva tanto raggiante da moltissimo tempo.

Ma perché Gareth non le aveva detto che sarebbe passato da casa sua?

Ray diede un colpo di tosse. «Allora che ne dici, Rose? Puoi mostrare a Gareth l'abbazia e i suoi dintorni venerdì?»

«Sì», rispose lei, abbozzando un sorriso. «È una bella idea, papà. Sarà un piacere».

Capitolo ventidue

Sedici anni prima

Il venerdì, Gareth passò a prenderla direttamente a casa.

Sembrava fosse suo padre ad avere un appuntamento, pensò Rose, vedendolo camminare avanti e indietro senza sosta e guardare fuori dalla finestra ogni due minuti.

«Rose, è arrivato!», la chiamò Ray eccitato, scostando la tendina di pizzo con la mano.

Quando lei scorse l'automobile di Gareth, le si irrigidirono le spalle e il collo.

Ray gli fece un cenno con la mano e parve felice che lui ricambiasse. «Divertiti, tesoro», disse alla figlia mentre usciva.

Rose non poté evitare di notare la differenza rispetto al terzo grado che aveva subìto la prima volta che era uscita con Gareth.

«Bellissima come sempre», l'accolse Gareth trionfante, appena lei si accomodò sul sedile del passeggero. Avviò la macchina. «Suppongo sia meglio partire subito. Non possiamo certo starcene qui con tuo padre che ci guarda. Potrei non riuscire a tenere le mani a posto».

Rose era sicura che scherzasse, perché non si era messa neanche un filo di trucco, aveva legato i capelli in una coda di cavallo e indossato il solito noioso abbinamento jeans e maglietta. Il padre aveva preso quell'uscita talmente a cuore che tutto doveva apparire normale.

«Non dimenticare, Rose. Se ti capita l'occasione, raccontagli della mia esperienza manageriale in miniera», l'aveva istruita. «Non voglio che pensi che ero solo un cavallo da traino».

"Manageriale" le era sembrato un tantino esagerato, ma Rose aveva sorriso per rassicurarlo. In fondo, dopo la visita di Gareth, Ray non l'aveva più presa a male parole.

All'imbocco della strada, lui indicò l'incrocio dove l'aveva aspettata la prima volta e accostò.

Si protese verso di lei e le schioccò un bacio sulla guancia.

«Ehi, perché quel muso lungo?». Le afferrò il mento tra le dita per voltarle il viso verso di sé.

«Mi sento solo un po' sotto pressione», ammise lei con un filo di voce.

«Ah, perché disegnare con i tuoi bei pastelli al college significa essere sotto pressione?»

Rose lo scrutò in viso, cercando di capire se fosse serio, e lui sfoderò un gigantesco sorriso. «Sto scherzando, Rose. Sei così tesa. Cosa c'è che non va, bellezza?».

Rose provò imbarazzo per quel complimento che trovava ridicolo. «Ti presenti a casa mia così… è stato… be', è stata proprio una sorpresa».

«Ha funzionato, però, no? Eccoti qua, e con la benedizione di tuo padre per di più. Chiamami pure genio!».

«Avrei preferito che mi dicessi cosa avevi in mente», obiettò lei con un sussurro. «Così non sarebbe stato uno shock».

«L'ho deciso su due piedi», replicò Gareth, facendo spallucce. «Non credevo fosse un problema per te, che io conoscessi la tua famiglia».

«Non intendo quello», si affrettò a dire Rose, vedendolo deluso. «È che… mi sarebbe piaciuto averlo saputo prima e… e…».

«E?»

«Non voglio che papà si illuda se…».

«Se cosa?»

«Se tu lo hai coinvolto nel progetto solo per ingraziartelo, insomma».

«Per chi mi hai preso, Rose?». Gareth abbassò lo sguardo sulle mani. «Non riesco a credere che tu mi ritenga capace di architettare uno stratagemma del genere tanto per ridere».

«Scusa, non volevo che te la prendessi. Ma papà è un uomo diverso da quando sei venuto a trovarci». Gareth sembrava molto offeso per quelle parole poco ponderate. Rose proseguì balbettando, sforzandosi di salvare la situazione. «Ve... vedi, la chiusura della miniera gli ha portato via tutto; per anni è stato come se gli avessero scavato una voragine dentro. Invece, nel brevissimo tempo che hai trascorso con lui, gli hai ridato la speranza».

Il viso di Gareth si incupì sotto i suoi occhi. «Allora di cosa mi stai accusando, se lui è felice?»

«Non ti sto affatto accusando, Gareth. Mi chiedo solo se è la verità. Che papà potrà lavorare al progetto, intendo».

«Sì, è la verità. Contenta?», tagliò corto lui. «Mi spiace che tu abbia un'opinione così bassa di me, Rose. Sono stato onesto con tuo padre dicendogli che all'inizio si tratterà solo di un impiego su base volontaria. Non potevo essere più chiaro di così, no?»

«Hai ragione, mi dispiace», si scusò lei di nuovo.

«È un gran peccato che tu abbia una pessima considerazione di me e tuo padre. Sembra che in cuor tuo tu abbia deciso che sia un caso disperato».

«Non è vero», obiettò Rose ferita. «Non è colpa sua se qui non ci sono opportunità, né tantomeno se la miniera ha chiuso».

Gareth guardò l'orologio con aria accigliata.

«Se pensi che io sia un uomo senza scrupoli, forse non dovremmo perdere tempo con il giro dell'abbazia», affermò in tono brusco. «E forse in fin dei conti è stata una pessima idea coinvolgere tuo padre nel progetto, se ritieni che voglia solo illuderlo».

Un fiume di immagini si riversò nella mente di Rose. L'entusiasmo distrutto del padre, l'espressione incredula di Cassie e il ritorno improvviso e sgradito alla solita vita piatta e noiosa.

«No!», si affrettò a protestare. «Scusa, ignora quello che ho detto. Non intendevo offenderti, davvero, io...».

Gareth le posò un dito sulle labbra e lei si zittì.

«Perdonata», disse con dolcezza. «Ricominciamo da capo, vuoi?»

«Sì», sospirò Rose sollevata. «Mi spiace tanto, Gareth».

«Dimentichiamo tutto», propose lui con sguardo profondo. «Poi ti farai perdonare».

Rose avvertì una sferzata di panico, poi lo vide ridere e capì che la stava prendendo di nuovo in giro. Gli sorrise. Era proprio un burlone.

«Spero non ti dispiaccia, ma ti ho preso questo». Gareth aprì il vano portaoggetti e ne estrasse un telefonino color argento e un caricabatterie. «Pronto per l'uso. So che parlare al telefono di casa ti mette a disagio. Ora potrai farlo dalla tua camera in tutta privacy».

«Oh! Ma sei sicuro? Sarà costato un occhio».

«Certo che sono sicuro. Niente è troppo per la mia ragazza».

Rose glielo strappò dalle mani, gli occhi scintillanti. «Grazie!».

«Mi fa stare più tranquillo sapere che puoi sempre metterti in contatto con me». Si sporse e la baciò sulla guancia. «Se ne hai bisogno, si intende».

Una sensazione di calore le pervase il petto. Cassie sarebbe diventata verde di invidia.

Rose arrossì. «È un bel pensiero da parte tua».

«Ma c'è dell'altro». Gareth allungò la mano verso il sedile posteriore. «Prima di ripartire, volevo darti questo. Scusa se non l'ho incartato».

Le porse un libro abbastanza malconcio, ricoperto di un tessuto verde oliva, con una scritta sbiadita a caratteri dorati sulla copertina. Rose osservò meglio per decifrare le parole.

«È un libro di poesie di Byron», spiegò lui.

«Oh, grazie», sussurrò Rose, aprendo le pagine ingiallite e inspirando il piacevole odore stantio di un autentico libro antico. «È splendido».

«C'è anche la nostra poesia, guarda». Le prese il libro dalle mani e lo sfogliò, tenendolo bene aperto.

«Eccola».

Rose vide che aveva segnato un paio di correzioni a matita, in modo che il verso recitasse LA MIA ROSE GERMOGLIERÀ.

«La mia Rose», lesse Gareth, mentre lei seguiva le parole in silenzio. «Non permetterò che tu sia divelta da nessuno».

Capitolo ventitré
Rose

Oggi

A volte la tristezza è un conforto per l'anima... come una medicina amara.

Da anni il dolore mi avvolge come un mantello pesante nel momento stesso in cui entro in casa e percorro le stanze piene di ricordi e oggetti di famiglia.

Sedici anni dopo l'accaduto, non mi sento ancora pronta a separarmene.

Non voglio sfuggire alla mia famiglia e al passato. La mia scoperta mi costringe a riviverne da capo tutta la cruda sofferenza.

Seduta in cucina, mi sembra quasi di sentire il rumore dei passi di Billy che salta su e giù per le scale, la mamma che gli grida di fare piano e papà che brontola di frustrazione in salotto mentre il Nottingham Forest segna un altro gol.

Altre volte, il silenzio serve a ricordarmi la mia solitudine.

In sottofondo, il ticchettio dell'orologio da camino Westminster degli anni Trenta, di cui la mamma andava tanto orgogliosa. Le piaceva raccontarci che la sua famiglia se lo tramandava da anni e che era un pezzo d'antiquariato prezioso, del valore di migliaia di sterline.

Dopo la sua morte, ho cercato esemplari simili su eBay e ho scoperto che vale al massimo una cinquantina di sterline.

Sono felice che la mamma non l'abbia mai saputo. Ci sono piccole cose nella vita che non hanno importanza per nessuno, ma che ci consentono di continuare a respirare, a credere.

Ci sono altri oggetti in giro per la casa. Il giradischi di papà, la scatola da cucito della mamma e le pantofole logore di Billy. Li tengo tutti in salotto, per averli vicini la sera mentre leggo o guardo la televisione.

A volte, li osservo e mi convinco che niente sia cambiato da quel giorno di sedici anni fa.

A qualcuno potrà sembrare patetico, è facile immaginare a chi mi riferisco. Ai fan del motto: "È ora di darci un bel taglio".

L'avrò sentito migliaia di volte, sempre declamato da quella cerchia di persone che ha buone intenzioni ma non ha mai dovuto dare un taglio a un bel niente in vita sua.

Mai dovuto ricostruirsi una nuova esistenza da zero o ripartire da capo.

Le novità non cancelleranno mai quello che è successo, né lo aggiusteranno.

Ma la scoperta di questa mattina ha gettato benzina sulle braci ardenti del mio dolore e ora so che tutte le certezze che credevo di avere sono già crollate.

Capitolo ventiquattro
Rose

Oggi

Il pensiero di quello che potrei trovare rovistando a casa di Ronnie mi terrorizza, ma l'istinto mi dice che non è il momento di tergiversare.

Grazie a Dio, lui è ancora in ospedale. Potrebbe essere la mia unica occasione.

Deglutisco un accenno di nausea e alzo la cornetta del telefono per chiamare il reparto dove è in cura il mio vicino.

«Io... chiamavo per chiedere come sta Ronnie Turner», farfuglio quando rispondono. «E volevo sapere se lo dimetterete presto. Sa, mi sto occupando di casa sua».

L'infermiera copre il ricevitore per un istante e la sento parlare con qualcuno. Tutti i suoni, le voci, mi giungono attutiti. Immagino Ronnie disteso nel suo letto d'ospedale. Sarà preoccupato di quello che potrei scoprire in sua assenza?

«Pronto?», dice la donna spazientita e mi accorgo che stava già parlando.

«Scusi», rispondo. «Ci sono».

«Sta bene, non sappiamo ancora quando lo dimetteremo, ma non manca molto».

La ringrazio e chiudo la telefonata.

In tutta franchezza, non mi preoccupa più come stia Ronnie. Sono felice che sia fuori dai piedi così posso indagare ancora un po'. Ho bisogno di raccogliere più prove possibili, prima di andare alla polizia.

Un quarto d'ora dopo, eccomi di nuovo nella casa accanto.

Salgo le scale, stringendo la mano sudata al corrimano perché non mi fido del mio equilibrio.

L'aria che mi circonda sembra appesantita dalla mia stessa ansia, eppure so che qui non è cambiato niente. Quello che ho scoperto stamattina nel ripostiglio di Ronnie c'è *sempre* stato.

Tutte le volte che mi sono fermata a chiacchierare con Sheila in cucina.

Tutte le volte che mamma e papà sono passati a ringraziarli per il loro aiuto.

Ogni volta che Ronnie mi ha accompagnata al cimitero.

La copertina di Billy è sempre stata sepolta qui, proprio come mio fratello, nella terra fredda e dura.

Sento il cuore battermi in gola. Nel silenzio che rimbomba, giuro di sentire il suo martellare incessante. Non capisco se voglia mettermi in guardia o incitarmi a continuare, ma non ho scelta.

Lo devo a mamma e papà.

Lo devo al mio povero fratellino morto.

In maniera sistematica svuoto ogni singola scatola da cima a fondo, poi rimetto a posto il contenuto e passo alla successiva.

Non so cosa sto cercando, ma non mi fermo.

Ho a disposizione tre ore prima di andare al lavoro, ma poiché l'ospedale non sa ancora quando dimetteranno Ronnie, non intendo darmi malata. Dovrebbero rimanermi ancora un paio di giorni comodi per completare l'opera.

Arrivo a spulciare circa un terzo degli scatoloni prima di rialzarmi con un gemito e stirare la schiena premendo le mani alla base. I vestiti mi staranno anche larghi, ma sono proprio rigida e fuori forma. La mia schiena sta gridando di dolore.

Mi inarco e oscillo avanti e indietro diverse volte prima di passare alla camera da letto.

Ogni cosa che noto all'interno mi si presenta sotto un'altra sgradita prospettiva: un paio di scarponi pesanti e malandati accanto all'armadio in legno di quercia; un bastone da passeggio con un lupo d'ottone scolpito sul manico; un grosso fermacarte di vetro sul comodino accanto al letto.

Oggetti banalissimi a meno che non siano associati a un mostro. Un assassino.

Ronnie Turner lo è davvero?

Ignoro la sensazione che mi opprime il petto e proseguo. Controllo nei cassetti, rovisto negli armadi, guardo sotto il materasso. Apro un vecchio baule di legno impolverato ai piedi del letto e non trovo altro che lenzuola di cotone pettinato, a righine bianche e rosa, come quelle che usava mia nonna quando ero piccola.

Presto attenzione a rimettere tutto in ordine come l'ho trovato.

Ma finisce lì.

Non trovo nient'altro.

Capitolo venticinque

Sedici anni prima

«Mi dispiace averle detto che saremmo passati, Gareth. Faremo solo un salutino veloce, te lo prometto». Rose era sdraiata sul suo letto e bisbigliava al cellulare. «Cassie muore dalla voglia di conoscerti. *Tutti* vogliono conoscerti».

«Ci fermeremo mezz'ora al massimo», rispose lui.

«Lo so. Gliel'ho detto».

«Quando dici che *tutti* vogliono conoscermi, a chi ti riferisci esattamente?»

«Ai miei amici. Beth, Carla, Clare». Rose si spremette le meningi. «Andy, Pete e Jed, il fratello di Cassie, e altri suoi amici, credo».

Istante di silenzio. «Hai anche amici maschi? Non me l'hai mai detto».

«Sono solo compagni del college». Rose fece spallucce, fissando la stessa crepa nell'intonaco del soffitto. «A volte ci troviamo tutti insieme per pranzo».

«*Tu* puoi anche credere che siano solo amici, ma ti assicuro che i ragazzi hanno altre idee per la testa. Pensano solo a infilarsi nelle tue mutande».

«Gareth! Ma che schifo».

«"Schifo" è la parola giusta. Cosa credi che vada mormorando la gente sulle ragazze che vanno a pranzo con i maschi?»

«Chiacchieriamo e basta, tutto qui. Frequentiamo lo stesso corso». Andava a finire sempre così. Rose apriva la bocca senza pensare e immancabilmente lui si infastidiva. «Mi dispiace», sussurrò.

Il silenzio all'altro capo del telefono durò così a lungo che Rose dovette controllare sul display che non fosse caduta la linea. «Pronto?»

«Dammi l'indirizzo di Cassie. Ti raggiungo lì alle otto».

«Mi dispiace averti fatto arrabbiare», ripeté lei, dopo avergli dettato l'indirizzo. «Non ti nascondo niente, davvero. Passiamo solo del tempo insieme».

«Non voglio nemmeno pensarci, Rose», bofonchiò lui. «Non ti credevo il tipo di ragazza che si mette a flirtare con i maschi a scuola».

Rose gli rispose per le rime, senza rifletterci. «Stai insinuando qualcosa di squallido che in realtà non esiste. Siamo solo amici, nient'altro. Perché fai finta di non capire?».

Si aspettava che lui se la prendesse, ma dopo un breve silenzio il tono di Gareth si fece più morbido e conciliante.

«Perché pensi sempre male di me, nonostante tutto quello che faccio per te e per la tua famiglia? Cerco solo di proteggere la mia ragazza. Mi dispiace che la cosa ti irriti, Rose». Il suo turbamento sembrava sincero.

«Non volevo», rispose lei pentita. Gareth aveva detto che era "la sua ragazza". Parole testuali, e aveva ragione anche sul resto. Lui aveva fatto tanto per restituire a suo padre speranza e fiducia in se stesso. Perché Rose non riusciva a rallegrarsene e basta?

«Non mi piace l'influenza di Cassie, Rose. Mi fido di te a occhi chiusi, ma purtroppo i principi morali della tua amica lasciano molto a desiderare».

Rose provò un guizzo di lealtà nei confronti di Cassie, ma non replicò. Non voleva peggiorare la situazione.

Ingoiò il nodo che le si formava in gola ogni volta che Gareth si arrabbiava. Aveva letto un articolo su una rivista proprio la settimana prima, che metteva in guardia le ragazze sui segnali di una relazione autoritaria: camminare sempre sulle uova, temere di dire la cosa sbagliata. C'era di che preoccuparsi.

«Promettimi che non lo farai più. Basta fermarti a chiacchiere con i ragazzi per pranzo». Gareth fece una pausa e sospirò. «Lo dico perché tengo a te, Rosie. Ci tengo così tanto che a volte mi sembra di provare quasi un dolore fisico».

Rose stentava a credere alle parole meravigliose che ora gli sgorgavano dalle labbra come petali di un fiore.

«Te lo prometto», lo rassicurò, perdonando all'istante i precedenti sospetti.

Non stava cercando di controllarla, comprese Rose. Gareth *teneva* a lei.

Forse era talmente abituata ai rimproveri dei genitori e a vivere con il costante sottofondo delle loro discussioni da aver dimenticato cosa si provasse quando qualcuno si prendeva cura di lei. Qualcuno che ci tenesse profondamente.

Rose pensò che, ogni tanto, implicasse sentirsi dire cose non necessariamente piacevoli.

Gareth concluse la chiamata poco dopo, dicendo che doveva occuparsi di carte importanti.

Rose intuì che si fosse seccato perché lei aveva programmato di presentargli i suoi amici il giorno seguente, ma Cassie non la finiva più di tormentarla, tanto moriva dalla voglia di conoscerlo.

A ogni modo, non doveva farsene una colpa, concluse. Era naturale che Gareth incontrasse i suoi amici, no? Forse conoscerli avrebbe placato ogni suo dubbio: avrebbe visto con i suoi stessi occhi che quei ragazzi erano del tutto innocui.

Ormai si frequentavano da un po' ed erano riusciti a nasconderlo al padre dispotico che ora, come per miracolo, era diventato il più grande fan di Gareth.

A Rose sembrava che la loro relazione si stesse rafforzando giorno dopo giorno.

Se lo sentiva.

Capitolo ventisei

Sedici anni prima

Rose era d'accordo con Cassie che sarebbe andata da lei subito dopo la scuola per aiutarla a preparare la festa.

Filarono dritte al piano di sopra, seguite dai fischi ululanti di Jed e dei suoi amici che giocavano in salotto. Rose scacciò dalla mente il pensiero dell'ira di Gareth, se li avesse sentiti.

«Tra poco se ne andranno», disse Cassie all'amica, una volta arrivate in camera. «Nel frattempo possiamo prepararci. Stasera mostrerai a Gareth che schianto di donna puoi diventare».

Rose era sul punto di protestare, ma capì presto di non avere voce in capitolo. Tanto valeva lasciarla fare.

Venti minuti dopo, l'amica applicò l'ultimo tocco di mascara con un gesto plateale ed esclamò: «*Ta-da!*».

Rose si voltò e fissò la propria immagine allo specchio.

Cassie le aveva ricoperto gli occhi di svariati strati di trucco, molto più pesante dell'ultima volta. Con il rossetto color prugna e i due pomelli fucsia sulle guance, somigliava a una bambola di porcellana, e non in senso buono.

Cassie si imbronciò. «Mi raccomando, non ti entusiasmare troppo».

«Scusa. È fantastico, sei stata bravissima, Cass». Rose premette insieme le labbra. «È solo che non so se questo look sia adatto a me, tutto qui».

«Non dire sciocchezze! *Certo* che è adatto a te. Non sembri nemmeno tu».

«Infatti è proprio questo il punto. Non sono sicura che Gareth voglia che io sembri...».

«Al diavolo Gareth! Conta solo quello che pensi *tu* e tu vuoi essere uno schianto, no?». Cassie le cotonò e scompigliò i capelli al punto che a Rose pareva di essere una *banshee* selvaggia. «Gli piacerà da morire, fidati. E in ogni caso, è il tuo ragazzo, ricordi? Non un guardiano del cavolo».

Rose sospirò e si sedette sul letto, mentre l'amica si truccava con strati di ombretto multicolore.

«Ho due paia di questi». Cassie le mostrò due pantaloncini striminziti, uno nero e uno rosa. «E due top bianchi attillati da abbinarci».

Rose rifiutò di infilare gli shorts ma, su insistenza di Cassie, provò il top e scoprì con grande sorpresa che le cadeva a pennello nei punti giusti.

Si girò e rigirò davanti allo specchio, ammirando le proprie curve esili e immaginando quanto sarebbe apparsa femminile agli occhi di Gareth.

Quando sentirono Jed e i suoi amici dirigersi al pub, le due ragazze scesero al piano terra e diedero inizio ai lunghi preparativi.

Mentre Cassie dava una sistemata in giro e sceglieva i CD musicali, Rose svuotava pacchetti di patatine e noccioline nei piatti e li distribuiva nel microscopico salotto.

Poi presero a trottare su e giù per il giardino, trascinando bottiglioni di birra e casse di bevande alcoliche, nascoste dietro il capanno fatiscente per tenerle lontane da Jed e dai suoi amici assetati.

Quando Rose guardò l'orologio, si stupì che fossero già le sette e mezza. Mentre Cassie era di sopra in bagno, qualcuno bussò alla porta. Rose chiamò l'amica ma, non ricevendo risposta, andò ad aprire titubante e sussultò di sorpresa.

«Gareth, sei in anticipo!». Gli sorrise e fece un passo avanti, allungando il collo per baciarlo. «Non è arrivato ancora nessuno, ma entra pure, così conoscerai Cassie».

Lui non si mosse.

«Qualcosa non va?», chiese Rose, indietreggiando con occhi sgranati.

«Come ti sei conciata?». La voce di Gareth era cupa e strana.

«Intendi questo?». Rose agitò le dita attorno al viso e ai capelli. «Mi ha truccata Cassie, per la festa. Vo... volevo farmi bella per te, stasera».

Sorrise di nuovo, ma sentì il rossore invaderle le guance, sotto lo spesso ed eccessivo strato di trucco.

Lui non disse niente, allora Rose gli posò le mani sulle spalle.

«Sono felice che tu sia qui». Gli sorrise.

«Rose», disse lui lentamente. «Non sembri nemmeno tu. Per nulla».

«L'idea era più o meno quella», ridacchiò lei, alquanto compiaciuta dell'espressione scioccata di Gareth. Se prima lui la considerava una ragazzina del college, ora il nuovo look pareva avesse cambiato radicalmente la sua opinione. «Volevo sembrare attraente, per una volta».

«Ma così sei volgare, Rosie».

Gli occhi di Gareth si posarono sul top attillato che le aderiva al corpo e lei incrociò le braccia sul petto.

«Non hai bisogno di spalmarti quella roba sul viso». Gareth entrò in cucina e l'afferrò per le braccia. «Non hai bisogno di mettere in mostra il tuo corpo. Questa non sei tu, Rose».

Lei cominciò a sentire caldo e prurito e lo stomaco che si agitava come se fosse sul punto di vomitare. Si era lasciata convincere da Cassie a provare qualcosa di diverso, che si era ritorto contro di lei nel peggiore dei modi.

Gareth la tirò a sé e la strinse tra le braccia. «Sei bella come sei, Rose, una bellezza *naturale*. Non ti serve questo schifo». Si leccò il dito, glielo premette contro le labbra e lo fece scorrere lentamente lungo la guancia.

Gli occhi di Rose si riempirono di lacrime, mentre il rossetto le impiastricciava il viso. La vergogna che provò fu come una vampata di calore che si diffuse ovunque. Sotto la pelle e nelle pozzanghere degli occhi.

«Volevo solo dimostrarti di poter essere anch'io sofisticata», singhiozzò, mentre le lacrime cominciavano a scorrere a caduta libera. Avrebbe voluto morire all'istante.

Lui si ripulì il dito impiastricciato sulla sua maglietta e l'abbracciò forte. Il petto di Gareth le sembrò solido e sicuro. Le dispiaceva averlo fatto arrabbiare tanto e, allo stesso tempo, non capiva quella reazione.

«L'ultima cosa che voglio è che tu sia sofisticata, Rose. A me piaci semplice e naturale». Gareth la baciò sulla testa e si chinò per sussurrarle all'orecchio. «Mi piaci giovane».

A Rose venne la pelle d'oca su tutte le braccia e si ritrasse di colpo.

«In che senso, ti piaccio *giovane*?».

Suonava così… così ripugnante. Quasi Gareth fosse una specie di pervertito.

Lui scoppiò a ridere e l'attirò di nuovo a sé.

«Non intendevo in *quel senso*, sciocchina. Voglio dire che mi piaci così come *sei*: giovane e genuina. Non dipinta come una…». Esitò. «Non come Cassie».

Perché diceva quelle cose? Lui non aveva mai visto Cassie!

Eppure, doveva forse dispiacerle che Gareth la volesse così com'era, anziché sexy e attraente come poteva diventare? La maggior parte delle ragazze l'avrebbe trovato un commento meraviglioso.

«Voglio solo il meglio per te, Rosie, credimi». Gareth l'abbracciò forte e lei sospirò sollevata.

Tutto lì. Si preoccupava solo per lei.

Si preoccupava sempre per lei.

Capitolo ventisette

Sedici anni prima

Rose udì i passi di Cassie rimbombare sul soffitto sopra le loro teste.

Si sciolse dall'abbraccio di Gareth e si asciugò in fretta gli occhi umidi con il dorso della mano. Notando le sbavature nere e viola rimaste sulla pelle, poté solo immaginare quanto fossero disastrati e orribili il trucco e la propria faccia in quel momento.

Si guardò il petto e vide la striscia scura che Gareth aveva lasciato sulla maglietta immacolata.

Cassie apparve in fondo alle scale.

«Cassie, lui è Gareth», disse Rose precipitosa, ingoiando il panico.

«Che cavolo è successo al tuo trucco?»

«Credo... credo che lo toglierò, Cass».

Lei si incupì e fissò Gareth, lo sguardo indagatore che faceva due più due. «L'hai fatta piangere?».

In un primo momento, lui non rispose. I suoi occhi scrutarono da cima a fondo la maglietta aderente della ragazza e gli shorts rosa ancora più aderenti, per poi proseguire lungo le gambe lucide e tendenti all'arancione per la crema abbronzante, fino ai sandali a fasce con i tacchi alti. Poi tornarono al viso dal trucco pesante.

Rose ondeggiava da un piede all'altro.

«L'hai fatta stare male?», lo interrogò Cassie, il mento puntato in fuori.

Lui storse le labbra, come se avesse un cattivo sapore in bocca. «E se anche fosse? Perché dovrebbero essere affari *tuoi*?».

Rose fissava entrambi inorridita. La sua migliore amica e il suo nuovo ragazzo erano già ai ferri corti. Non era *quello* il piano.

«Sono affari miei perché è la mia migliore amica ed era uno splendore prima che arrivassi *tu*».

«Anche tu sei uno splendore, Cassie», ricambiò Rose con tono umile.

Gareth squadrò Cassie, piegò la testa indietro e scoppiò a ridere. «"Splendore" mi pare una definizione interessante, Rose».

«Gli permetti di parlarmi così?», sbottò Cassie rivolta all'amica, gli occhi accesi d'indignazione.

Rose fissava Gareth in silenzio. Le braccia abbandonate lungo i fianchi, le dita che si torcevano.

«Vai di sopra a lavarti la faccia, Rose», ordinò lui con tono calmo, sostenendo lo sguardo di sfida di Cassie. «Poi ce ne andiamo».

«Ma la festa…», obiettò lei.

«È arrivato il momento di scegliere, Rose», sentenziò Cassie, senza smettere di guardare Gareth con aria di sfida. «O dici a questo… *individuo* che hai appena conosciuto di andarsene affanculo e piantarla di darti ordini, oppure te ne vai con lui e butti nel cesso tredici anni di amicizia. A te la scelta».

«Non potete semplicemente scusarvi e ripartire da capo?», sbottò Rose, fissando prima uno poi l'altra con occhi stralunati. «Tutto questo è orribile, non doveva andare così».

Gareth allungò il braccio e le prese una mano. Aveva le dita morbide e fredde. Le diede una stretta gentile e incoraggiante.

«Fai un salto di sopra e toglieti quella merda dalla faccia, Rosie, da brava», ripeté lui, sfoderando il sorriso che le faceva sempre tremare le ginocchia. «Ti porto a mangiare qualcosa, in un bel posticino romantico. Solo tu e io».

Rose guardò prima lui, poi Cassie. I due si scrutavano in un modo così strano che le dava la nausea.

La porta sul retro era socchiusa e si sentivano cinguettare gli uccellini nel giardinetto trasandato di Cassie. Faceva caldo, ma non in maniera opprimente perché erano agli inizi dell'anno. Mentre il cuore di Rose sprofondava sempre più, una folata fresca si insinuò all'interno, carezzandole la pelle madida di sudore.

Quella serata avrebbe dovuto essere perfetta. Invece era andato tutto a rotoli.

A essere obiettivi, era stata Cassie ad aggredire Gareth, appena scesa. Rose sapeva che l'amica cercava di difenderla, ma...

Lasciò la mano di Gareth e si diresse verso le scale.

«Scusa, Cassie», disse. «Non posso restare».

«Se questa è la tua scelta, va benissimo così». Cassie rivolse lo sguardo fuori dalla finestra. «Ora almeno ho capito da che parte stai».

Gareth le fece l'occhiolino mentre gli passava accanto.

In bagno, la faccia ricoperta di sapone, Rose si domandò se i due fossero ancora in cucina a guardarsi in cagnesco.

Entrambi ostinati e decisi a non ritirarsi da quella battaglia silenziosa.

Trascorse una settimana intera e Cassie ancora non accettava le chiamate o le visite di Rose.

Ogni giorno, al college, la ignorava di proposito e la trattava da stupida facendo gruppo con delle ragazze che non aveva mai considerato prima. Al passaggio di Rose, scoppiavano tutte a ridacchiare e lei reagiva tenendosi alla larga il più possibile.

Ma il pomeriggio del giovedì, poco prima che uscisse da scuola, Cassie la bloccò in un angolo della sala studenti. Il cuore di Rose ebbe un leggero guizzo di speranza.

«Non illuderti che voglia essere di nuovo tua amica, Rose». Cassie l'afferrò per un braccio. «Hai fatto la tua scelta e sono cavoli tuoi. Ma in ricordo dei bei tempi passati insieme, sento di doverti dire una cosa».

Rose fece un sospiro e aspettò. Aveva la netta sensazione che quel discorso non sarebbe finito bene.

«Stai attenta a Gareth Farnham. Da quanto tempo lo conosci di preciso?». Cassie non attese la sua risposta. «Tre o quattro settimane al massimo. È un maniaco del controllo, Rose. L'hai visto, no?».

Rose si liberò dalla morsa di granchio dell'amica e puntò lo sguardo assente fuori dalla finestra. Era naturale che Cassie saltasse alle conclusioni sbagliate sulle maniere di Gareth, ma lei non ne conosceva l'altro lato: la delicatezza con cui la trattava, come fosse fatta di cristallo.

Ma quello non era il momento giusto per spiegarle quanto Gareth fosse protettivo, quanto fosse meraviglioso quando erano soli. Cassie l'avrebbe soltanto presa in giro. E forse si sarebbe divertita a raccontarlo alle altre ragazze della scuola.

Né Rose intendeva ascoltare la sua predica amareggiata e intinta nel veleno. Gareth l'aveva avvertita che sarebbe accaduto. Lui era certo che Cassie avesse provocato la discussione a casa sua, perché era gelosa del loro rapporto.

«So che è difficile da accettare, Rose, ma lui ti *sta* controllando. Controlla come ti vesti, con chi esci… È riuscito a controllare anche tuo padre, coinvolgendolo nel progetto di rinascita del paese».

Rose sospirò, ma non si sprecò a ribattere.

Cassie non aveva nessuno che si preoccupasse per lei. Carolyn, la madre, lasciava lei e Jed liberi di fare quello che gli pareva e passava tutto il tempo fuori a bere con Noreen, la zia di Cassie, che viveva a Mansfield Woodhouse.

Rose era l'unica persona che le fosse mai stata vicina, perciò adesso Cassie era risentita, arrabbiata. Rose aveva sperato che lei e Gareth potessero legare, ma l'amica si era rivoltata contro tutti e due.

«Rose, tu fai tutto quello che dice lui e non è giusto. Hai anche ammesso che sceglie per te il gusto del gelato. Si sta mangiando la tua personalità, come fai a non accorgertene?».

Rose si pentì amaramente di averle descritto i loro appuntamenti nei minimi dettagli.

«Mi dispiace essere arrivate a questo punto, Cassie», replicò tranquilla. «Ma Gareth mi ama. Vuole solo il meglio per me e se per te significa "controllarmi", suppongo sia un tuo diritto».

«Se lo dici tu. Io cerco solo di farti aprire gli occhi», sbottò l'amica, avvicinando il viso a quello di Rose. «Se è davvero così meraviglioso, allora perché se la spassa con te alle spalle di tuo padre? Magari qualcuno dovrebbe dire ai tuoi genitori come stanno le cose. E sarebbe la fine per il viscido Gareth Farnham».

Rose trasalì ma, prima che potesse ribattere, Cassie si era già allontanata come una furia.

Capitolo ventotto

Sedici anni prima

I disegni di Rose erano stati selezionati per un'esibizione speciale nella galleria del college. L'avrebbero proiettata quello stesso venerdì, ma lei rimase a casa, dicendo che non si sentiva bene.

Entrambi i genitori erano fuori. Ray lavorava al cantiere del progetto di rinascita. La sera prima aveva raccontato a Rose con orgoglio che Gareth lo aveva incaricato di organizzare il lavoro degli altri volontari.

«Riconosce che ho un mucchio di capacità inutilizzate dal periodo in miniera», si vantò Ray. Rose sorrise tra sé, mentre lui gonfiava il petto come uno dei pavoni dei giardini dell'abbazia. Era bellissimo vederlo così motivato. Come conseguenza immediata, diventò meno polemico sotto ogni aspetto e ciò migliorò di netto l'atmosfera in casa. «In più li conosco tutti, capisci, so chi è più bravo a fare cosa».

Stella si occupava di rifornire il cantiere di bevande e spuntini per alimentare le energie di tutti. Aveva preparato muffin e biscotti la sera prima, canticchiando felice in cucina. Rose non aveva mai visto i suoi genitori così impegnati in qualcosa che avevano scelto di fare insieme.

Che lo si amasse oppure odiasse, Gareth aveva trasformato le loro vite monotone.

Alle dodici e mezza, Rose lo raggiunse nel suo appartamentino, come avevano concordato qualche ora prima per messaggio, quando lei gli aveva scritto che aveva bisogno di parlargli. Ma un nuovo squillo l'avvertì che Gareth sarebbe arrivato dieci minuti in ritardo e che si scusava.

Rose rimase ad aspettarlo dietro l'angolo della casa, lontana dagli occhi curiosi dei vicini. L'appartamento di Gareth si trovava al primo piano di una nuova proprietà che, vista di fronte, pareva una villetta a schiera, invece comprendeva quattro piccoli appartamenti separati.

Rose sobbalzò alla comparsa di una figura dalla schiena curva, che reggeva due sacchi dell'immondizia. Aveva già incrociato quell'uomo e le sembrava fosse il nonno di una compagna del college, ma non ne era sicura. Pur conoscendo di vista gran parte dei compaesani, Rose non sapeva i nomi di tutti.

«E tu chi sei?». Il vecchio burbero la scrutò con gli occhi azzurri e lucidi.

«Sto aspettando un'amica», si affrettò a precisare Rose, pregando che non comparisse Gareth. Nonostante l'età, se l'uomo somigliava agli altri anziani del posto, era senza dubbio ancora in grado di spettegolare alla perfezione.

«Be', mi auguro che non ci sia altro baccano, stasera. Il tizio dell'appartamento sopra il mio sembra amare le feste notturne». L'uomo la guardò torvo e si diresse verso i bidoni dell'immondizia. Rose udì il clangore del coperchio di metallo, poi lo rivide passare senza dire una parola.

Si guardò attorno nervosa, chiedendosi quanto avrebbe tardato Gareth.

Non le aveva ancora dato la chiave di riserva. Forse aspettava che si frequentassero da più tempo.

L'aveva rinvitata a casa sua poco prima dello scontro con Cassie.

«Ci siamo», aveva trasalito l'amica, quando Rose le riferì che la sera sarebbe andata a casa di Gareth. «Saluta pure la tua verginità, Rose».

Lei scosse la testa con un gemito contrariato, ma Cassie si indispettì. «Non stai mica uscendo con un ragazzetto immaturo del college, lo sai. Gareth è un uomo nel pieno del vigore. Gli sembrerai una poppante, se ti metti a fare troppe storie».

«Non gli permetterò di costringermi a farlo se non sono pronta», obiettò Rose con fermezza.

«Sei davvero senza speranza», sospirò Cassie. «Rispondi a questa domanda: lui ti piace o no?»

«Sì!».

«E vuoi che la vostra relazione continui?»

«Certo».

«E allora che problema c'è?». Cassie scosse il capo frustrata. «È normale che facciate sesso, mi sorprende che lui sia stato così paziente».

«Sarà normale per te, forse», replicò Rose imbronciata. «Ma io non me la sento e comunque mi ha invitata a casa sua per cenare insieme e guardare un film, non per partecipare a una specie di orgia».

Cassie ridacchiò. «Farai *proprio* la fine della signorina Carter con i suoi gatti».

Rose si ficcò in bocca una Pringle e fissò la TV silenziata. Stava per cominciare un altro episodio dei *Simpson*.

«Se vuoi ti aiuto a ripassare come si fa. Una specie di *preliminari*, diciamo». Cassie scoppiò a ridere.

«No, grazie», rispose Rose seccata. «Puoi alzare il volume della tele per favore?».

In seguito, a casa di Gareth, Rose finì per rimpiangere di non aver accettato la proposta imbarazzante dell'amica di insegnarle "come si fa". L'incompatibile miscuglio di eccitazione e terrore che provava le fece venire la nausea.

Non fu la serata romantica a lume di candela che aveva immaginato. Andò a finire che la cena suggerita da Gareth consisteva in una pizza surgelata, accompagnata da una lattina di birra a temperatura ambiente. Rose ebbe la netta sensazione che lui volesse concludere il pasto il prima possibile. Quando lei finì di sparecchiare, si spostarono sul divano in finta pelle.

Gareth la baciò sulle labbra. Indugiò a lungo, ricambiato, sulla bocca di Rose, che alla fine si ritrasse con garbo.

«Ehi». Gareth le accarezzò una guancia. «Tutto okay, tesoro?»

«Sì, certo», rispose lei, sforzandosi invano di apparire tranquilla. «Guardiamo il film adesso?»

«Rilassati, principessa». A Gareth sfuggì una risatina gutturale. «È bello stare un po' insieme, no? Solo tu e io, senza quel rompiscatole di tuo fratello tra i piedi».

Le diede una piccola gomitata per farle capire che stava scherzando, ma a lei non piaceva quel tipo di commenti su Billy. Lasciò correre, ansiosa di non rovinare la serata.

«Sì», concordò. «È bellissimo essere qui insieme».

Lui la baciò di nuovo e stavolta Rose avvertì tra le labbra la leggera ma insistente pressione della sua lingua. Poi la sua mano destra scivolò con un'abile mossa dal braccio al seno di Rose.

Lei si ritrasse. Anche se le dita di Gareth si muovevano sopra la stoffa del vestito, Rose si sentiva incalzata e in preda al panico.

«Cosa c'è?», chiese lui, spostando la mano e guardandola in viso.

«Niente!». Rose si sentì mancare l'aria. «Sono solo, non lo so, un tantino nervosa, credo».

Gareth rise con dolcezza. «Non c'è niente di cui essere nervosi, Rose».

«Lo so, ma…».

«Ma cosa?»

«Non sono molto brava in queste cose. Non ho mai…». Rose aveva il viso, il collo e il petto in fiamme. Si sentiva una stupida. «Voglio dire che…».

Strinse le labbra; quella situazione si stava rivelando troppo dolorosa.

Gareth inspirò. «Stai cercando di dirmi che sei ancora vergine, Rose?».

Lei annuì con un singolo cenno del capo e abbassò lo sguardo sulle mani. Il cuore e la testa le martellavano penosamente all'unisono.

«Non devi vergognarti». La mano di Gareth si avvolse attorno alle sue dita. «Lo sapevo e penso sia magnifico».

Lei sgranò gli occhi.

«Lo *sapevi*?»

«Sì. Nel momento stesso in cui ti ho vista, ho pensato tra me e me: *Ecco una bellezza genuina. Una bellezza innocente e incontaminata in questo mare di arriviste provocanti*».

«Gareth!».

«È la verità, Rose. Tu sei una boccata d'aria fresca. Sei bellissima dentro e fuori, e io ti amo».

Lei chinò il capo.

«Ti amo», ripeté lui. «Ecco perché voglio starti vicino. Il più vicino possibile».

Rose avvertì un formicolio sulle mani. Avrebbe voluto abbracciarlo forte e allo stesso tempo scappare via.

«Non riesco a fare a meno di toccarti», le sussurrò Gareth all'orecchio. «Voglio essere parte di te... dentro di te».

Con le mani risalì lungo le braccia di Rose fino al busto, massaggiandole il seno sopra il vestito. Lei si sentì mozzare il fiato e ingoiò la muta protesta interiore.

Rilassati, Rose, intimò a se stessa. *Rilassati e basta.*

Capitolo ventinove

Sedici anni prima

Lo desiderava, davvero. Ma il disagio che avvertiva era tale da provocarle la nausea.

Facendo sesso troppo presto, le cose sarebbero andate storte in tutti i sensi. Per cominciare, Rose avrebbe fatto la figura della ragazzina sciocca e inesperta qual era. Sarebbe stato meglio aspettare un momento più speciale e che lei si sentisse più sicura.

Gareth staccò la mano e Rose riprese fiato, ma lui d'un tratto le sfiorò il ventre con le dita e, veloce come un lampo, gliele infilò sotto la maglietta puntando al ferretto del reggiseno. Rose si irrigidì di colpo e lui si fermò.

«Per la miseria...». Gareth inspirò e l'asprezza del suo tono scomparve. «Cosa c'è che non va, Rose? Non ti piaccio?»

«Sì! Certo, è solo...».

«Allora, *ti prego*, facciamo l'amore. Ho aspettato fino adesso perché ti rispetto profondamente, lo sai, no?»

«Sì», sussurrò lei, sforzandosi di allontanare la sensazione che stesse accadendo troppo in fretta.

«Benissimo, allora. Io amo te e tu ami me. Consolidiamo il nostro amore, per appartenere completamente l'uno all'altra».

Rose si morse il labbro e Gareth abbassò lo sguardo.

«Non volevo dirtelo ma, da quando sono qui, mi girano intorno un sacco di ragazze, sai?».

Lei sgranò gli occhi. No che *non* lo sapeva.

«Io non le guardo nemmeno, Rose, perché ho occhi soltanto per te. Voglio solo *te*».

Rose ripensò alle parole di Cassie, quando l'amica l'aveva avvertita che Gareth l'avrebbe considerata solo una ragazzina un po' cresciuta, se non si fosse data da fare. Lui era un uomo, non uno studentello brufoloso. *Ovvio* che le ragazze gli si gettavano ai piedi, era più che comprensibile. Ragazze come Cassie, che si sarebbero concesse a chiunque senza pensarci due volte.

Rose e Gareth si frequentavano da diverse settimane e lui si era sempre comportato da perfetto gentiluomo. Non le aveva mai messo fretta. Se solo fosse riuscita a fargli capire come si sentiva.

«Non mi va di affrettare le cose», insisté, detestando l'idea di sembrare così ingenua e patetica.

«Certo, neanche a me», la rassicurò Gareth con dolcezza. «Ma non stiamo affrettando niente, ormai stiamo insieme da un pezzo. È l'evoluzione naturale del rapporto. Ti fidi di me, Rose?»

«Certo», annuì lei, pensando che in realtà uscivano da poche settimane, benché lui le gonfiasse.

«Allora dimostramelo». Gareth premette la gamba contro di lei. Rose avvertì sulla guancia il suo fiato caldo e trasalì non appena la sua mano scivolò fuori dalla maglietta per scenderle tra le cosce. «È arrivato il momento, Rose. Voglio che tu mi appartenga».

«Io non…». Rose si agitò sotto la sua presa salda. «Non sono pronta, Gareth».

Poi ebbe un sussulto, perché di punto in bianco lui le balzò addosso, stendendosi di peso sopra di lei e schiacciandola contro il divano.

«Vuoi essere mia, Rose?». Gareth le infilò di nuovo la lingua in bocca, senza permetterle di rispondere.

Rose giaceva pietrificata sotto di lui, il suo corpo un unico blocco pulsante. Non capiva se ciò che provava fosse eccitazione o terrore, ma voleva che lui si fermasse.

«Mi ami?», chiese Gareth con insistenza, premendo l'inguine contro di lei e abbassando la mano dal suo seno alla cerniera dei jeans.

«Sì», ansimò lei. «Ma...».

«E allora rilassati», le ordinò, sbottonandole i jeans. «Devo sapere che sei mia, Rose. Voglio solo te, lo sai, ma ho bisogno di sentirti più vicina. Capisci?».

Rose non aveva dubbi che il paese pullulasse di ragazze che gli facevano il filo. E supponeva che prima o poi sarebbe dovuto succedere; non poteva certo restare vergine per sempre.

Almeno lui era gentile e l'amava e lei amava lui. Col cavolo intendeva fare la fine della signorina Carter, come le ripeteva sempre Cassie per prenderla in giro.

«Sì», sussurrò Rose, mentre lui le sfilava i jeans. «Capisco».

Dopo quella volta, Rose era stata a casa di Gareth quasi ogni giorno. Ormai uscivano sempre più di rado. Non appena si vedevano, lui voleva solo portarla a letto.

E ora, eccola di nuovo lì, in attesa di trascorrere con lui la pausa pranzo.

Rose udì dei passi dietro l'angolo e lo vide comparire di colpo.

«Scusa, principessa», esclamò Gareth con gli occhi al cielo. «Quegli idioti di volontari, tutti insieme non hanno un solo neurone funzionante. Avrebbero dovuto lasciarli crepare in miniera, quando l'hanno chiusa».

Notando la faccia di Rose, scoppiò a ridere. «Non mi riferivo a tuo padre, Rosie, solo a qualche altro».

Lei lo seguì in casa.

Gareth controllò l'ora e rialzò lo sguardo. «Ti va di passare una mezz'oretta a letto?».

Rose ebbe un dubbio improvviso. «Sai chi abita sotto di te?»

«Un vecchio», rispose lui indifferente. «Perché?»

«Mentre ti aspettavo, mi ha detto che l'uomo che vive sopra di lui ha dato una festa ieri sera».

«Be', di sicuro non io», tagliò corto Gareth. «Sarà uno degli altri inquilini. Qualcosa non va, tesoro? Sembri turbata».

«Io... volevo solo parlare un po' con te», rispose lei, con gli occhi che bruciavano.

«Ehi, non piangere, Rosie». Gareth la guidò verso la piccola zona giorno con cucinino.

«Non so cosa farei senza di te», piagnucolò Rose. Lui le posò una mano sulla spalla. «In questo periodo sei l'unico che voglia avermi tra i piedi».

«Io ci sono sempre per te, lo sai», sussurrò lui, giocherellando con i suoi capelli come adorava fare. A volte capitava che glieli tirasse, strappandole un lamento. «Io sono tuo e tu appartieni a me. Ogni centimetro di te mi appartiene, dagli splendidi capelli rossi fino alle deliziose dita dei piedi».

Rose annuì, provando gratitudine e sollievo, mentre sprofondava sempre di più contro la spalla di Gareth. Sapeva di poter contare su di lui.

Ecco perché aveva acconsentito a farci sesso. Gareth era stato delicato e attento, e le aveva perfino dichiarato che il suo imbarazzo e la sua mancanza di esperienza contribuivano ad accrescere il suo amore per lei.

Capitolo trenta

Sedici anni prima

Dopo aver trascorso anni sul divano, da vero pantofolaio come si suol dire, negli ultimi tempi il padre di Rose era sempre fuori casa, impegnato nel progetto di rinascita del paese.

«È un uomo nuovo», aveva detto Stella alla figlia in più di un'occasione. «Dobbiamo essere riconoscenti a Gareth Farnham. E tu, Rose, potresti mostrarti più amichevole quando passa a trovarci».

Gareth insisteva che, per il momento, era importante mantenere segreta la loro relazione, perciò, quando andava a trovarli per parlare di affari con suo padre, Rose si dileguava di proposito.

«Per *noi*, diversi anni di differenza non contano nulla, ma i tuoi sono all'antica», le aveva detto. «Io getterò i semi, ma devono credere che l'idea di coinvolgerti nel progetto parta da loro, così avremo una scusa per trascorrere più tempo insieme con la loro benedizione».

«Perché più amichevole?», Rose pungolò la madre, chiedendosi come avrebbe reagito non appena lei e Gareth avessero annunciato di frequentarsi. «Credevo fosse troppo grande per me».

Stella alzò gli occhi al soffitto. «Non intendo in *quel* senso. Ha detto a tuo padre che ti considera come una sorella minore. Ha fatto tanto per la nostra famiglia e sarà il capo di tuo padre, non appena salterà fuori un lavoro. Dovresti sforzarti di essere più socievole. Di contribuire di più al progetto».

Rose si voltò e sorrise tra sé. Una sorella minore, come no! Ma il piano di Gareth sembrava funzionare.

Era incredibile come capisse alla perfezione il modo di ragionare dei suoi genitori. Era così saggio e intelligente. Sapeva quale fosse la cosa giusta da fare in ogni situazione e Rose si rimetteva sempre più spesso alle sue decisioni. Si fidava ciecamente di lui.

Quel giorno, però, dopo una settimana di incomprensioni con Cassie, crollò tra le sue braccia.

«Che succede, Rose?»

«Sono un po' giù, tutto qui», rispose lei. «Avevo bisogno di vederti, di parlare un po'».

«Rosie. Credo tu debba valutare di lasciare il college».

«Cosa?». Rose strabuzzò gli occhi. «Ma... mancano ancora diciotto mesi per finire il corso».

Lui la guidò verso il divano.

«Ma non devi aspettare tanto se ti ritiri prima. Posso darti un lavoro nel progetto di rinascita, così staremo sempre insieme».

Rose provò un lampo di eccitazione all'idea di lavorare con Gareth, seguito a ruota dal pensiero nauseante di ciò che ne avrebbero pensato i suoi. D'un tratto ricordò la minaccia di Cassie.

Gareth le sollevò il mento con un dito. «Che succede?», le chiese di nuovo, lo sguardo rovente fisso nel suo. «Vedo subito quando qualcosa ti tormenta. Ti conosco dentro, fuori, e da tutti i lati; ormai dovresti saperlo, sciocchina mia».

Allora Rose gli rivelò cosa le aveva detto Cassie, che secondo lei Gareth la manipolava.

Inizialmente aveva pensato di tenere per sé quella conversazione, perché lui non l'avrebbe presa bene. Ma, come sempre, Gareth era riuscito a notare i suoi tentativi di tenersi tutto dentro.

«Sono solo stupidaggini», concluse Rose, dopo avergli riferito parola per parola di cosa lo accusava Cassie. «Lo so che fa male a dire quelle cose di te. Ha preso un abbaglio».

Gli sorrise, sollevata per essersi liberata di quel peso, ma lui non ricambiò.

«Fa male eccome. Sono solo calunnie. Odiose bugie». Gareth serrò la mascella battendo i denti. «Quella stronzetta è decisa a separarci».

«Sono convinta che abbia buone intenzioni», precisò Rose, ansiosa di evitare una nuova, lunga ondata di malumore, di cui Gareth sembrava soffrire sempre più spesso. «Pensa di farmi rinsavire».

«Non cercare di scusarla», grugnì lui. «È solo gelosa, punto e basta. Gelosa di *noi*».

Rose annuì, dandogli ragione. «In effetti mi ha confessato che anche a lei piacerebbe avere un ragazzo più grande. Non vedeva l'ora di conoscerti, perciò non capisco perché si comporti in modo così strano».

«Te l'ho detto, è gelosia pura. Io l'ho sempre trattata con educazione», aggiunse Gareth.

A Rose tornò in mente il disprezzo con cui aveva squadrato Cassie la settimana prima, ma si rese conto che farglielo notare non avrebbe giovato al suo malumore.

«C'è... c'è dell'altro», esitò Rose, decisa tuttavia a metterlo al corrente. Non si poteva mai sapere. «Non penso dicesse sul serio, ma...».

Lui attese con espressione interrogativa.

«Ha minacciato di raccontare tutto di noi a mio padre», spifferò Rose. «Non credo lo farebbe mai, ma la cosa mi preoccupa».

Gareth rimase in silenzio per qualche istante, ma Rose lo vide stringere forte i pugni.

«Non le conviene. Se rovinerà le cose tra noi, le farò rimpiangere di essere nata». Distorse le labbra in un ghigno crudele che a Rose fece gelare il sangue nelle vene. «Te lo garantisco».

Capitolo trentuno
Rose

Oggi

L'ambulanza accosta di fronte alla casa di Ronnie e io inspiro a fondo, poi espiro lentamente, come dicono di fare per alleviare il dolore.

Respira, Rose, respira, mi ripeto in silenzio.

Il pensiero di trovarmelo davanti, di parlargli...

Osservo da dietro le tendine i paramedici che spingono con cautela la sedia a rotelle di Ronnie attraverso il cancelletto di legno. Vado alla porta e apro.

Posso farcela. Non ho scelta.

«Accomodatevi pure», li invito, e loro sollevano Ronnie dalla sedia a rotelle per aiutarlo a sistemarsi sulla poltrona.

Sembra più minuto ed esile, la pelle raggrinzita come carta da regalo stropicciata. Tiene lo sguardo basso sulle mani ma, quando lo chiamo per nome, alza gli occhi e accenna un sorriso, come se si fosse appena accorto della mia presenza.

«Rose», dice con voce flebile e roca, quasi per rammentare a se stesso chi sono. Sembra rassicurato dall'ambiente familiare, felice di essere di nuovo a casa.

«Ciao, Ronnie», lo saluto. Le parole mi si bloccano in gola come una lisca di pesce. Tossisco. «Stai bene?»

«Non mi lamento», risponde. «È bello essere a casa».

Allarga la bocca in un sorriso sdentato. Le labbra sottili hanno un colorito rosa scuro, violaceo in alcuni punti. Ha il mento irritato, ricoperto da chiazze di peli grigi.

Mi sento rivoltare lo stomaco.

«Scusatemi», mormoro e corro in cucina. Mi sciacquo il viso con un po' d'acqua e rimango china sul lavello per qualche istante.

«Si sente bene?». Il paramedico donna mi osserva dalla soglia.

«Sì, tutto a posto». Mi tiro su e mi asciugo la bocca con il dorso della mano. «Scusi, ho avuto un piccolo capogiro».

Lei mi osserva con occhi curiosi. «È una parente di Ronnie, o…».

«Sono la sua vicina. Viviamo l'uno accanto all'altra da anni».

«Pensa di potergli dare un'occhiata di tanto in tanto e controllare che prenda le medicine? Sembra piuttosto confuso ed è ancora malfermo sulle gambe».

Non mi piace il modo in cui la donna mi pondera, con la testa reclinata da una parte. Come se riuscisse a leggere oltre la facciata sottile che mi sto sforzando di mantenere.

Vedere Ronnie mi ha provocato un'ondata di ripulsione, ma ora mi sento quasi in colpa. Potrebbe non avere fatto niente di male. Anzi, fatico perfino a formulare il pensiero che lui possa essere coinvolto, anche lontanamente, nella morte di Billy.

Come minimo, l'avrei saputo. All'epoca, *qualcuno* avrebbe saputo.

Mi si affaccia alla mente il volto di Sheila. Serro gli occhi piano, ma con decisione. Mantenere il controllo è fondamentale.

Mi rendo conto che non vedo l'ora di liberarmi dei paramedici per parlare a tu per tu con Ronnie.

«Ce la caveremo», affermo con tutta la sicurezza che riesco a manifestare. «Chiamerò subito l'ospedale se ci sono problemi».

«Perfetto». La donna si volta per tornare in salotto. «Se vuole seguirmi, le spiego le medicine nel dettaglio. Purtroppo deve prenderne parecchie».

La seguo lungo il breve corridoio e mi siedo sulla poltrona, rivolta in modo tale da non guardare Ronnie, per il momento.

«Sembra più pulito qui», lo sento commentare alla mia sinistra. «Hai fatto ordine, Rose». Mi giro verso di lui e Ronnie sta sorridendo all'altro paramedico. «È sempre così buona con me, sa».

Il battito del cuore mi rimbomba più forte nelle orecchie e stringo i braccioli della poltrona.

«Un'ottima cosa perché avrai bisogno di tutto l'aiuto possibile, Ronnie», dice il paramedico. La sua voce mi giunge attutita come se si stesse allontanando. «Hai avuto una brutta influenza e sarai debole per un po'. Devi andarci piano e dare al fisico il tempo di recuperare».

«Ho pulito la cucina e il bagno. Ho pulito dappertutto, Ronnie», mi sento annunciare con voce stridula e forzata. «Piano terra e primo piano».

I nostri sguardi si incrociano e sono certa di vederlo sussultare, quasi qualcuno gli avesse sferrato un colpo dietro la testa.

«Tutto bene, Ronnie?». La donna paramedico accorre al suo fianco.

«Non proprio», gracchia lui, voltando il capo. «Ho caldo... Sto per sentirmi di nuovo male».

Ma non accade e, dopo aver atteso qualche minuto per precauzione, i due finalmente se ne vanno.

Li accompagno alla porta, poi mi siedo di fronte a Ronnie e lo fisso negli occhi.

La stanza è tetra; sento il ticchettio dell'orologio e ogni colpo è come una freccia dritta al cuore. Non ce la faccio; non posso tacere ancora a lungo.

«Ronnie», inizio con tono calmo. «Posso chiederti una cosa?»

«Non so». Sembra avere il respiro affannato. «Sono debole e ho paura di stare male di nuovo». Stringe il vassoio di cartone a forma di fagiolo come se la sua vita dipendesse da quell'oggetto.

Mi domando se è solo frutto della mia immaginazione o Ronnie ha smesso di sentirsi male non appena abbiamo accantonato l'argomento pulizie.

146

«Devo farti soltanto una domanda», insisto. «È molto importante».

Ronnie si agita sulla poltrona. Chiude gli occhi e comincia a inspirare ed espirare dal naso.

«Ricordi quando ti hanno portato via dal bagno, dopo che ti ho trovato a terra?».

Lui riapre gli occhi.

«Mi hai detto qualcosa mentre uscivi di casa, te lo ricordi?». Lui non risponde. «Hai detto: "Non andare di sopra". Sono state queste le tue ultime parole, Ronnie, prima che ti portassero in ospedale. Cosa intendevi? Perché non dovevo andare di sopra?».

Cala di nuovo il silenzio e l'orologio ticchetta.

Mi sembra di avvertire il peso della stanza-ripostiglio sopra di noi, quasi fosse finalmente pronta a svuotarsi dei suoi segreti.

«Ronnie?»

«Non ricordo di averlo detto». Le parole escono strozzate.

«Non devi ricordarti per forza, Ronnie, ti assicuro che hai pronunciato esattamente quelle parole. Quello che vorrei sapere è a cosa ti riferivi».

«Non sapevo quello che dicevo, Rose. Stavo malissimo». Si ferma e respira a fondo. «Hanno detto che se non mi avessi trovato subito, sarei… sarei potuto morire».

«So che stavi molto male, Ronnie, e che non sei ancora guarito al cento percento, ma prova a riflettere un momento. È importante».

Lui mormora qualcosa tra sé e sé.

«Ronnie?»

«Non riesco a pensare con lucidità», risponde, le dita affondate nei braccioli della poltrona. «Scusa, non ci riesco».

Mi avvicino a lui, posandogli le mani sulle braccia scarne. Due braccia che un tempo, me lo ricordo bene, erano state forti e muscolose.

L'uomo che è stato, tanti anni fa… Quella persona esiste ancora dentro di lui.

La verità non sparisce, né ci abbandona mai; rimane per sempre, con la sua luce forte. Si può nascondere o mascherare, ma resta. Basta sapere dove cercarla.

«Ronnie», continuo con tono gentile. «Ne abbiamo passate tante insieme. Mi sei stato accanto prima e dopo Billy. Siamo una famiglia, tu e io. Perciò devo proprio insistere: perché mi hai chiesto specificatamente di non andare di sopra?».

La mano raggrinzita di Ronnie raggiunge la mia e mi stringe le dita.

«Mi dispiace tanto», sussurra, «ma non ricordo niente, Rose».

Capitolo trentadue
Rose

Oggi

Non ho dormito. Ho passato letteralmente la notte in bianco.

La gente entra in biblioteca di continuo affermando, in modo vago: «Ho chiuso occhio a malapena la notte scorsa», oppure: «Non ho più dormito dalle due in poi». Sono frasi che si dicono quando si riposa male o con il sonno disturbato, ma io parlo sul serio. Non ho dormito *per niente* la notte scorsa.

Non posso continuare così. Altrimenti manderò in fumo anni e anni di terapia e di duro lavoro per rimanere sana di mente.

Sono la prima ad ammettere che, in confronto ad altre, la mia vita non è un granché. Ma è una vita come tante, sostenuta da una routine che ho imposto a me stessa per sopravvivere. E vorrei mantenerla tale.

Così, durante le lunghe ore della notte scorsa, passate a fissare il soffitto, vagare per la casa, o seduta in cucina con la terza tazza di caffè... ho continuato a pensare a una sola cosa.

Non a quanto accaduto sedici anni fa, né al ritrovamento della copertina di Billy, ma a questo: cosa ho intenzione di fare?

Non so cosa mi aspettassi da Ronnie, quando gli ho parlato.

Forse speravo che avrebbe confessato al volo, adducendo una scusa plausibile per la presenza della copertina in casa sua. Una scusa che mi sarebbe parsa perfettamente ragionevole.

Già mi vedevo sorridere con amarezza, nel rendermi conto di

aver lasciato correre troppo la fantasia. Credevo di poter provare sollievo, una volta chiarito tutto, e tornare alla solita vita.

Ronnie mi è parso così fragile, appena dimesso dall'ospedale, che non me la sono sentita di sputargli addosso cosa ho trovato nel suo ripostiglio. Avrebbe potuto svenire, collassare, o chissà cosa... Ho sentito di non avere scelta se non quella di pazientare, aspettare il momento giusto perché lui recuperi le forze necessarie a giustificarsi.

Oscillo costantemente tra la certezza dell'innocenza di Ronnie e l'ovvietà della sua colpevolezza. Nella mia mente è riunita una giuria alla quale espongo, in modo convincente, entrambe le arringhe senza avere la minima possibilità di vincere.

So che Billy aveva con sé la copertina quel giorno all'abbazia. L'ho vista io stessa sbucare dallo zaino.

Quando furono ritrovati il corpo e lo zaino, della copertina non c'era traccia. La polizia non riuscì mai a trovarla, nonostante avesse setacciato la zona da cima a fondo.

E ora, dopo tanto tempo, ecco che mi imbatto in quella stessa copertina a casa di Ronnie.

Come riuscirà a spiegarmi *questo*?

La testa mi pulsa forte e ho la nausea. Non mangio da ieri pomeriggio, ma a quest'ora del mattino non posso affrontare nessun cibo.

Sono riuscita a prepararmi per andare al lavoro in maniera automatica e ho scoperto che non dormire è quasi come non mangiare. A un certo punto superi la soglia e vai avanti come se fosse normale.

So che si tratta solo di un recupero apparente e che la mancanza di sonno tornerà a farsi sentire con prepotenza, ma per il momento mi basta stare in piedi.

Abbasso lo sguardo sul foglio e sulla penna posati sul tavolo della cucina. Credo fossero le tre del mattino quando ho elencato le possibili opzioni, dal mio punto di vista:

1) Non fare niente
2) Andare alla polizia
3) Parlare di nuovo con Ronnie

Ora, nella fredda luce del giorno, posso escludere del tutto la prima.

È impensabile fingere di *non* aver trovato la copertina anche se, nelle ultime otto ore, ci sono stati momenti nei quali la voce nella mia testa ripeteva: *Tu sai che è stato Gareth Farnham. Lo sai. Sta scontando l'ergastolo, la giusta punizione per quello che ha fatto. La polizia all'epoca era soddisfatta del risultato. Perciò non pensarci più.*

Ma se voglio tornare a dormire sonni decenti, so che devo affrontare le implicazioni della mia scoperta. Devo e basta.

Opzione due: andare alla polizia.

L'ispettore capo Mike North aveva vissuto la morte di Billy sulla propria pelle, quasi come noi della famiglia. Per lui, perdere Billy non fu solo parte del mestiere.

Naturalmente non mi coinvolse in prima persona durante le indagini. Com'è ovvio, si ritirava in salotto con i miei, e io ricevevo gli aggiornamenti di seconda mano tramite loro.

Ma ricordo ancora che la mamma, durante una conversazione a pochi mesi dalla morte di Billy, riferì che Mike North si era ritirato dalla polizia per problemi di salute.

Dubito che chi seguì le indagini all'epoca lavori ancora oggi per la polizia della contea di Nottingham. In base ai miei ricordi, Mike North e i suoi superiori si aggiravano tutti sulla cinquantina o sessantina.

Andare alla polizia significherebbe spiegare da capo l'intera storia a qualcuno che non ha la minima idea dell'accaduto. E comunque, andrei a chiedere *cosa*, di preciso? Di interrogare Ronnie perché dice di non ricordare cosa ci faceva la copertina di Billy nel suo ripostiglio?

Più penso a coinvolgere la polizia e più mi sembra ridicolo.

Gli abitanti del paese chiederebbero la mia testa per aver turbato Ronnie, reduce dall'ospedale.

Eppure... forse si può trovare un compromesso.

Potrei non andare alla polizia ad accusare Ronnie direttamente, ma piuttosto cercare di contattare Mike North e discutere di nuovo la soluzione del caso con lui. Per scoprire se è davvero a prova di bomba come era parsa all'epoca.

Non conosco nessuno nella polizia della contea a cui possa chiedere in via informale come contattare North, ma sono abbastanza in confidenza con Sarah e Tom, i nostri funzionari civili di supporto alla polizia locale. Non mi va di metterli in una posizione scomoda, chiedendo informazioni riservate, ma tentar non nuoce.

Opzione tre: posso provare di nuovo a parlare con Ronnie. Magari, tra un paio di giorni, si sentirà più in forze e meno confuso. Sotto sotto, spero ancora che lui possa chiarire tutto, dire qualcosa che cancelli ogni dubbio.

Una speranza un po' tirata, ma non mi resta altro. Gli parlerò più avanti, quando mi auguro che starà un po' meglio. L'ospedale ha mandato un'infermiera e una badante per assisterlo durante il giorno e io ho accettato di tenerlo d'occhio durante la notte e passare a trovarlo tutte le mattine.

Nonostante i miei ragionamenti logici, continuano ad affiorare i pensieri più orribili.

Che Ronnie c'entri qualcosa con la morte di Billy?

Che stia mentendo sulla perdita di memoria?

Se la risposta a uno o l'altro dei due interrogativi è *sì*, allora come faccio a prestargli il mio aiuto? Come faccio a rivolgergli ancora la parola?

Per ora, devo limitarmi a scacciare quelle congetture terrificanti.

In un modo o nell'altro, devo trovare le risposte che cerco per richiudere questa storia al sicuro, dov'era prima, negli appositi compartimenti della mia mente.

Devo portare avanti le mie scelte, o rischierò di cadere a poco a poco nel baratro senza fondo della follia, che ho già visitato una volta e che spero di non rivedere mai più.

Eppure, non credo di avere la forza di affrontare tutto di nuovo.

Capitolo trentatré

Sedici anni prima

Quando le sirene presero a strillare a squarciagola, entrarono nel sogno di Rose diventandone parte.

Poi, mentre si avvicinavano, la ragazza riemerse finalmente dal torpore. Udì delle voci per strada. Porte che sbattevano al piano inferiore.

Le cifre rosse della sveglia annunciavano l'una e mezza del mattino.

Rose saltò fuori dal letto in fretta e furia e si infilò la camicia da notte di lanetta. Attraversò il pianerottolo a piedi nudi con passo furtivo e si mise all'ascolto in cima alle scale.

Strani sussurri concitati fluttuarono verso di lei, poi distinse la voce del padre.

«E siete sicuri... è proprio Cassie?».

Rose si precipitò di sotto.

«Che succede?». Oltrepassò il padre e si ritrovò davanti un gruppetto di vicini accalcati sulla soglia, i volti segnati dall'orrore.

Solo allora si rese conto che circondavano Jed, reggendolo di peso sulle gambe tremanti e instabili.

«Jed, cosa c'è? Cos'è successo?». Rose pensò che parlasse in modo sconclusionato perché era ubriaco, ma poi si accorse che singhiozzava.

«Cassie. La nostra Cassie...». Come se non riuscisse a tollerare i pensieri e le emozioni che si affollavano, il ragazzo scoppiò in una pioggia di singhiozzi e si fece strada barcollante tra la folla, allontanandosi incerto lungo la via.

Mentre la gente gli correva dietro, Stella tirò Rose con delicatezza per un braccio e la riportò dentro. Ray prese gli scarponi, si sedette e cominciò ad allentare i lacci, scuro e minaccioso in volto. A Rose si rizzarono i peli sulla nuca.

Si divincolò dalla presa della madre, la pelle di colpo rovente.

«Mamma, papà, ditemi cosa sta succedendo!».

«È per Cassie, tesoro», spiegò Stella con cautela. «È stata... aggredita».

Rose si portò di scatto la mano alla bocca.

«È stata violentata, Rose», precisò Ray con tono cupo, infilando i piedi negli scarponi. «Qualche bastardo l'ha violentata».

«Ray, non...».

«Non ha più dodici anni, Stella», tuonò il padre. «Rose deve sapere... Deve conoscere i pericoli che ci sono là fuori. Lo avrebbe scoperto comunque. Metà paese gli sta dando la caccia».

«Ma... come...». Rose stentava a trovare le parole. «Dove è successo?»

«In casa», rispose Stella. «Carolyn e Jed erano fuori. Cassie era sola ieri sera».

«Sanno chi è stato, chi le ha fatto una cosa simile?», si sentì chiedere Rose, con voce che sembrava disperdersi alla deriva. Lei e l'amica si riunivano sempre a casa di Cassie il venerdì sera, a guardare la TV e mangiare patatine. Almeno fino a quando non aveva conosciuto Gareth.

Stella scosse il capo. «Non sanno chi è stato. Pare non abbia detto una parola e indossasse un passamontagna».

«Ma lei lo conosceva? Insomma...». Rose rimase a bocca aperta, incapace di proseguire.

«Non preoccuparti, tesoro». Ray guardò la figlia. «Scopriremo chi è stato e, non appena lo troveremo, impiccheremo quel bastardo. Per ora non ti serve sapere altro».

Rose tornò in camera sua e si stese sul letto a guardare il soffitto.

Il viso di Gareth fece capolino nella sua mente. Lo avrebbe chiamato da lì a poco. Lui le dava sicurezza e riusciva sempre a tranquillizzarla.

Le risuonarono nelle orecchie le ultime parole rabbiose che lui aveva scagliato contro Cassie, ma le ignorò. Gareth sarebbe rimasto scioccato dall'accaduto. Come tutti.

Cose del genere non accadevano dalle loro parti. Di tanto in tanto la polizia locale si aggirava per il paese, parlava soprattutto con il signor Shandu, il proprietario del piccolo supermercato. Inoltre si premurava di fermarsi per due chiacchiere con i ragazzi che, non avendo altro da fare, bazzicavano fuori dal circolo minatori la sera e nel fine settimana.

L'evento più sconvolgente registrato a Newstead nel corso di quell'anno era stato forse quando avevano lanciato un sasso contro la vetrina del negozio di *fish and chips*. Ma poi si era scoperto che il responsabile era Davey lo Sciocco, un innocuo ragazzone sulla trentina, che viveva in Mosley Road con i genitori anziani.

In pratica, pareva si fosse offeso perché non gli avevano venduto tutte le otto frittelle di patate appena sfornate, a scapito degli altri clienti in coda. Chiunque sapeva che Davey lo Sciocco non poteva vivere senza le sue frittelle di patate.

Ora, invece, era accaduto questo incubo. Ed era accaduto *a Cassie*.

Newstead era sempre stato un paese tranquillo, rifletté Rose. Eppure, quello che era successo a Cassie… era un tale shock che fosse avvenuto proprio lì, nel cuore del paese. Era come se l'adorato cagnolino di famiglia di cui ti fidavi ciecamente si fosse rivoltato contro di te di punto in bianco.

Cose del genere non capitavano in un paese così sicuro, in cui tutti si conoscevano e si viveva insieme, generazione dopo generazione, in relativa armonia. Giusto?

Rose cercò sotto il cuscino il cellulare che Gareth insisteva perché tenesse acceso, anche di notte, nel caso avesse avuto bisogno di cercarla. Era sempre così ansioso che restasse in contatto con lui, che fosse al sicuro.

Lo chiamò con la selezione rapida. C'era un solo numero memorizzato sul dispositivo ed era il suo.

Rose attese, con il cuore che pompava sempre più forte, che gli squilli acuti le inondassero l'orecchio. Scattò la segreteria. Sperava di sentire la voce rassicurante di Gareth, così forte e saggia, invece rispose il messaggio standard registrato.

Rose richiamò quattro volte nella mezz'ora seguente, ma ottenne ogni volta la stessa risposta.

Dov'era finito? Le aveva detto di avere una riunione di lavoro che sarebbe andata per le lunghe e che poi sarebbe andato a letto presto per recarsi l'indomani mattina a una conferenza a Birmingham in giornata.

Certo, erano quasi le due del mattino, ma Rose era convinta che anche lui tenesse acceso il cellulare tutta la notte, dato che insisteva tanto perché lei lo facesse. Forse, ipotizzò, la riunione si era protratta più del previsto.

Silenziose lacrime di tristezza e rimpianto le scivolarono lungo le guance arrossate. Desiderava rivedere Cassie e sistemare le cose tra loro. Desiderava essere accanto alla sua migliore amica nel momento del bisogno.

In quell'istante, tuttavia, si rese conto che la persona con cui voleva parlare davvero era Gareth.

Gli lasciò un messaggio in segreteria.

Capitolo trentaquattro

Sedici anni prima

Il mattino seguente Rose e Stella andarono a casa di Cassie.

Carolyn si presentò alla porta in camicia da notte, il viso rigato dalle lacrime e i capelli ricci per la permanente che guizzavano in ciuffi scomposti. Era noto che le piacesse alzare un po' il gomito, ma Rose non ricordava di averla mai vista in quello stato.

Stella si fiondò verso Carolyn e la strinse a sé. Rose si aspettava di vederla scoppiare in singhiozzi incontrollati, ma non accadde. La madre di Cassie rimase immobile e pietrificata con le braccia lungo i fianchi, gli occhi fissi e sgranati.

Era quasi più inquietante che vederla piangere.

«Vado a fare il tè», suggerì Rose, superando le due donne per raggiungere la cucina.

«No!», strillò Carolyn, sciogliendosi dall'abbraccio di Stella. «Hanno detto che non possiamo ancora entrarci».

Rose si bloccò sulla soglia sbarrata dal nastro isolante giallo e si guardò attorno. Sembrava che qualcuno avesse svuotato metà del contenuto degli armadietti, sparpagliandolo per tutto il ripiano.

Doveva essere successo lì. Gli occhi di Rose furono attirati dalle macchie scure sul tappeto a quadri, davanti alla porta che dava sul retro.

Disgustata, si voltò e tornò in salotto. Carolyn aveva ripreso a parlare.

«Stavo quasi per non andare da Noreen, sapete. Stava poco bene, invece l'ho convinta che bere qualcosa le avrebbe giovato». Si coprì il viso con le dita aperte e macchiate di nicotina.

«Carolyn, tesoro, non puoi prenderti la colpa dell'accaduto», la rassicurò Stella con dolcezza, accarezzandole sulla nuca i capelli ispidi e secchi tinti di rosso. «L'unico colpevole qui è quel... quel *mostro* che ha aggredito Cassie».

«Non nominarlo!», piagnucolò Carolyn. «Non riesco neppure a tollerare il pensiero. Nessuno ha più visto Jed; è sparito chissà dove. La polizia lo sa, dice che ormai è adulto e tornerà quando se la sentirà, ma lui non riesce a farsene una ragione. Ho paura che finisca per ammazzarsi, Stella».

Rose raggiunse il divanetto usurato di velluto a fantasia e si sedette all'estremità opposta rispetto alla madre. Jed era in uno stato terribile la notte precedente, quando l'aveva visto allontanarsi in fretta e furia da casa sua; si augurò che Carolyn si sbagliasse sullo stato mentale del figlio.

La donna alzò lo sguardo di colpo, il tono pieno di rimpianto, di accusa. «Di solito dormivi sempre qui da noi il venerdì sera, Rose. Perché stavolta non c'eri?».

Rose comprese all'istante che Cassie non aveva detto alla madre del loro litigio.

«Sono uscita con alcuni amici del college», rispose al volo, celando di aver trascorso la serata a casa di Gareth.

Stella annuì. «È rientrata per le undici, vero, tesoro?»

«L'ospedale la terrà sotto osservazione per un paio di giorni», proseguì Carolyn, e Rose riprese fiato, rendendosi conto che non avrebbe subìto altri interrogatori.

«Possiamo andare a trovarla?», domandò. «Vorrei tanto vederla».

«L'hanno sottoposta a ogni sorta di controlli orribili», riprese Carolyn, come se Rose non avesse parlato. «Ha una commozione cerebrale e ha perso molto sangue. Dicono che abbia afferrato un coltello, forse per difendersi, ma si è tagliata le mani».

Rose ripensò alle macchie color ruggine che aveva notato in cucina, sul tappeto a quadri.

«Ma è terribile», commentò Stella. «Povera piccola».

«Possiamo andarci oggi, mamma? A trovare Cassie?»

«Ma certo», rispose Stella. «Per te va bene, Carolyn?».

La donna annuì lentamente, ripiombando in quello strano stato di trance. «Ci vado questa mattina verso le undici. Potete venire con me, se vi va. Sono certa che sarà felice di vederti, Rose».

Carolyn comparve in fondo al corridoio dell'ospedale e si trascinò piano verso Rose e sua madre.

Aveva la bocca incurvata per la stanchezza, l'espressione abbattuta.

«Rose, mi spiace tanto. Cassie non vuole vederti». Carolyn tese i palmi all'infuori e scosse il capo perplessa. «Non ha voluto dirmi perché, ma non sente ragioni».

Rose guardò sua madre.

«Sembra molto confusa». Carolyn si torse le mani, rivolta verso Stella, il tono implorante. «Non è in sé».

«È più che comprensibile», si affrettò a rispondere l'amica. «Non fartene un cruccio, Carolyn. Che ne dici se passiamo a trovarvi quando tornerà a casa e si sentirà meglio?»

«Ma certo». Carolyn guardò Rose. «Mi spiace tanto, tesoro».

Lei sospirò. «Voglio solo che Cassie sappia che sono passata, che ero qui per lei. Puoi abbracciarla da parte mia?»

«Lo farò. Grazie di essere venuta, Rose».

Quando Carolyn scomparve di nuovo in fondo al corridoio e in camera di Cassie, Stella strinse la mano alla figlia.

«Non prenderla sul personale, Rose. La povera Cassie sarà traumatizzata, è naturale. Nessuno di noi sarebbe in grado di agire in modo razionale dopo quello che è successo. Un'esperienza così orribile scatena ogni sorta di emozioni: vergogna, paura...».

«Lo so, mamma», concordò Rose con un filo di voce.

160

Madre e figlia si diressero verso la fermata dell'autobus, ma presero due corse diverse. Stella aveva appuntamento dall'ottico a Hucknall, mentre Rose tornò a casa, adducendo il pretesto di qualche ora buca al college.

Mentre si sistemava sul sedile, prese il cellulare e riattivò la suoneria.

C'erano sei chiamate senza risposta e un messaggio, tutti di Gareth.

Capitolo trentacinque

Sedici anni prima

Gareth l'aspettava alla fermata dell'autobus e Rose gli crollò tra le braccia, incurante che qualcuno li vedesse.

«Ehi, che succede?». Lui la scostò con dolcezza per creare un po' di spazio tra loro e guardarla negli occhi. «Cos'ha che non va la mia ragazza?».

Tra lacrime e naso colante, Rose piagnucolò l'orrenda realtà dell'accaduto.

«Che cosa? Oh, mio Dio, ma è terribile... povera Cassie!».

Rose proseguì, rosicchiandosi le unghie: «È stata *violentata*. Un bastardo ignobile l'ha...».

«Ho capito, Rose», la interruppe Gareth. «Povera ragazza, sono... sconvolto per lei... e per *te*, che sei sua amica. Non voglio più che tu esca da sola quando è buio».

Rose scosse la testa lentamente. Gareth aveva ragione, ma sembrava così... *falso*. La sua minaccia di far rimpiangere a Cassie di essere nata le rieccheggiava ancora nelle orecchie e le riusciva difficile conciliarla con la reazione di quel momento.

«Che c'è?». Gareth la scrutò.

«Non... riesco a credere a quello che è successo», balbettò Rose.

«È una storia terribile, okay, ma hai detto tu stessa che Cassie non bada tanto alla propria sicurezza personale».

«Come?». Rose si sentì pervadere da una fiammata. «Cosa vorresti insinuare? A prescindere dal suo stile di vita, Cassie non merita di essere in un letto di ospedale e...».

«Ma certo che no», la interruppe Gareth brusco. «Non intendevo quello».

«È la mia migliore amica e io…».

«Migliore amica? Stiamo parlando della stessa ragazza?», sbottò Gareth con una risatina amara. «Scusa, pensavo fosse la stessa persona che ti ha ignorata tutta la settimana, scagliando minacce contro entrambi».

Rose faticava a deglutire.

«Siamo amiche da sempre», ribatté seria. «Le minacce sono state solo un incidente di percorso».

«Un incidente di percorso? Definisci così la minaccia di raccontare di noi a tuo padre?»

«Sono certa che non dicesse sul serio, è stato solo un accesso di rabbia».

«Svegliati, Rose. La tua *amica* potrebbe non essere l'angioletto che credi».

«Basta! Non me ne starò a sentire questo schifo». Rose si divincolò dall'abbraccio e indietreggiò. «Non ti sopporto quando fai così, Gareth. Non capisco perché tu debba dire cose tanto orribili, è come se…».

Rose esitò.

«Vai avanti, Rose». Gareth si avvicinò. «Parlavi a briglia sciolta un attimo fa; mi stavo proprio godendo un piacevole assaggio di dove riponi la tua fedeltà. È come se, *cosa*?»

Rose avvertì che la faccenda le stava sfuggendo di mano, ma non riuscì a frenarsi. Le parole le ruzzolarono fuori di bocca prima di poterle trattenere.

«Non sembri affatto sorpreso che Cassie sia stata aggredita. Continuo a pensare a quando hai detto che le avresti fatto rimpiangere di essere nata. Perché hai dovuto dire una cosa del genere?».

Gareth le afferrò una mano e la strinse così forte da farla gemere.

«Credi sia stato io, Rose? Credi sia andato a casa della tua amica ieri sera e l'abbia violentata?»

«No! Non dirlo nemmeno per scherzo».

«Perché le sarebbe piaciuto, sai. Non volevo raccontartelo, ma quando sei salita a lavarti il viso a casa sua, lei ci ha provato con me».

«Che cosa?». Rose indietreggiò barcollante. Sentiva il frastuono del traffico e il gracchiare dei corvi nel bosco vicino, poi tutti i rumori cominciarono a confondersi nelle sue orecchie.

«Ha cercato di baciarmi, Rose. Mi ha chiesto se non preferissi una vera donna come *lei*, anziché una ragazzina come *te*».

«Stai mentendo», mormorò Rose. «Cassie non lo farebbe mai. Non lo farebbe e basta».

«Interessante», aggiunse Gareth a denti stretti, «che, quando Cassie dice qualcosa, non intende sul serio. Se invece io faccio commenti tanto per parlare, tu non te li togli più dalla testa».

«Perché tu hai detto che Cassie avrebbe rimpianto di essere nata e subito dopo è stata aggredita». Rose sospirò e si guardò le mani. «Non credo che tu sia coinvolto, Gareth».

«Non sembrerebbe». La fissò negli occhi. «Mi spiace averti stretto la mano così forte, Rose. Ora potrai vendicarti».

«In che senso… vendicarmi?»

«Se vai a raccontare alla polizia quello che ho detto, mi sbatteranno dentro. Diventerò il sospettato numero uno». Gareth abbassò lo sguardo a terra. «Non te ne farò una colpa, se è quello che vuoi».

Quell'osservazione la fece riflettere. Rose non aveva pensato alla polizia.

Gareth si avvicinò e l'abbracciò.

«Non capisci, Rosie? Cercheranno qualcuno da accusare e io sarei un perfetto capro espiatorio. Un forestiero che era stato a casa di Cassie pochi giorni prima dell'aggressione. Mi sembra già di sentire i pettegolezzi della gente sulla faccenda, getterei un fascio di luce sulle loro misere vite insignificanti». Gareth sbuffò dal naso. «Farei prima ad andare io stesso alla polizia e raccontare quello che ho detto. Così ti risparmio la fatica».

«Che cosa?»

«Andrò a riferire il mio commento casuale, così non sarai tu a tradirmi», spiegò lui tranquillo. «Ma so come funziona nei paesini come questo. La gente improvviserà un processo farsa e sarò giudicato colpevole all'istante. Dovrò lasciare il lavoro e trasferirmi».

«Non dire così». Rose scosse il capo. «Non succederà».

«Ah, no? Perché qui la gente è incline al perdono, vero, Rose?».

Le sovvenne di colpo che un paio di anni prima era giunto a Newstead un giovane dall'aspetto trasandato, un vagabondo che si era trattenuto nella zona per circa una settimana. La gente diceva che si fosse stabilito in un capanno fatiscente nel cimitero della chiesa.

Rose lo vedeva per strada, seduto o sdraiato sul bordo del marciapiede, pallido e arruffato, la mano tesa a chiedere l'elemosina.

Un paio di residenti gli fornirono cibo e coperte e Jim Greaves lo invitò addirittura a mangiare pollo e patatine allo Station Hotel.

Poi la gente cominciò a trovare i capanni dei propri giardini forzati e trafugati nella notte. Qualcuno disse di aver visto il vagabondo su una bicicletta identica a quella rubata in casa degli O'Reilly in Byron Street.

I benefattori svanirono nel nulla. Un gruppo di uomini fece visita alla dimora improvvisata dal ragazzo e lo mise sotto torchio. Fu avvertita la polizia che lo condusse in centrale. Dopodiché Rose non lo rivide più.

«Non andrò alla polizia», mormorò. «So che non hai fatto niente di male, era solo un commento stupido».

«Devi fare quello che ritieni giusto, Rose», replicò Gareth, voltando lo sguardo. «Se ti senti in dovere di sostenere Cassie a mie spese, fai pure. Non posso pretendere che tu sia fedele a me anziché a qualcuno che conosci da una vita».

«Gareth...». Rose gli tese le braccia e lo attirò a sé con dolcezza. «Io sono fedele a te. Voglio stare con *te*. Io... ti amo». A lui piaceva sentirselo dire, ma quelle parole continuavano a suonare strane quando le pronunciava Rose, come se qualcosa dentro di lei si ribellasse.

Gareth le infilò le dita tra i capelli e la baciò sulla fronte.

«Allora stai lontana da Cassie», sussurrò. «È gelosa di quello che abbiamo. Non vedi, Rose? Noi abbiamo solo bisogno l'uno dell'altra».

Capitolo trentasei
Rose

Oggi

Ho digitato su Google Maps il codice postale dell'ex ispettore capo Mike North e ho puntato l'automobile in direzione Colwick, un sobborgo a est di Nottingham, a circa trenta minuti di strada dal mio paese.

Non sono abituata a guidare spesso e all'inizio mi rende sempre nervosa ma, una volta partita, in genere riesco a rilassarmi e godermi il viaggio.

Credo sia dovuto alla barriera di metallo fornita dal veicolo. Si guarda fuori dall'auto, ma i pedoni raramente guardano *dentro*. Mi sento più protetta di quando cammino.

Preferirei non dover attraversare a piedi il paese per andare e tornare dalla biblioteca, ma è una componente preziosa dello sforzo di non fare la reclusa. Vorrei solo che diventasse più semplice.

Trovare per caso l'indirizzo di Mike al lavoro è stata una sorpresa inaspettata e mi ha convinta che si sia trattato di un "segno" per procedere nell'intento di parlargli senza indugiare oltre.

La signorina Carter, durante una visita in biblioteca, mi ha raccontato di aver partecipato a un convegno del Women's Institute nei pressi di Nottingham nel quale una delle relatrici era nientemeno che un avvocato in pensione di nome Tessa North.

«Ha tenuto un discorso molto eloquente sulla carriera delle donne nell'ambiente legislativo ed è parsa particolarmente incuriosita nello scoprire che venivo da Newstead», mi ha riferito con un lieve eccesso di orgoglio.

«Oh, e come mai?», ho chiesto fingendo di mostrarmi interessata, quando invece non desideravo altro che perdermi a validare la montagna di tessere dei nuovi utenti della biblioteca.

«Il marito è un ex poliziotto e ha seguito un grosso caso qui. Si chiama Mike North». Di colpo la signorina Carter si è resa conto di chi avesse di fronte e della gaffe nel tirare in ballo il caso di Billy. È sbiancata in viso. «Oh! Mi spiace tanto, cara. Non ho riflettuto. Non volevo…».

«Non importa», ho replicato, raddrizzandomi sulla sedia. «Le ha forse detto dove abitano, adesso? Magari si è appuntata l'indirizzo e-mail dell'avvocato?»

«Ho fatto di meglio, mia cara», ha dichiarato lei di nuovo compiaciuta. Ha rovistato nel borsellino e ne ha estratto un biglietto da visita. «Ha distribuito a tutti i partecipanti uno di questi».

Ho contattato il numero di cellulare subito dopo, lasciando il mio recapito alla segreteria e spiegando chi fossi. È stata una piacevole sorpresa sentirmi richiamare dallo stesso Mike che ha accettato con gioia di incontrarmi. Ancor più piacevole sentirmi proporre di vederci a casa loro.

«Non esco molto in questi giorni», mi ha spiegato. «Sarà bello vedere una faccia nuova da queste parti».

Come prevedibile, guido verso la meta con una certa agitazione. Non accendo la radio. Piuttosto, cerco di riflettere su come ottenere consigli senza – per adesso – coinvolgere Ronnie.

Dicono che chi è stato poliziotto lo rimane per sempre, perciò North potrebbe sentirsi obbligato a riferire eventuali dettagli ai contatti che possiede ancora in polizia.

Se il mio vicino è innocente, e nonostante tutto sono convinta al novantanove percento che lo sia, devo proteggerlo. Almeno per il momento.

Svolto in Riverside Crescent e costeggio la fila di appartamenti esclusivi fino al secondo parcheggio in fondo, come da istruzioni di Mike.

Gli appartamenti sorgono sulle rive del fiume Trent e, anche se da questo lato non se ne vede traccia, tutti i balconi si affacciano sull'acqua.

Afferro la borsetta e mi dirigo verso l'imponente edificio. La massiccia presenza di vetro e acciaio salta subito all'occhio e le finestre scintillano alla luce fioca del sole. Raggiungo la palazzina numero 7 e digito l'interno dell'appartamento di Mike sul tastierino, poi schiaccio il pulsante del campanello.

«Buongiorno», mi risponde una voce femminile. «Sali pure, siamo al primo piano».

Ignoro l'ascensore sfarzoso e prendo le scale. Raggiunto il pianerottolo, una delle tre porte si apre.

Vado incontro alla donna dai capelli corti e biondi che mi sorride.

«Devi essere Rose», esordisce e mi stringe la mano. «Piacere, io sono Tessa. Mike non vedeva l'ora di incontrarti».

Sembra sulla cinquantina, abbronzata e attraente, vestita in modo casual, con un paio di jeans bianchi strappati, una T-shirt bianca e larga e i piedi scalzi.

«Ti accompagno da Mike», dice mentre entriamo nell'atrio. «E ti porto qualcosa di fresco da bere. Acqua o limonata appena spremuta?»

«Accetto volentieri la limonata, grazie», rispondo col sorriso, chinando lo sguardo per togliermi le scarpe.

«Oh, lascia stare», insiste e mi fa cenno di seguirla. «Mike ti aspetta sul balcone».

Annuisco e proseguo verso l'ingresso che si apre su un'ampia sala inondata di luce. Le finestre a vetrata e le porte scorrevoli sono aperte, in modo da godere al massimo la straordinaria vista sul fiume.

«Ciao, Rose», saluta Mike dalla sedia di vimini all'esterno. «Vieni pure».

Non mi viene incontro, perciò attraverso la sala ed esco sulla lustra veranda finestrata con il pavimento di piastrelle.

«Wow», esclamo a bocca aperta. «Passerebbe anche a me la voglia di uscire, se questo è lo spettacolo che mi aspetta ogni mattina».

Lui ride e allunga il braccio con grande lentezza. Solo allora mi accorgo che trema. Non un semplice fremito, ma un tremore violento.

Gli stringo la mano e lui ritrae il braccio con un movimento rigido.

«Morbo di Parkinson», spiega senza giri di parole. «Una maledetta scocciatura, come puoi vedere».

«Mi dispiace tanto, Mike», rispondo, sentendomi in colpa per aver disturbato la sua quiete con la mia intrusione. «Non ne avevo idea, non avrei mai...».

«Non devi scusarti, Rose». Scuote il capo. «Sono felice di rivederti dopo tanti anni. Eri solo una ragazzina quando quella tragedia si è abbattuta sulla tua famiglia».

Cala un istante di silenzio mentre ricordiamo.

«Sapere dei tuoi genitori mi ha sconvolto. Perdere anche loro dopo quello che è successo a Billy, insomma... Non so come hai fatto a superarlo».

«Grazie, Mike. Nutrivano entrambi una grande stima nei suoi confronti, come sa bene».

Lui sorride e osservo il suo viso segnato. Sono passati sedici anni dall'ultima volta che l'ho visto e dopo tanto tempo la mia memoria non fa fede, ma appare molto più vecchio del previsto; molto più della moglie. Scommetto che è il risultato del Parkinson con cui è costretto a convivere.

Ci voltiamo all'arrivo di Tessa, che regge un vassoio con due bicchieri colmi di limonata ghiacciata.

«Fantastico», commento con gratitudine, sventolandomi il volto con la mano. Non sembrava così caldo nel parcheggio.

«È una trappola di calore quassù», spiega Tessa, posando

accanto a Mike un bicchiere con una cannuccia lunghissima. «Tutti i balconi sono esposti a sud e, anche nelle giornate abbastanza fresche, qui fa più caldo perché sono riparati dal vento».

Sorseggio la mia limonata, riflettendo che Mike sembra essersi sistemato piuttosto bene con uno stipendio, e ora pensione, da poliziotto.

«È grazie alla carriera di Tessa se ci siamo potuti permettere questo posto», dice lui con lo sguardo rivolto al fiume, come se mi avesse letto nel pensiero. «Era socia di uno studio legale. Ha lasciato tutto per occuparsi di me, la fortunella».

«Attenta, Rose». Tessa mi fa l'occhiolino, prima di rientrare per socchiudere la portafinestra. «Farà leva sulla tua pietà prima ancora che te ne renda conto. È così che mi ha acciuffata».

Lui ride e le manda un bacio con un soffio. Quella coppia ha davanti a sé una strada senza dubbio difficile per via della malattia di Mike, ma è evidente che si amano sul serio. È molto bello.

Mi schermo gli occhi e guardo il panorama, fino all'ansa del fiume. Sono qui da pochi minuti e ho già scorto gallinelle d'acqua, folaghe e un magnifico cormorano volare rapidi a pelo d'acqua.

Mike ha trovato il suo piccolo angolo di paradiso nel bel mezzo di tutta la merda schifosa con cui ha avuto a che fare nei circa trent'anni di servizio nella polizia del Nottinghamshire.

La storia di Billy appartiene a un passato che vorrebbe dimenticare e io invece sono qui a chiedergli di ricordarlo.

Capitolo trentasette
Rose

Oggi

Mi sforzo di non fissare Mike che si protende in avanti a fatica e con mano tremante guida la cannuccia verso la bocca.

«Posso aiutarla?», chiedo imbarazzata.

«No, grazie. In realtà, riuscire a fare le piccole cose mi dà una certa soddisfazione». Alza gli occhi al cielo. «È patetico, a dire il vero. Ma vedi, non sai mai quando le cose andranno ancora peggio».

Scuoto il capo. «Credo se la stia cavando alla grande. Ha scoperto la malattia dopo il suo ritiro dalla polizia?»

«No, no». Mike si appoggia goffamente allo schienale e osserva un vogatore che rema con grazia lungo il fiume. «È stato prima. È successo qualcosa durante il caso di Billy».

Mi raddrizzo sulla sedia. «Che cosa intende?»

«È cambiato qualcosa qui dentro», spiega lui battendosi il petto. «Ho perso la passione per il lavoro».

«Posso immaginare».

«Insomma, il caso di Billy, come l'ho sempre chiamato, mi ha strappato qualcosa». Mike si guarda alle spalle, suppongo per controllare che Tessa non stia ascoltando. «Ho avuto per le mani faccende molto sgradevoli nel corso degli anni, omicidi, stupri, cruenti affari di droga finiti male... prova a citare qualsiasi cosa e, dopo trentatré anni in polizia, ti posso giurare che ci sono passato».

Lo ascolto in silenzio. Non voglio interromperlo, ma sono ansiosa di riferirgli il motivo della mia visita prima di perdere il coraggio.

«Eppure la storia di quel bambino, tuo fratello, mi ha lacerato dentro. Tornavo a casa dopo quattordici ore di lavoro e ne passavo altre quattro o cinque seduto al tavolo della cucina». Scuote la testa lentamente nel ricordare quell'orrore. Lo sguardo fisso all'acqua, riprende il racconto. «Saltai i compleanni di famiglia, il diploma di mia figlia maggiore finché io e Tessa, be', arrivammo a un passo dal separarci».

A vederli così bene insieme in questo momento, quel particolare mi coglie di sorpresa. Mi sento in colpa. Mike ha affrontato tutti quei problemi per ottenere giustizia per Billy. Per noi.

«Era diventata un'ossessione». Mi guarda. «Non voglio insinuare di aver sofferto come te e i tuoi genitori, Rose; lo so che non è così. Ma tu forse sei l'unica persona rimasta al mondo a poter capire da vicino come mi sentivo».

Annuisco. Non serve aggiungere niente.

«Comunque sia…», Mike scuote il capo per scacciare i ricordi, «una volta risolto il caso e messo fuori gioco Farnham, grazie a Dio, mi accorsi di non avere più lo spirito per affrontarne altri, capisci? Cominciarono a cadermi le cose dalle mani, tipo le posate, e non riuscivo più a scrivere. Articolazioni rigide… tanto per darti un'idea».

«Era il Parkinson?».

Mike fa spallucce. «Come al solito, tentai di ignorarlo il più a lungo possibile, dissimulando i tremori. Poi un giorno Tessa se ne accorse e fine della storia, si incaponì come un mulo. Nel giro di un mese mi fu data la diagnosi e accettai il pensionamento per motivi di salute».

«Mi spiace tanto, Mike», commento, provando una tristezza genuina. «I miei genitori dicevano sempre quanto erano stati fortunati che abbia seguito lei il caso. Quanto ci teneva a scoprire cosa fosse accaduto a Billy. Credo che nessuno di noi si sia mai reso conto di quanto le sia costato».

«Suvvia...», sospira lui, nel tentativo di ricomporsi, «basta con le lagne e l'autocommiserazione. Sono davvero felice di vederti, Rose... di vedere che stai bene, nonostante quello che è successo alla tua famiglia».

Di colpo mi assale la terribile consapevolezza delle mie cosce scarne in bella mostra sulla sedia e delle spalle ossute, impossibili da nascondere sotto la canottiera che ho indossato.

Penso alla mia vita schifosa e triste. Non mi sembra di stare bene proprio per niente.

«Hai accennato al telefono di volere un mio consiglio?». Mike mi riporta alla ragione per cui sono qui e avverto una certa resistenza interiore. Non voglio approfittare troppo della sua ospitalità, perciò è il momento di venire al punto.

Respiro a fondo. «È difficile, Mike. Ho trascorso gli ultimi sedici anni cercando di non pensare a quello che è accaduto a Billy, di cancellare dalla mente il ricordo di Gareth Farnham».

«Perfettamente comprensibile», osserva lui, annuendo. «Prenditi il tempo che ti serve, Rose».

«Il punto è che vorrei chiederle un grosso favore. Intendo un favore *molto* grosso».

«Qualunque cosa possa fare per aiutarti, sarà un piacere». Mike stringe davanti a sé le mani tremanti. «Lo sai».

«Vorrei discutere ipoteticamente di un certo scenario, se per lei va bene».

Mike sorride. «Ah, capisco, il vecchio scenario degli "E se...". Quindi non vuoi parlare di fatti nudi e crudi? Per me va bene, Rose. Dimmi pure».

Voglio continuare davvero?, mi chiedo.

Il viso stanco di Ronnie si affaccia nella mia mente. È stato così male e non è ancora guarito del tutto, costretto a letto nella casa accanto, solo soletto negli ultimi anni della sua vita.

Respiro a fondo. Devo farlo per me stessa e per Billy.

Non ho altra scelta.

Capitolo trentotto
Rose

Oggi

Alzo gli occhi verso Mike e le parole cominciano a sgorgare.

«E se, anni dopo un crimine orribile, tornasse alla luce qualcosa che fa vacillare tutte le presunte certezze sul responsabile del fatto?».

Mike stringe il bracciolo della sedia e mi fissa. «Cos'è successo? Sono emerse nuove prove?».

Volto lo sguardo dall'altra parte e lui si ricompone.

«Scusa, Rose, dimenticavo. Stiamo solo parlando per ipotesi, giusto?».

Rispondo con un breve cenno del capo. Avrei voglia di sollevare le braccia al cielo per far circolare un po' d'aria. Il cuore mi martella nel petto, ma lo ignoro. Ormai non posso più fermarmi.

«Okay. Se emergesse qualcosa, tutto dipenderebbe da cos'è questo *qualcosa*», teorizza Mike. «Se fosse una prova lampante e cristallina, chi l'ha trovata dovrebbe andare alla polizia. Semplice».

«Ma la polizia ascolterebbe? E accetterebbe di non prendere provvedimenti fino a quando la persona in questione non si sentisse pronta?».

Mike mi osserva incredulo. «Non è un gioco, Rose. Se un innocente ha trascorso sedici anni dietro le sbarre – o qualunque periodo di tempo il nostro ipotetico criminale abbia passato in carcere – per un crimine che in fondo non ha commesso, allora bisogna aggiustare le cose. Lui va scagionato e il caso di omicidio riaperto».

175

Gareth Farnham è tutt'altro che innocente. L'idea che le mie azioni possano aiutarlo a rifarsi una vita, dopo quello che ha commesso, mi rivolta lo stomaco. Verrebbe liberato e, finché non si trova il colpevole, la morte di Billy rimarrebbe impunita.

Guardo Mike e sono pronta a giurare che stia pensando la stessa cosa.

«È nero o bianco». Si stringe nelle spalle. «Se ci fosse una nuova prova lampante, andrebbe rivelata alla polizia. Chi la denuncia perde il controllo sulla faccenda nell'istante stesso in cui la polizia mette a verbale la sua dichiarazione e non può più contrattare se si debba procedere o meno».

«Ma se alla centrale non lavorasse più nessuno di coloro che avevano seguito il caso?»

«Irrilevante». Mike fa spallucce. «Dovrebbero riaprirlo comunque, se la nuova prova dimostrasse che la condanna è dubbia».

Prendo un fazzoletto dalla borsa e mi asciugo la fronte e il mento.

«Preferisci entrare che fa più fresco, Rose? Posso chiedere a Tessa di aiutarmi».

«No, sto bene», mi affretto a rispondere. Ho solo bisogno di concludere la questione, perciò insisto. «Se all'apparenza ci fossero nuove prove che collegassero a un'altra persona, qualcuno rimasto a piede libero per tutto questo tempo, cosa accadrebbe?».

Mike sospira. «È difficile prevederlo senza conoscere il quadro completo. Posso dirti solo questo: deve trattarsi di una scoperta molto grossa e a prova di bomba, perché la polizia riapra un caso concluso con successo. Soprattutto trattandosi di un importante caso di omicidio ai danni di un minore. L'intero paese drizzerebbe le orecchie».

Avverto una fitta di panico.

«La persona che ha scovato la nuova prova dovrebbe andare

alla polizia e avvisarla», prosegue lui, «mettere tutto a verbale. Saranno poi loro a decidere se, e come, procedere».

«Ma se la prova non fosse ciò che sembra e un innocente venisse trascinato sotto interrogatorio e…». Mi premo il palmo della mano sulla fronte. È un casino terribile. Mi sento più confusa che mai. «Non potrei semplicemente scambiare prima due parole in privato con qualcuno e poi procedere con la denuncia?», mi tradisco. «Parlando per ipotesi, è ovvio».

«Non funziona così, purtroppo». Mike stringe le labbra. «Quel vecchio stile di poliziotto è tramontato da un pezzo. Un funzionario di polizia potrebbe subire provvedimenti disciplinari, se non addirittura il licenziamento, se venisse fuori che si è lasciato coinvolgere per via ufficiosa in un caso chiuso. Dovrebbe chiedere il permesso ai superiori per rimetterci mano. Al giorno d'oggi non ci sono risorse per riaprire i casi morti e sepolti, la polizia lavora sotto una pressione tremenda».

«Quindi, se uno andasse a raccontare tutto, libererebbero Gareth Farnham e riaprirebbero il caso?»

«Non è proprio così semplice», obietta Mike. «Sono cose che non succedono dall'oggi al domani, Rose, la polizia non può mettersi a liberare i carcerati e riaprire vecchi casi di omicidio sulla base del racconto di chicchessia».

Annuisco e mi rendo conto che agli occhi di Mike devo proprio sembrare un'ingenua. Capisco che sto semplificando la faccenda, forse spinta dal desiderio che Farnham sia davvero colpevole e dalla speranza che esista una giustificazione plausibile per l'esistenza di una prova cruciale, occultata per tutto questo tempo a casa di Ronnie.

Mike rivolge lo sguardo al cielo e riflette un istante. «Se i piani alti fossero d'accordo, con tutta probabilità seguirebbero la nuova pista per poi decidere se valga la pena presentarla come prova dell'errore giudiziario».

«Ma se la *nuova* persona coinvolta alla fine fosse innocente? Se l'apparenza ingannasse? Subirebbe un trauma per niente».

«È proprio per questo che la polizia non può partire subito in quarta». Mike mi guarda. «In ogni caso va fatta giustizia, che questo qualcuno resti traumatizzato o meno dall'interrogatorio. La faccenda del "parlare per ipotesi" sta diventando un po' frustrante, no? Perché non mi racconti cos'è successo, in modo che possa darti il consiglio migliore?»

«Non posso, proprio non posso». Mi si spezza la voce e mi stringo addosso la borsetta. Il mio cuore ormai sembra un martello pneumatico e ho la nausea. «Posso chiederle un'altra cosa, Mike?»

«Qualunque cosa».

«Quando ha arrestato Gareth Farnham, era sicuro al cento percento che fosse l'uomo giusto?»

«Mi spiace, Rose», sospira lui. «Ho detto qualunque cosa e farei davvero tutto il possibile per aiutarti, ma dal punto di vista legale non posso parlare dei casi chiusi ai quali ho lavorato. Purtroppo non mi è permesso».

Due immagini si alternano a ripetizione nella mia testa: la faccia odiosa di Gareth Farnham e il viso triste e gentile di Ronnie. Sono così tentata di spifferare tutto a Mike.

Diglielo e basta, mi sprona la vocina nella mia testa. *Diglielo e condividi la pressione prima che ti faccia scoppiare.*

Mi alzo. «Mi spiace, Mike, non avrei dovuto chiederglielo. Non so che mi succede, sono un disastro in questo periodo. Lasci perdere, ora devo scappare, comincio il turno all'una».

«Non scusarti, Rose. Dopo tutto quello che hai passato – in prima persona, intendo – dev'essere un trauma anche solo nominare quel bastardo. Le cose orribili che ha fatto…».

Scuoto la testa. «Non vada oltre, Mike, la prego».

Lui chiama Tessa, che appare sul balcone all'istante.

«Ti accompagno alla porta», mi dice.

Ringrazio Mike per avermi ricevuta e lui ribadisce la sua disponibilità se avessi bisogno di parlare.

Ma, proprio mentre io e Tessa stiamo per raggiungere l'ingresso che conduce alla porta principale, mi richiama. «Rose!».

Mi volto e lo vedo in piedi sulla soglia del balcone, lo sguardo rivolto a me. Sta facendo uno sforzo evidente, ha l'espressione tirata e le ginocchia leggermente tremanti. Tessa attraversa la stanza di corsa per aiutarlo.

«Gareth Farnham era un uomo spregevole per quello che ha fatto a te e a Cassie», dichiara Mike con il fiato corto. «Non mi ha mai tolto il sonno saperlo dietro le sbarre; se lo merita. Ma devo confessarti che c'è sempre stato qualcosa nel caso che non mi quadrava, qualcosa che non riuscivo a individuare. Credo sia per quello che mi ha coinvolto tanto». Tessa lo raggiunge e il marito si appoggia a lei con sollievo. «Mi dispiace tanto, Rose. La risposta alla tua domanda è *no*. Non sono mai stato sicuro al cento percento che avessimo preso la persona giusta e, nonostante il mio intenso ribrezzo per Gareth Farnham, se ora fossi costretto dovrei ammettere la stessa cosa».

Capitolo trentanove

Sedici anni prima

«Voglio che tu venga da me questo week-end», disse Gareth. «Per un giorno intero».

«Mi piacerebbe tanto», rispose Rose. Si sentiva così tremendamente adulta in quel periodo.

«Pensavo di prepararti un bel pranzetto sabato e poi oziare insieme tutto il pomeriggio. Che dici?»

«Oh, sarebbe bellissimo, ma ho promesso a Billy di portarlo agli allenamenti di calcio sabato pomeriggio», spiegò Rose. «Perché non facciamo la mattina?»

«La mattina ho alcune pratiche da completare», replicò lui brusco. «Che male c'è se per una volta non lo porti a calcio? Potrebbe andarci tua madre o tuo padre».

«Ma è da una vita che non lo accompagno e ci rimarrà male se non vado».

Gareth si incupì e Rose tentò di chiarire meglio la propria posizione. «Ci andiamo sempre insieme e questa settimana giocherà in porta per la prima volta. Per lui è un'occasione speciale».

Le narici di Gareth si allargarono, ma non replicò.

«Posso essere sincera? Da quando ho cominciato il college e il volontariato in biblioteca e poi ti ho conosciuto, mi sembra di averlo trascurato», precisò Rose, desiderosa che lui capisse. «Ho bisogno di ritagliare un po' di tempo per Billy... potremmo fare qualcosa tutti e tre insieme».

«Oh, certo… adesso è colpa mia». Gareth ritrasse la mano dal ginocchio di Rose.

«Non ho detto questo!».

«E che mi dici del tempo per *me*… per noi?»

«Mi sento responsabile per lui», tentò di argomentare Rose. «È così piccolo e solo, e io…».

«Non è *tuo* figlio… giusto?», ribatté Gareth. «Non sarete una di quelle inquietanti famiglie incestuose che si vedono al *Jerry Springer Show*, vero? Dove il figlio è convinto che sua madre sia la sorella o roba simile?»

«No!». Rose fece un sorrisetto, ma provò una fitta di fastidio. «È senza dubbio mio fratello».

«Bene, allora non sei affatto responsabile per lui. Fallo accompagnare agli allenamenti dai tuoi genitori. Stai rendendo la vita troppo facile a entrambi».

Rose sospirò. Gareth sembrava proprio non capire. Lei *voleva* accompagnare Billy alla partita.

«Non vedevo l'ora di passare un po' di tempo insieme come si deve», disse lui, ammorbidendo un po' il tono. «Ma se tu preferisci mettere la famiglia al primo posto, fa' come vuoi. Suppongo di dover biasimare soltanto me stesso per non aver legato con nessuno qui in paese. Forse mi sono dedicato troppo a te, Rosie». Le diede un bacio leggero sulla guancia. «Mi troverò qualcosa da fare. Ci saranno di sicuro altre persone alle quali non dispiacerà passare del tempo con me».

Rose provò un immediato senso d'allarme, mentre i volti attraenti delle altre ragazze del paese prendevano a scorrere nella sua mente come diapositive. Erano quasi tutte più grandi di lei. Lavoravano in città come Mansfield e Nottingham, erano curate e ben vestite.

Rose voleva stare con Gareth nel week-end, ma anche tener fede all'impegno di accompagnare Billy alla partita. Se solo Gareth fosse stato un tantino più flessibile, lei avrebbe potuto fare entrambe le cose, ma era chiaro che non sarebbe andata così.

«Chiederò a mia mamma se può accompagnare Billy», dichiarò riluttante.

«Brava la mia ragazza», sorrise Gareth.

«Puoi venire con noi se ti va, Billy», propose Rose allegra.

I suoi genitori erano al cantiere di rinascita e Gareth si era presentato a casa con la scusa di farsi raccontare da Rose quello che sapeva del Nottingham & Beeston Canal.

«Fa lo stesso», rispose Billy. «Vado a vedere se giù al campo ci sono i miei amici».

«Ma ti piace un sacco osservare le barche sul canale», insisté lei.

«Non ne ho voglia», bofonchiò Billy, guardando Gareth.

«Per te va bene se viene con noi, vero, Gareth?».

Lui fece spallucce. «Ha appena detto che non ne ha voglia».

Rose percepì la strana tensione nell'aria. La sentiva crepitare tra Billy e Gareth.

«Cosa mi nascondete voi due?». Lanciò uno sguardo febbrile prima a uno, poi all'altro. «È successo qualcosa».

«Smettila di costruire i tuoi sciocchi castelli, Rose», replicò Gareth tranquillo, fissando Billy. «Non è successo niente. Billy sa divertirsi anche da solo. Ormai ha otto anni, non tre».

Rose osservò il fratello e avvertì una fitta al cuore. Per chissà quale ragione, Billy non era molto popolare a scuola. Aveva un paio di amici, ma vivevano nella periferia di Hucknall, a diversi chilometri dal loro paese.

Era sempre stato un tipo solitario e adesso Gareth lo metteva a disagio anche all'interno della sua famiglia. Rose aveva già ceduto accettando di non accompagnare il fratello agli allenamenti di calcio, e ora Gareth pretendeva che lo escludesse di nuovo.

«Billy, preferirei che tu venissi con noi, io…».

Gareth l'afferrò per un braccio. «Lascia perdere, Rose. Andremo al canale da soli, punto e basta».

«Ahia!». Rose si liberò e si sfregò il braccio con aria accigliata.

«Non toccare mia sorella», minacciò Billy a denti stretti. Fece un passo avanti, le manine strette a pugno.

Gareth spinse indietro la testa e scoppiò in una risata esagerata. «Perché, altrimenti *tu* cosa mi fai, moscerino rinsecchito?». Lo spinse con forza e il bambino incespicò e andò a sbattere con il braccio contro l'angolo della credenza. Le guance gli si rigarono di lacrime. Rose accorse al suo fianco.

«Ma come hai potuto?», inveì contro Gareth, gli occhi in fiamme. «Sarà meglio che tu te ne vada».

Prima che Rose riuscisse a registrare cosa stava per accadere, Gareth si scagliò su di lei, ancora china a massaggiare il braccio di Billy, e l'afferrò per i capelli.

Rose cacciò un grido, mentre lui la sollevava con uno strattone. Billy cominciò a piagnucolare, sul viso un'espressione di terrore puro.

«Ora andremo al canale, che ti piaccia o no. Sali subito su quella macchina», le ordinò Gareth con un tono calmo e misurato che amplificò la paura di Rose.

«Gareth, ti prego! No! Non posso lasciare Billy a casa da solo, senza nessuno che badi a lui».

«Entra lì dentro». La spintonò con forza in cucina. Lei urtò lo stipite della porta con la spalla e gemette di dolore. «E tu!». Gareth si voltò verso il bambino spaventato e sollevò l'indice per poi passarselo lentamente sulle labbra. «Tienila ben chiusa, piccola peste, o me la prenderò con tua sorella».

In cucina, Gareth si stagliò contro Rose in tutta la sua imponenza, i tratti del viso cupi e maligni.

«Ora ascoltami bene», ripeté con tono monocorde. «Quando avrò finito con te, tornerai da tuo fratello e lo convincerai a tenere chiusa quella stupida boccaccia. Altrimenti tuo padre perderà il posto nel progetto e io darò il suo potenziale futuro lavoro a qualcun altro».

Rose serrò gli occhi e l'ammasso di lacrime precipitò lungo le guance.

Quando riaprì gli occhi e guardò Gareth, non poté fare a meno di chiedersi come avesse fatto una persona così premurosa e amorevole a trasformarsi in quel... *mostro*.

La stava minacciando facendo leva sulle speranze rinnovate del padre. Ray lo stimava moltissimo. Solo allora Rose si rese conto di come Gareth si fosse insinuato in maniera subdola nelle loro vite. A modo suo, ora controllava il padre, lei e Billy... e Rose non poteva farci niente.

Cassie aveva ragione fin dall'inizio.

«Gli dirò di stare zitto», mormorò Rose, asciugandosi gli occhi con il dorso della mano.

«Brava ragazza. Saggia decisione».

Rose uscì dalla cucina e tornò in salotto, dove Billy era immobile al centro della stanza con l'aria frastornata.

Rose sapeva che se avesse raccontato al padre cosa stava succedendo, lui avrebbe sistemato Gareth in quattro e quattr'otto. Lavoro o meno. In cuor suo non aveva dubbi che Ray avrebbe sacrificato la promessa di un nuovo futuro senza pensarci due volte, se solo avesse saputo che Gareth maltrattava lei e il fratellino.

Ma Rose non poteva fargli una cosa simile. Era stata *lei* a portare Gareth nelle loro vite. Spettava a lei proteggere il padre e il fratellino e trovare il modo di risolvere quel casino.

Da vera stupida, aveva escluso dalla propria vita quasi tutte le persone che tenevano a lei. Aveva creduto come un'ingenua che Gareth la volesse con sé perché l'amava moltissimo, mentre ora vedeva finalmente la verità sulla quale Cassie aveva tentato disperatamente di farle aprire gli occhi.

Gareth si sentiva minacciato da chiunque le fosse caro. Compreso il fratello di otto anni.

Rose decise di starsene buona e di tenerlo lontano da Billy... finché non si fosse presentata una soluzione.

Capitolo quaranta

Sedici anni prima

Lo stava aspettando fuori dall'ufficio del cantiere verso l'ora di pranzo.

Era una splendida giornata, per niente fredda, e Rose guardò la gigantesca area dei lavori attorno a sé. Tentò di vedere oltre le montagne di terra ammassata e le zolle d'erba secca, immaginando l'ingegnosa progettazione paesaggistica con tanto di laghetto per la pesca riportata sulle piantine che il padre aveva steso sul tavolo di casa. Non era facile.

Restava ancora molto lavoro da fare, almeno altri diciotto mesi, aveva detto Gareth. Poi si sarebbe trattato di supervisionare il tutto, gestire la manodopera e coinvolgere l'intera comunità perché facesse la propria parte sfruttando le nuove strutture.

Gareth progettava di rimanere in paese ancora a lungo e Rose si rese conto di non poter sfuggire alla situazione come niente fosse. Doveva pensare a Billy. Aveva otto anni e lei gli aveva chiesto di mentire a suo favore, di proteggere un uomo che li aveva trattati entrambi come spazzatura.

Ora Rose comprendeva di essersi lasciata trasportare da quello che sembrava un dolcissimo sogno d'amore. Si era crogiolata in ogni complimento, in ogni singola istruzione ben congegnata da Gareth.

Lo aveva fatto senza riflettere perché era convinta che volesse solo il meglio per lei.

Quella visione era stata distrutta dal modo in cui l'aveva trattata e, soprattutto, da come aveva trattato Billy.

Sembrava che qualcuno avesse puntato un faro rivelatore illuminando quell'angolo buio e sinistro... Rose non sarebbe più stata capace di sorvolare. Le vecchie banalità che propinava a se stessa per scusare le manie di controllo di Gareth ora risuonavano prive di significato nella sua mente.

Era stata una sciocca, semplice e chiaro.

Rose si voltò e sbirciò attraverso il vetro dell'ufficio. La riunione si stava sciogliendo, la gente si alzava in piedi e si stringeva le mani.

Il padre alzò lo sguardo e la salutò con la mano. Era radioso. Per la prima volta da tanto tempo si sentiva di nuovo parte di qualcosa.

Dopo qualche secondo, Rose sentì scricchiolare la ghiaia alle sue spalle e Ray sbucò fuori in tuta da lavoro e scarponi pesanti con la punta rinforzata.

«Rose! Sei qui per me o per Gareth?»

«Devo vedere Gareth, papà». Accennò un debole sorriso. «Gli serve il mio aiuto per qualcosa».

Il padre si voltò e sorrise. «Parli del diavolo ed eccolo in carne e ossa».

«Ciao, Rose». Gareth esitò, spostando lo sguardo velocemente da padre a figlia. «Tutto bene?»

«Sono venuta a dare un'occhiata a quella cosa che mi dicevi», spiegò con un tono che parve brusco perfino a lei, ma il padre non sembrò notarlo.

«Ah, sì, ma certo. Ray, ti dispiacerebbe mostrare agli impresari la zona dei primi scavi, mentre io chiedo a Rose la sua preziosa opinione su una cosa?»

«Sarà fatto», rispose Ray a testa alta. «Ciao, tesoro».

«Ciao, papà», salutò lei con voce fioca, guardandolo allontanarsi con decisione.

Avrebbe voluto corrergli dietro, prenderlo per un braccio e

raccontargli tutto quello che era accaduto nelle ultime settimane.

Invece si voltò verso Gareth.

«Ho bisogno di parlarti», disse. «Subito».

L'ufficio di Gareth si trovava in un angusto prefabbricato del cantiere. Lui allungò il braccio e indicò a Rose di accomodarsi su una delle due sedie di fronte alla scrivania, quasi fosse uno dei tanti visitatori.

La scrivania era pulita, con un sottomano nuovo di zecca in bella vista. Non c'erano ghirigori né appunti, il blocco dei fogli giaceva candido e immacolato. Cucitrice, perforatrice e portapenne erano allineati in perfetto ordine accanto al telefono portatile. L'effetto impeccabile era guastato solo da un paio di piantine piegate male e sparpagliate sul lato destro del tavolo.

Gareth si sedette e si appoggiò allo schienale, premendo le dita di una mano contro l'altra, come se stesse per farle una proposta.

Invece non disse niente.

Rose fece un bel respiro.

«Ci… ci ho pensato molto e credo sia meglio se… insomma, se smettiamo di vederci». Non intendeva andare dritto al sodo, ma ormai era fatta.

Si aspettava una scenata furiosa, parole d'accusa, insulti crudeli, invece non si materializzò nessuna di quelle reazioni. Gareth la guardava fisso, in silenzio.

«Il punto è…». Rose riempì i polmoni d'aria, ma rimase comunque a corto di fiato. «Che non riesco a togliermi dalla testa l'episodio dell'altro giorno, come hai trattato me e Billy e… e ci sono anche altre cose, che ormai preferisco lasciar perdere».

«Capisco benissimo, Rose», replicò lui senza fare una piega.

«Sul serio?»

«Certo. Mi sono comportato in modo riprovevole». Gareth

sospirò e guardò fuori dalla piccola finestra offuscata. «A essere sincero, ero un po' stressato qui al lavoro e tentavo di fare tutto da solo, ma questo non giustifica il mio comportamento. Posso solo dirti che sono molto dispiaciuto».

Rose aprì la bocca e la richiuse. Aveva immaginato ogni sorta di scenario, ma nessuno comprendeva una reazione così umile.

«Sono un idiota. Ho perso la ragazza che amo per la mia arroganza e ho turbato il piccolo Billy, al quale sono tanto affezionato».

Gareth aveva sempre parlato di Billy come di una seccatura... Che Rose avesse frainteso anche quello?

«Sembra che tu abbia ponderato a lungo la tua decisione, perciò non mi resta che rispettarla», concluse lui con tono morbido. «Ma ti prego, Rose, possiamo rimanere amici? Non tollero il pensiero di incontrarti per strada e non salutarci nemmeno. Non potrei sopportarlo».

«Ma certo», lo rassicurò lei, e finalmente intere ore di tensione crescente scivolarono via di colpo dai suoi muscoli irrigiditi.

«Mi dispiace tanto», ripeté Gareth e Rose notò quanto apparisse abbattuto, seduto sulla sua sedia, pieno di rimorso.

«Scuse accettate». Gli sorrise. «Sono felice che resteremo amici. Magari di tanto in tanto verrò qui al cantiere ad aiutare papà».

«Sarebbe fantastico», annuì lui, spingendo indietro la sedia. «Abbi cura di te, Rose. Mi auguro di vederti presto».

Dopodiché, Rose si ritrovò congedata, con cortesia ma inaspettatamente.

Di ritorno a casa, provò un curioso senso di stordimento, per non dire paura.

Il vento le faceva svolazzare i lunghi capelli sciolti e d'un tratto lei capì cosa le era parso tanto strano e fuori luogo.

Gareth sembrava una persona del tutto diversa.

Capitolo quarantuno

Sedici anni prima

Rose seppe dalla madre che Cassie era uscita dall'ospedale.

«Dalle un paio di giorni, tesoro», disse Stella, quando lei accennò a farle visita. «So che non è tipico di Cassie, ma il trauma che ha subìto... devi capirla...».

«Ma io voglio aiutarla a superarlo». Rose voltò le spalle alla madre. «Voglio che sappia che ci sono».

Ogni volta che ripensava all'aggressione di Cassie, il suo cuore si riempiva del bisogno travolgente di sistemare le cose tra loro. Rose non sapeva cosa fare di preciso riguardo al litigio, ma quella era l'occasione perfetta per dimostrare a Cassie che ormai non aveva importanza. Era convinta che starle accanto sarebbe bastato.

«Ancora un paio di giorni e ti accompagno», promise Stella. «Che ne dici?».

Rose si strinse nelle spalle e uscì dalla cucina; sembrava non avere voce in capitolo.

Aveva pensato di avvisare il signor Barrow che quella settimana non avrebbe potuto svolgere il proprio lavoro di volontaria, ma dal momento che Cassie non se la sentiva ancora di vederla, Rose decise che tanto valeva andare in biblioteca.

Molto meglio, pensò, che restarsene a casa ad avvilirsi per Gareth o Cassie senza poter comunque risolvere la situazione né con uno né con l'altra.

«Ah, Rose, eccoti», l'accolse il bibliotecario con tono sbrigativo, sollevando lo sguardo per un solo istante dalle sue carte. «Ho fatto un po' di pulizia stamattina e ti ho lasciato una montagnola di libri laggiù. Spero non ne avrai a male».

Accennò al tavolino quadrato alle proprie spalle e le rivolse un sorriso colpevole. Sul tavolo si ergeva una pila di libri malconci.

«È da tanto che hanno bisogno di una sistemata». Il signor Barrow si alzò e la squadrò attraverso le lenti oblunghe degli occhiali, che non si spostavano mai dalla punta del naso aquilino. «Non ti dispiace, vero?»

«Niente affatto». Rose sospirò. Non le dispiaceva davvero; sarebbe stato rilassante quel pomeriggio lasciarsi assorbire da un lavoro umile ma che tutto sommato dava soddisfazione.

Prestò una vaga attenzione alla presenza del bibliotecario che parlava a raffica del suo orto. Annuiva ogni tanto dove le sembrava opportuno e la cosa sembrò tranquillizzarlo.

Rose iniziò a separare i libri in mucchi diversi, che aveva rinominato in silenzio: dorso, pagine e copertina. Il signor Barrow le aveva già preparato da una parte il nastro adesivo per le riparazioni, la colla vinilica e il cellophane per foderare.

Rose trovava gratificante riparare i libri consumati dall'uso, proteggere le parole al loro interno, perché altre persone potessero leggerle e apprezzarle.

Mentre cominciava a rilassarsi nel suo compito, coccolata dal ronzio discreto delle conversazioni attorno a lei, le apprensioni più profonde sgusciarono fuori dall'angusto compartimento della sua mente.

Chi aveva aggredito Cassie?

Rose non riusciva a capire perché l'amica la respingesse. Sì, avevano litigato sul serio per la prima volta da quando si conoscevano eppure... tutti quegli anni di amicizia dovevano pur contare qualcosa.

E lei aveva fatto la cosa giusta interrompendo la storia con Gareth?

Le era parso così accomodante e dispiaciuto. Si era comportato in modo terribile sia con lei sia con il povero Billy e lo aveva riconosciuto in pieno. Nonostante tutto, Rose sentiva già la sua mancanza. Le sembrava l'unica cosa bella che le fosse capitata da tanto tempo. Gareth non le aveva chiesto una seconda possibilità, ma forse era stupida lei a non concedergliela?

Rose non sapeva se sarebbe riuscita a tenere il padre completamente all'oscuro di quanto era successo. Aveva sbagliato a chiedere a un bambino di otto anni di nascondere segreti ai genitori, di difendere qualcuno che lo aveva aggredito. Ma cos'altro avrebbe potuto fare in quelle circostanze?

Stava cercando di proteggere tutti e di proteggere il lavoro del padre. A forza di pensare a tutte quelle cose, cominciò a girarle la testa.

«La signorina Rose Tinsley?».

Sentendo il suo nome, Rose alzò di scatto lo sguardo dai libri. Il signor Barrow si voltò verso di lei e sorrise, facendole cenno di avvicinarsi alla scrivania principale, davanti alla quale attendeva un fattorino, le braccia sommerse da un enorme mazzo di rose rosso sangue.

«Il tuo giorno fortunato, bellezza». Il fattorino sorrise, porgendole i fiori con entrambe le mani, come se le stesse passando un neonato.

«Santo cielo, Rose...», esclamò il bibliotecario stupefatto, «festeggi qualcosa?»

«In realtà, no», mormorò lei, pescando una piccola busta in mezzo ai boccioli. «Non ho idea di chi li abbia mandati, signor Barrow».

Il bibliotecario aveva già riportato l'attenzione allo schermo del computer. Rose si guardò attorno e un paio di utenti le sorrisero, accennando al dono compiaciuti, ma lei fece ritorno al tavolino in modo da voltare le spalle alla sala.

Prese le forbici e aprì la busta con una lama. Ne estrasse un bigliettino bianco, con il bordo ornato di una cornicetta di petali rossi e rosa stampati.

Deglutendo a fatica, rilesse più volte il contenuto dalla grafia curata.

Mia per sempre, G

Alle quattro in punto, Rose salutò il signor Barrow e uscì dalla porta secondaria.

Dieci minuti prima di andarsene, si era resa conto di aver passato più di due ore a riparare lo stesso libro. Il bibliotecario aveva scrutato con perplessità la pila intatta di libri da sistemare, ma non aveva esternato commenti. La mente di Rose era stata ovunque tranne che sul compito da svolgere.

Cosa sperava di ottenere Gareth mandandole dei fiori? Le era sembrato così ragionevole il giorno prima, nell'accettare la sua decisione e proporle di rimanere amici.

Quando Rose aveva letto il bigliettino, quelle tre parole autoritarie, aveva avvertito un rivolo di sudore freddo scivolarle lungo la schiena.

Si presumeva che un dono floreale avesse l'intento di far sentire il destinatario speciale e prezioso, ma qualcosa in quel gesto le sembrava così… strano… così inappropriato.

Il signor Barrow l'aveva scrutata con la coda dell'occhio, preoccupato per la sua reazione. Rose aveva gettato il bigliettino nell'immondizia e abbandonato i fiori nel cucinino sul retro.

Stava quasi per svoltare l'angolo in fondo alla strada, quando si bloccò di colpo perché qualcuno aveva gridato il suo nome. Si girò e vide Jim Greaves, il custode della biblioteca, che correva verso di lei, tra le braccia il mazzo di rose abbandonato. «Hai dimenticato i tuoi bellissimi fiori, cara!».

Rose imprecò tra sé e sé contro l'invadenza sfacciata dell'uomo. Le mancava solo quella.

«Per fortuna ti ho raggiunta». Jim le porse il mazzo, raggiante. «Come sta quel birichino di Billy?»

«Sta bene, grazie», rispose lei con un filo di voce.

«Digli di passare da noi quando ha un minuto, alla zia Janice farebbe tanto piacere una sua visita, per farsi raccontare le ultime marachelle».

«Glielo dirò», promise Rose, poi guardò i fiori e scosse il capo. «Grazie, Jim, ma non li voglio».

«Eh?»

«Le rose. Perché non le porti a Janice?». Gli sorrise, posandogli una mano sulla spalla. «Ci vediamo la settimana prossima».

Appena girato l'angolo, Rose si guardò indietro e vide Jim immobile dove l'aveva lasciato, che la fissava con curiosità.

Capitolo quarantadue

Sedici anni prima

«Hai sistemato le cose con Gareth, tesoro?». La voce tonante del padre sovrastò la televisione, quando Rose fece capolino in salotto per salutare.

Lei tossì per non rispondere e la madre alzò gli occhi dalla rivista.

«Ieri, intendevo», continuò Ray. «Quando sei venuta al cantiere».

«Ah, sì», confermò Rose, fingendosi distratta a cercare qualcosa nella borsa. «Tutto sistemato».

«Gareth ha un debole per la nostra Rose, sai?». Ray fece l'occhiolino a Stella. «Chiede sempre come sta, dov'è stata e con chi esce».

«Papà!».

«Dico per dire. È un ragazzo adorabile, quel Gareth. Non mi dispiacerebbe come genero».

Rose arrossì.

«Suvvia, Ray, è troppo vecchio per lei», intervenne Stella, gli occhi rivolti al soffitto. «Le serve un bravo ragazzo che abbia più o meno la sua età. Giusto, Rose?»

«Vado in camera mia», mormorò lei, allontanandosi dalla porta del salotto. «Devo finire i compiti per domani».

Di sopra, Rose passò accanto al fratello che giocava con le macchinine sul pianerottolo.

«Vieni in camera mia, Billy». Lo superò e gli arruffò i capelli.

«Perché?»

«Voglio parlarti un minuto, tutto qui».

Billy la seguì e si sedette sul bordo del letto. Sembrava pallido e stanco. Rose si domandò se facesse fatica a dormire.

«Allora, come sta il mio ometto?»

«Bene, suppongo», rispose lui, facendo spallucce e tormentandosi le unghie sporche.

Rose sospirò. «Billy, mi dispiace tanto per l'altro giorno, non dovevo permettere a Gareth di trattarci in quel modo orribile. E mi dispiace averti chiesto di non dire niente a mamma e papà, non è stato corretto da parte mia».

«Fa lo stesso», mormorò lui.

«No, *non* fa lo stesso», replicò lei, sedendosi accanto al fratello e passandogli un braccio attorno alle spalle ossute. «Nessuno ha il diritto di trattarci così, Billy. Nessuno. Ecco perché ho detto a Gareth che non voglio vederlo più».

«Ma non credevo che fosse davvero il tuo ragazzo». Billy la guardò imbronciato. «Hai detto che lo stavi solo aiutando per delle cose, come papà al cantiere».

Rose strinse le labbra per scacciare quella bugia.

«Ormai non ha importanza», replicò. «L'importante è che non si intrometterà più nei nostri momenti insieme».

«Cosa devo fare se voglio venire giù?»

«In che senso?»

«Gareth mi ha detto che non posso scendere quando lui viene qui a casa e mamma e papà non ci sono».

«Ha detto così?». Rose si portò la mano alla bocca. «Perché non me l'hai riferito?»

«Perché lui ha detto che se te lo riferivo allora papà non lo avrebbe più aiutato con il progetto. Ma ora che lui non ti piace più, suppongo di potertelo dire».

Rose trasalì e deglutì una boccata d'aria quasi fosse una palla di pelo in gola.

Cosa diavolo aveva combinato alle loro vite, tessendo una relazione con Gareth Farnham?

Il giorno seguente, sull'autobus verso casa dopo il college, Rose strizzava di continuo gli occhi che non facevano che riempirsi di lacrime.

Cassie le mancava moltissimo. Il loro litigio era acqua passata, per quel che la riguardava. Ricordava solo le risate e i bei momenti insieme, durante le lezioni.

La gente chiedeva a lei cosa fosse successo di preciso all'amica.

A scuola le voci proliferavano e nessuno sapeva per certo come fossero andate le cose. Il giornale locale aveva riportato l'aggressione a una giovane del posto, ma senza scendere nei dettagli. Così Rose, all'ora di pranzo, divenne il bersaglio preferito di tutti gli interrogativi ansiosi, ma inquisitori, sullo stato di salute di Cassie e sull'aggressione.

Lei forniva una risposta standard. «Cassie mi ha chiesto di ringraziarvi per l'interessamento, ma la polizia si è raccomandata di non divulgare i dettagli dell'accaduto per ora».

Era abbastanza orgogliosa di quella versione, che aveva inventato da sola. La faceva sentire come se Cassie fosse ancora la sua migliore amica.

Trasmettendo il "messaggio" dell'amica più volte durante la pausa pranzo, si era convinta che le cose tra loro si sarebbero sistemate al più presto, soprattutto non appena Rose le avesse confessato che aveva sempre avuto ragione a proposito di Gareth Farnham.

Poi un giorno Vicky Sparkes le si avvicinò, quando ormai tutti gli altri studenti erano usciti dall'edificio. Vicky apparteneva al gruppetto che Cassie aveva preso a frequentare dopo la loro rottura.

«Ciao, Rose», la salutò. Lei si voltò e si ritrovò ipnotizzata da una pallina bianca di chewing gum che la ragazza continuava a far rimbalzare sopra e sotto la lingua. «Ho un messaggio da parte di Cassie: sta' alla larga da casa sua».

Altre tre ragazze del gruppo le raggiunsero e accerchiarono

Rose. Il loro atteggiamento bellicoso attirò gli sguardi incurio-
siti dei passanti.

«Cassie non ti vuole più vedere. Capito?». Vicky fece oscillare
all'indietro i lunghi capelli con i colpi di luce e sogghignò. Tutti
fissavano Rose.

«Non ho bisogno che sia tu a portarmi i suoi messaggi», tagliò
corto lei. «Posso parlarle benissimo da sola».

«Ha finto di sapere cosa è successo a Cassie», dichiarò Vicky
rivolta alle altre, attorcigliando una ciocca di capelli sul dito.
«Ma Cassie non vuole avere niente a che fare con lei, non è vero,
Rose?»

«Puoi dire quello che ti pare», sbottò lei, e si allontanò.

Vicky le gridò qualcosa, ma Rose non capì. Il ronzio nelle sue
orecchie si era fatto assordante.

Capitolo quarantatré

Sedici anni dopo

Rose bussò alla porta di Cassie e venne ad aprire Jed.

La madre le aveva detto che era tornato a casa, ma Carolyn era ancora preoccupata per lui. Aveva raccontato a Stella che incolpava se stesso per l'aggressione subita da Cassie.

«È a letto», disse Jed a Rose, fissando un punto nel vuoto poco sopra la sua testa.

«Voglio solo scambiare due parole con lei», lo implorò Rose, facendo un passo avanti. «Per favore, Jed, mi bastano cinque minuti».

Lui si raddrizzò in modo da riempire del tutto la porta.

«È a letto e ha lasciato istruzioni di non essere disturbata», riferì come un automa.

Rose lo scrutò, ma non vide alcuna reazione.

«Perché fa così?». La compostezza contenuta di Rose cedette. «Siamo amiche da Dio solo sa quanti anni e mi tratta come fossi un'estranea».

Il ragazzo rimase immobile, il volto impassibile.

«Dài, Jed...», proseguì lei con tono più morbido, «è traumatizzata, non le farà alcun bene starsene in camera tutta sola. Anche tu sarai preoccupato per lei e io posso aiutarla, sai che è così».

«Mi dispiace Rose, ma non puoi entrare». Jed indietreggiò svelto e le chiuse la porta in faccia.

Rose batté i pugni contro la porta per la frustrazione, poi si voltò, il viso rigato dalle lacrime per quell'ingiustizia. Capiva bene che non volesse incontrare nessuno, ma era *lei*, per la miseria.

La loro amicizia di recente aveva subìto qualche scossone, soprattutto per la sua relazione con Gareth, e adesso Rose comprendeva meglio gli avvertimenti di Cassie.

Ecco perché voleva vederla per qualche minuto. Per dirle che adesso aveva capito che aveva sempre avuto *ragione*.

Fino a poche settimane prima, Cassie avrebbe chiesto di lei nello sconforto, non l'avrebbe respinta in quel modo.

Avevano bisogno l'una dell'altra, ora più che mai. Cassie era l'unica persona nella quale Rose potesse davvero confidare.

Il padre avrebbe strangolato Gareth, se avesse scoperto come aveva trattato lei e Billy, anche a costo di perdere l'unica occasione di assicurarsi un futuro.

Mentre percorreva la strada di Cassie, ancora avvilita per il brusco rifiuto di Jed, un'automobile color argento attraversò molto lentamente l'imbocco della via. Rose non vi badò, finché un paio di minuti dopo non la vide ripassare.

Era troppo lontana per identificare la persona al volante, ma le provocò un certo disagio. La strada era immersa nel silenzio. Non c'era traffico e Rose non aveva ancora incrociato anima viva.

Proseguì ancora per un po'. L'automobile era sparita e lei scosse la testa, lasciandosi sfuggire una risatina per quello scherzo dell'immaginazione.

Con tutta probabilità si trattava di qualcuno che si era perso o cercava una via particolare. A chi non era pratico, il paese poteva sembrare un tortuoso labirinto di vicoli identici tra loro.

Rose raggiunse l'inizio della via e fece per attraversare quando, di colpo, un'automobile sbucò fuori dal nulla e accelerò verso di lei. Rose saltò di nuovo sul marciapiede, ma inciampò e cadde con un grido, slogandosi la caviglia.

Tentò di rialzarsi, ma le faceva troppo male. Non le restava che strisciare verso il muro e usarlo come sostegno.

Nonostante il forte dolore, Rose udì il rombo di un motore. Alzò lo sguardo e vide l'auto grigia ferma sul lato opposto della via; il finestrino del conducente era abbassato.

«Ciao, Rose», disse Gareth, scendendo.

Lei si sforzò di rimettersi in piedi, ma non poteva poggiare a terra la caviglia sinistra. In meno di un secondo, Gareth torreggiava su di lei.

«Posso aiutarti a salire in macchina o costringerti, Rosie», disse allegro. «Per me non fa differenza».

Rose lo fissò, temendo che cominciasse a inveirle contro da un momento all'altro. Doveva rimettersi in piedi.

«Gareth, ne abbiamo già parlato. Non stiamo più insieme e io non...».

«Voglio solo parlarti. Nient'altro. Non farne una questione di Stato».

Rose riuscì a spostare quasi tutto il peso sulla gamba buona. Reggendosi al muro vicino, fece per alzarsi.

«Non posso parlare ora, devo tornare a casa».

Lui fu rapidissimo. Con una mano le afferrò un braccio e con l'altra la prese per i capelli. Rose strillò per il dolore alla testa e alla caviglia, mentre lui la sollevava di peso trascinandola attraverso la strada.

«Smettila», gridò Rose. «Ti prego, lasciami in pace!».

Gareth le lasciò i capelli, ma solo per serrarle la bocca con la mano. Lei continuò a strillare, ma la sua voce si ridusse a un debole lamento soffocato.

Con gli occhi si perlustrò attorno disperata, ma nei paraggi non si vedevano pedoni né altre automobili. Rose pregò che qualcuno stesse guardando, che qualcuno notasse *qualcosa* della sua vana lotta, da una delle villette a schiera allineate lungo la via. La gente del posto era ficcanaso per natura e Rose non ci aveva mai sperato tanto come in quel momento.

Nessuno sapeva dove fosse. I suoi genitori non avevano la minima idea che stesse frequentando Gareth o il suo appartamento. Suo padre era felicemente ignaro di qualunque cosa fosse accaduta e che il suo futuro nel progetto aveva le ore contate.

E Billy... povero, piccolo Billy, che le aveva giurato di non dire una parola sui maltrattamenti subiti da Gareth. Convincerlo a tenere la bocca chiusa le era sembrata la cosa giusta in quel momento, ma ora sperava e pregava che lui, non vedendola rientrare a casa, spifferasse tutto.

C'era cascata come una stupida di fronte alla volontà di Gareth di rimanere amici. Aveva creduto di poterlo tenere a bada.

Lui la scaraventò sul sedile del passeggero e sbatté la portiera. Mentre tornava deciso verso il posto di guida, Rose tentò di riaprirla, ma Gareth doveva aver inserito il blocco di sicurezza per i bambini perché la maniglia si abbassava invano tra le sue dita.

Quando si aprì lo sportello del conducente, Rose tentò di tuffarsi fuori da quella parte, ma Gareth la respinse con brutalità e le sferrò un ceffone sulla testa.

«La prossima volta ti arriva un pugno, quindi tappati quella cazzo di bocca».

Lei si rannicchiò sul sedile e lo guardò con la coda dell'occhio. Gareth serrava il volante con entrambe le mani, curvo in avanti, gli occhi sgranati e fissi sulla strada.

Rose non riconosceva più chi fosse la persona accanto a lei.

Quando l'automobile rallentò davanti a casa sua, Gareth si voltò.

«Posso usare le maniere buone o le cattive», disse tranquillo. «Voglio solo parlare con te e poi ti lascerò andare. Sto per andare via dal paese e se farai la brava tuo padre potrà mantenere il lavoro. Ti chiedo solo di fare due chiacchiere, nient'altro».

Rose aveva pensato di mettersi a gridare non appena lui avesse aperto la portiera, ma quelle parole le bloccarono il fiato in gola.

Se lei avesse acconsentito a parlargli, sarebbe finito tutto bene. Le cose per suo padre sarebbero andate per il verso giusto e presto Gareth sarebbe uscito dalle loro vite.

Così gli permise di darle una mano a salire le scale verso l'appartamento del primo piano. Lui sembrava essersi calmato. Ridicolo a dirsi, ma pareva addirittura preoccuparsi di nuovo per lei.

Una volta dentro, l'aiutò a sistemarsi sul divano.

«Torno subito», le disse con un sorriso e sparì in cucina.

Rose guardava fisso davanti a sé con occhi vitrei. Avvertì un dolore sordo, nel profondo del cuore, non appena l'enormità di quello che aveva combinato le si abbatté sulla testa.

Aveva commesso un errore madornale a fidarsi di quell'uomo. Aveva contribuito a tenere segreta la loro relazione, costretto Billy a mantenere il silenzio, allontanato la famiglia e gli amici... Aveva mentito a tutti coloro che le volevano bene, li aveva ingannati.

E quel che era peggio, ne era stata pienamente consapevole. Era stata complice e partecipe del raggiro di Gareth Farnham.

Un bicchiere di succo d'arancia le apparve davanti agli occhi.

«Immagino tu abbia la gola secca dopo il casino che hai fatto in strada», osservò lui.

Gareth era un pazzo. Pericoloso. Rose doveva restare calma, perché lui si convincesse che tutto fosse normale e concludesse la chiacchierata il prima possibile. Poi lei doveva trovare il modo di tornare a casa sana e salva.

Aveva lasciato che la situazione si dilungasse troppo; lavoro o non lavoro, era giunto il momento di parlare con il padre.

Bevve una lunga sorsata. Il liquido freddo e dolce fu un toccasana per la sua gola riarsa. Per un breve istante, la parte più stupida di Rose si domandò se le cose non potessero sistemarsi davvero, pur conoscendo ovviamente la risposta.

Non ci volle molto prima che cominciasse a sentirsi strana. Lui le stava parlando e a quel punto Rose si rese conto di avere davanti due Gareth. Quando lui scoppiò a ridere, la sua voce le giunse rallentata e distorta.

Rose lasciò cadere il bicchiere e gli tese le mani. Nella sua testa, le parole si articolavano alla perfezione, ma il suono che le uscì di bocca fu un solo, lungo grido lamentoso.

Capitolo quarantaquattro

Sedici anni prima

Rose si svegliò e, per qualche istante, non ricordò dove fosse.

Le pareti erano bianche, senza quadri. Una tenda con il disegno di una foglia pendeva dalla finestra.

Fuori sulla strada, l'occasionale brusio di un'automobile di passaggio.

D'un tratto capì. Era nel letto di Gareth.

Rose tentò di girare la testa, ma il dolore martellante che la assaliva al minimo movimento, anche solo di un millimetro, era insostenibile. Si sentiva debole e ammaccata. Dappertutto.

Percepì di essere sola nella stanza e ne ebbe la prova quando la porta si aprì e Gareth entrò con un vassoio.

«Ti ho preparato tè e pane tostato», disse allegro. «Siediti, principessa».

C'è qualcosa che non va, le disse la vocina nella testa. Sapeva che quell'uomo era Gareth Farnham, il suo ex ragazzo... ma non ricordava come fosse finita lì. In camera sua.

E perché era nel suo letto?

Scandagliò i ricordi, ma sembrava che qualcuno glieli avesse cancellati dalla memoria con la gomma.

Fece per parlare, ma la lingua gonfia e fiacca non le permetteva di articolare alcuna parola.

Gareth l'aiutò a sedersi e lei gridò per il mal di testa.

«Prendi un paio di pastiglie», suggerì lui impassibile, agitandole davanti al viso la confezione d'alluminio.

Rose chinò lo sguardo e sussultò. Era completamente nuda. Allungò la mano e si coprì con il lenzuolo.

Gareth scoppiò a ridere. «Troppo tardi, ho già visto tutto. E anche di più. Ho le prove».

Uscì dalla stanza e Rose chiuse gli occhi per contrastare il mal di testa furioso.

Un ricordo lampo... *Stavo parlando con Jed sulla soglia di casa di Cassie.*

Aprì gli occhi e udì stridere i freni di un'auto... *La macchina di Gareth sull'altro lato della strada.*

Rose prese la tazza dal vassoio, bevve un sorso di tè e il graffiante ricordo successivo le scorse fluido davanti agli occhi... Lei che lottava e si dimenava per liberarsi dalla presa salda di Gareth... lui che la costringeva a salire in macchina... e poi...

Capitolo quarantacinque
Rose

Oggi

Esco di corsa dall'appartamento di Mike North. E intendo di *corsa*.

Una donna e il figlioletto stanno entrando nell'edificio e, al mio passaggio, si scostano e spalancano la bocca allarmati. Mi precipito giù dalle scale e barcollo fuori all'aria aperta.

Le temute parole di Mike mi riecheggiano nella testa: *Non sono mai stato sicuro al cento percento che avessimo preso la persona giusta.*

Nella mente mi turbinano tante di quelle sensazioni da non riuscire a identificarle. So solo che tutte insieme mi fanno venire voglia di scappare a nascondermi in un angolino buio.

Ma ecco intervenire i miei anni di terapia. Gaynor non si sarebbe mai accontentata che rispondessi "Non lo so" quando chiedeva cosa provavo. Mi ha insegnato a fare un passo indietro e a guardarmi dentro, a sciogliere ogni garbuglio di emozioni, per quanto dolorose.

Così, quando salgo in macchina, mi soffermo un istante per seguire il suo consiglio.

Rabbia.

Mi coglie assolutamente di sorpresa provare tanta rabbia nei confronti di Mike. Se nutriva dei dubbi all'epoca delle indagini, perché non lo ha fatto presente? Aveva una responsabilità verso di noi, verso Billy… verso se stesso… Quella di scoprire la verità e accertarsi che fosse fatta giustizia.

Che avesse confidato i propri dubbi a mamma e papà? Non lo saprò mai.

Provo un'incredibile rabbia verso me stessa per averglielo chiesto in primo luogo. Può un qualunque detective avere mai la certezza assoluta di aver arrestato il vero criminale? Non avrei dovuto affrontare l'argomento con Mike.

Paura.

Ho il terrore che l'unica cosa di cui ero sicura oltre ogni possibile dubbio – l'unica cosa di cui l'*intero paese* era sicuro – ora sia in bilico. È stato Gareth Farnham a uccidere Billy?

Oggi sono andata da Mike con la speranza che mi aiutasse a risolvere un dilemma, invece è riuscito a raddoppiarlo.

A sentire lui, dovrei forzare la mano. Dovrei, ora più che mai, passare all'azione senza indugio.

Lo stress di un'accusa sarebbe il colpo di grazia per Ronnie… che magari è innocente.

È fragile e malato e, anche se un funzionario di polizia dotato di sensibilità riuscirebbe a mascherare al meglio un interrogatorio, la verità nuda e cruda è che Ronnie scoprirebbe di cosa lo sospetto.

L'intero paese saprà che l'ho tradito. Dovrò andarmene, ricominciare altrove, da sola. Circondata da estranei.

La paura si trasforma in una furia selvaggia quando penso che, solo andando alla polizia, potrei inavvertitamente avviare il processo che rimetterebbe Gareth Farnham in libertà.

Sembrerò una persona orribile, ma io non voglio che esca e sia libero di girare per strada. Anche se mi lasciasse in pace, rimarrebbe un predatore. Gli uomini come lui non cambiano; nel giro di qualche giorno punterebbe gli occhi addosso a un'altra ragazza giovane e ingenua. Ha rovinato la vita di molte persone e, a dispetto di quanto dicono i buonisti, l'unica cosa di cui sono certa è che quell'uomo merita di rimanere dietro le sbarre per il resto della sua vita.

Eppure, eccomi qua, in balia di un circolo vizioso di pensieri che mi riporta sempre allo stesso punto: *E se fosse stato* davvero *Ronnie a uccidere Billy?*

E se, in tutto il tempo passato a guardare la mia tormentata famiglia, fingendosi di enorme sostegno, avesse riso dietro le nostre spalle?

Anziano o no… perché dovrebbe essere libero di vivere la sua vita?

Metto in moto l'auto e in pochi minuti imbocco Colwick Loop Road.

Al suono potente e prolungato di un clacson caccio un grido e sterzo completamente il volante a sinistra. Ero finita in mezzo alla strada e un camion che viaggiava in direzione opposta me lo ha fatto notare senza mezzi termini.

"Scusi", mimo con le labbra, mentre l'enorme veicolo mi passa accanto con un rombo.

Abbasso un po' il finestrino per prendere una boccata d'aria.

Questa faccenda finirà per uccidermi in un modo o nell'altro: o per lo stress o sotto le ruote di un tir.

Allungo la mano verso la borsetta e bevo un sorso d'acqua dalla bottiglia che ho sempre con me. Quanto vorrei che Mike avesse esternato a quel tempo le proprie sensazioni sull'indagine.

I suoi dubbi erano solo passeggeri o c'era sotto dell'altro?

Le aveva raccontato che proprio per quella ragione il caso lo aveva coinvolto al punto da dedicargli più tempo e lavorarci da casa tutte le sere.

A cosa servivano quelle ore in più? A cercare indizi mancanti o passare al setaccio gli interrogatori per individuare una parola sbagliata… o cos'altro?

Non posso nemmeno lamentarmi della sua evasività. Sono stata io a decidere il tono della conversazione, con la mia cosiddetta genialata del "parlare per ipotesi".

Solo una cosa brilla come il faro della verità in tutta questa confusione. L'unica che non posso ignorare, a prescindere dal numero di opzioni che voglio concedermi: *la copertina di Billy.*

Devo solo porre le domande giuste alle persone giuste. Qualcuno ha infilato la copertina in una scatola del ripostiglio a casa dei Turner. Chi, quando e perché... è ciò che ho bisogno di scoprire.

Capitolo quarantasei
Rose

Oggi

Arrivo a casa mezz'ora dopo. Fuori dalla porta di Ronnie c'è un'automobile che non ho mai visto.

Decido di passare a cambiarmi e poi controllare come sta, prima di andare in biblioteca. Occupandomi di Ronnie mi sembra di giocare al tiro alla fune. Sto aiutando l'assassino di Billy? O mi sto prendendo cura di un vicino anziano, una persona squisita e meravigliosa?

Mi sforzo con tutta me stessa di arginare quei pensieri. È l'unico modo per andare avanti.

Chiudo la porta a chiave alle mie spalle, controllo che al piano terra sia tutto come l'avevo lasciato, poi salgo in camera mia.

Sfilo i jeans e la canotta e mi accorgo di avere la schiena fradicia. Mi provoca un tale disagio che decido di farmi un'altra doccia veloce. Dieci minuti più tardi mi sento più fresca e indosso i pantaloni neri da lavoro e la camicetta bianca.

Sulle scale avverto un cupo brontolio e scopro che proviene dal mio stomaco. Non tocco niente da ieri, ma al solo pensiero di mangiare la mia mente si blocca disgustata.

Ricordo di esserci già passata. A quel tempo, nel pieno dell'orrore, in qualche modo controllare il cibo mi faceva sentire più in controllo della mia vita. Ora so che non è logico e sembrerebbe poco sensato a qualunque persona ragionevole ma, ciononostante, mi conosco abbastanza bene da ammettere che era quella la *mia* realtà.

Devo mangiare, lo so. Ma non ora.

A casa di Ronnie c'è la badante.

«Buongiorno», mi saluta allegra con un accento dell'Est Europa, quando busso alla porta della cucina ed entro. «Mi chiamo Claudia, verrò qui tutti i giorni, un'ora al mattino e un'ora al pomeriggio, per aiutare il signor Turner finché non starà meglio».

«Piacere, Claudia». Ci stringiamo la mano. «Io sono Rose, la vicina di Ronnie».

«Ah, sì, mi racconta sempre di te, Rose. Dice che sei il suo angelo! È felice perché viene suo figlio a trovarlo».

«Eric?», domando stupita.

«Sì, Eric, dall'Australia», conferma lei con un gran sorriso.

Mi mordo l'interno della guancia. «Come sta Ronnie?»

«Sta bene. Se hai voglia di portargli da bere, tra un minuto arriverò con il suo sandwich».

Ronnie è seduto nel suo letto.

«Rose!». Mi sorride. «Il mio Eric sarà qui tra qualche giorno. Gli ho dato il numero della biblioteca per confermarti i dettagli, spero non ti dispiaccia».

«Nessun problema, Ronnie». Poso il bicchiere sul comodino e faccio del mio meglio per scacciare ogni altro pensiero. Sembra vecchio e fragile, bloccato nel suo letto in pigiama. «Come ti senti?»

«Mi conosci, Rose...», sorride debolmente, «sono un guerriero e tornerò in forma in men che non si dica».

«Prima devi riposare, Ronnie», lo rimprovera Claudia con tono scherzoso, entrando nella stanza. «Niente guerre per ora».

«Raccontale com'ero da giovane». Mi fa l'occhiolino. «Forte come un toro, non è vero, Rose?».

Rimango di sasso. Vedo Billy, mentre insegue l'aquilone nei prati dell'abbazia. Ronnie, com'era un tempo, che appare dal nulla e lo blocca con una mossa violenta, poi lo trascina tra i cespugli e...

«Rose?».

Allento i pugni e riprendo a respirare.

«Ti senti poco bene?», chiede Claudia preoccupata.

«Sto bene. Scusate, ora devo andare». Mi volto verso Ronnie con gli occhi che mi bruciano. «Passo a trovarti più tardi, Ronnie, così ci facciamo un tè e due chiacchiere».

Lui distoglie lo sguardo da Claudia e lo posa su di me.

«Per te va bene?», gli chiedo.

«Sì», risponde con un lieve sorriso sulle labbra. «Va bene, Rose».

Capitolo quarantasette

Sedici anni prima

Gareth le aveva preso il cellulare e non c'erano orologi nella stanza, ma Rose stimò di essere sveglia da un paio d'ore.

La luce all'interno indicava che era ancora mattina presto. La sua memoria, non ancora ripresa del tutto, cominciava a riunire i pezzi. L'orrore dei ricordi le fece quasi desiderare di non recuperarla per niente.

La porta della camera si aprì. Gareth era vestito da lavoro e venne a sedersi accanto a lei sul letto.

«Mi hai detto che tra noi era finita. Mi hai detto che non volevi più vedermi, Rose. Riesci a immaginare cosa ho provato?». La sua voce era fluida e calma, e la terrorizzò ancora di più. «Dimmi che non parlavi sul serio».

«Io…». Rose cercò le parole giuste. Aveva imparato a prestare attenzione al tono di Gareth per decidere come rispondere, ma anche per quello era finita in quel casino. «Credo sia meglio rimanere amici».

«Parli sul serio, cazzo?». Gareth si alzò, svettando minaccioso al suo fianco, i pugni serrati.

«Non farmi ancora male», gridò Rose. «Dicevi di amarmi!».

Lui si chinò a fianco a lei. «E ti amo ancora, Rosie. Ma sono stufo di tutte le persone nella tua vita che cercano di rovinare il nostro tempo insieme».

«A chi ti riferisci? Nessuno sa di noi… a parte Billy, intendo».

«Mi fa andare in bestia, è sempre tra i piedi».

«Ha otto anni!», ribatté Rose. «È solo un bambino e io lo amo più di...».

I lineamenti di Gareth si contrassero e Rose si morse la lingua per quello che aveva appena detto.

«Più di cosa, Rose? Più di me?»

«È solo un modo di dire, che ami qualcuno più di ogni altra cosa». Sospirò. Era così stanca e dolorante, e stufa di dire sempre la cosa sbagliata.

«Ma non hai mai detto di amare *me* più di ogni altra cosa». Gareth affondò i denti nel labbro inferiore. «Lo dici solo quando parli di lui».

«È mio fratello!», sbottò Rose.

«E io dovrei essere la tua anima gemella», ringhiò Gareth.

Rose rimase in silenzio. Era impossibile ragionare con lui.

Gareth si alzò. «Non puoi fuggire da me, Rose; tu mi appartieni. Se ci provi rovinerò te e la vita della tua famiglia».

Avrebbe cacciato il padre dal lavoro, ipotizzò Rose. Quanto alla sua vita, era già rovinata. Non si era mai sentita così infelice, senza contare che Gareth aveva aggredito e minacciato Billy. Non poteva più tollerarlo.

«Non sono il tuo animaletto domestico, Gareth. Tu non sei il mio padrone», protestò Rose, con più coraggio di quanto ne avesse. «Se la gente scopre come hai trattato me e Billy, saranno guai seri».

«Ecco perché mi sono preso la libertà di stipulare una piccola polizza assicurativa». Gareth sogghignò ed estrasse una macchina fotografica dalla tasca. «Quando farò stampare queste meraviglie, nessuno crederà più a una sola parola della svergognata Rose».

Lei rabbrividì di fronte alle sue risate.

«Ti chiudo dentro», annunciò Gareth impassibile. «Tornerò per pranzo e, nel caso ci stessi pensando, anche le finestre sono bloccate e non c'è il telefono». Le mostrò ancora la macchina fotografica. «Non fare sciocchezze altrimenti appiccicherò queste fotografie su tutti i lampioni della città».

«Perché tutto questo?», sussurrò Rose.

«Perché tu fai la difficile», rispose lui, diretto alla porta. «E finché non ritroverai il senno, la tua vita non sarà per nulla piacevole».

Sbatté la porta e Rose udì scorrere un chiavistello all'esterno. Una chiusura di sicurezza fuori dalla porta?

Sembrava che Gareth avesse pianificato di rinchiuderla da tempo.

Capitolo quarantotto
Rose

Oggi

Alzo lo sguardo dal computer e vedo Jim che mi fissa, immobile di fronte a me.

«Stai bene, tesoro?», domanda. «Ti ho già chiesto due volte fino a che ora hai bisogno di me, oggi».

«Scusa, Jim». Chiudo la finestra del catalogo online che stavo fingendo di consultare. «Solo fino all'ora di chiusura, oggi ho bisogno di tornare a casa».

Per una volta, non vedo l'ora di arrivare a casa mia e chiudermi la porta alle spalle. Mantenere questa maschera è estenuante e non desidero altro che tirare le tende davanti alle finestre e raggomitolarmi sul divano.

Jim sospira di sollievo. «Fantastico, Rose, grazie. Vedi, Janice ha un controllo in ospedale nel pomeriggio e se non stacco all'ora di chiusura sarà dura riuscire ad accompagnarla in tempo».

«Nessun problema». Gli sorrido, sentendomi in colpa per il fatto che abbia dovuto chiedermelo.

«Come sta Ronnie?».

Lo guardo con aria assente.

«Ronnie», ripete Jim. «Sta migliorando?».

Deglutisco. Non voglio dirgli che è già tornato a casa, altrimenti tutto il paese comincerà a fargli visita e io più tardi ho necessità di parlare con lui in santa pace.

«Sta un po' meglio. Erano molto indaffarati in reparto stamattina, al telefono sono di poche parole».

«Certo», annuisce. «Corrono come matte, quelle povere infermiere. Ma si staranno prendendo cura di Ronnie. È il posto migliore per lui finché non si sarà rimesso in forze».

«Infatti», confermo.

Il volto di Ronnie mi si affaccia alla mente: i lineamenti segnati dal tempo, gli occhi che si socchiudono quando ride, i denti gialli e le gengive ritirate, la pelle tesa intorno alle labbra a chiazze e la sua furia sferzante, con tanto di colpi alla finestra, quando scorge i gatti del vicinato nel suo giardino.

Mi alzo, presa dall'ansia di allontanarmi da Jim e dalla signorina Brewster diretta verso il bancone.

«Torno subito», balbetto, quasi ribaltando la sedia. «Ho bisogno di...».

Sfreccio accanto a Jim come una saetta per raggiungere il bagno e colgo lo sguardo preoccupato che lui si scambia con la signorina Brewster. Entro nel cubicolo più ampio e chiudo la porta a chiave, poi mi appoggio al lavandino incrinato e fisso allo specchio il mio viso smorto e gli occhi stralunati.

Come farò ad affrontare Ronnie più tardi? La sola idea di trascorrere del tempo con lui mi fa accapponare la pelle.

Allora provo a pensare ad altro; quando la sensazione svanisce, comincio a pormi delle domande.

Dev'esserci per forza una ragione logica per la presenza della copertina a casa di Ronnie. Insomma, se lui c'entrasse qualcosa, perché mai avrebbe dovuto conservare una prova così lampante?

Avrebbe potuto bruciarla, gettarla in un bidone dell'immondizia... o qualsiasi altra cosa.

Non ha alcun senso.

Sto trafficando con il database dei libri in catalogo, per perdere tempo, quando qualcuno tossicchia. Alzo lo sguardo: davanti al bancone ci sono un uomo e una donna, entrambi in abiti scuri.

«Scusatemi!». Allontano le carte. «Avevo proprio la mente altrove. Come posso aiutarvi?».

La donna mi mostra un tesserino plastificato appeso a un cordino. «Cynthia Colton e Greg Allsop del Notts County Council. Pensavamo ci aspettasse».

Oddio. Oddio. *Oddio!*

La visita ispettiva alla biblioteca per la consultazione finale. Mi era completamente sfuggito dalla testa. Non ricordo nemmeno l'ultima volta che ho controllato l'agenda della biblioteca. Era sempre il mio primo e ultimo compito della giornata.

«Mamma mia, è già ora?». Tento disperatamente di darmi un contegno e riformulare la frase. «Certo che ricordavo della visita, ma stamattina il tempo è proprio volato, sapete».

I due si guardano.

Con la coda dell'occhio noto che l'angolo dei bambini non è ancora stato riordinato dopo la consueta lettura del dopo pranzo. Sono rimasta indietro anche con i libri restituiti e le pile di volumi da sistemare svettano sul bordo ricurvo del bancone come fossero una barriera. Ben lungi dalla perfezione.

«Posso offrirvi qualcosa da bere? Una bevanda calda, o dell'acqua fresca?», farfuglio.

«Siamo a posto così, grazie, non abbiamo molto tempo». Cynthia mi concede un sorriso tirato. «Come precisato nella lettera, ci piacerebbe visitare la struttura».

«Ma certo». Mi rendo conto di sorridere fin troppo. «Vado a chiamare il nostro custode, il signor Greaves, che sarà lieto di accompagnarvi».

Convoco Jim, tentando di evitare lo sguardo da serpente di Cynthia che guizza sul disastro della mia scrivania. Con un po' di fortuna riuscirò a segnalare al custode di mostrare prima la zona ufficio e il cortile, per poter correre a sistemare alla bell'e meglio il resto.

«La signora desidera?». Jim compare sulla soglia con il solito atteggiamento scherzoso e informale.

Tossicchio. «Ehm, sì. Cynthia e Greg sono qui per l'ispezione di cui le parlavo», spiego in modo eloquente, sgranando gli occhi per incoraggiarlo a reggermi il gioco. «Aveva proposto di fare da cicerone e mostrare loro la nostra struttura, ricorda?».

Per un attimo Jim mi osserva perplesso, ma poi capisce. «Ah, certo. Ora ricordo. Prego, da questa parte».

Quasi svengo per il sollievo, quando i due marciano fuori dalla sala principale, diretti agli uffici. Jim mi fa l'occhiolino sorridente e li segue.

Capitolo quarantanove
Rose

Oggi

Con il peggior tempismo possibile, la signora Brewster e la signorina Carter sopraggiungono in quell'istante, tra risate e chiacchiere.

«Buon pomeriggio, Rose», mi saluta la prima, scaricando sulla mia scrivania almeno una dozzina di libri da consegnare, provenienti dagli abissi del suo trolley per la spesa.

In circostanze normali, sorriderei e avvierei una conversazione amichevole con le utenti, ma non oggi. Più cerco di mettere in ordine la scrivania e più la signora Brewster vanifica i miei sforzi. Sospiro e mi arrendo, spostandomi verso l'angolo di lettura dei bambini.

«Sembri agitata, Rose», osserva lei. «Qualcosa non va?».

Mi guardo attorno furtiva e spiego sottovoce: «Ci sono i funzionari della contea per l'ispezione».

«Per la chiusura della biblioteca?», chiede la signorina Carter, allargando le narici.

«Temo di sì», rispondo annuendo. «L'ispezione fa parte delle consultazioni finali. Per valutare quanto siamo inutili, suppongo. Comunque sia, me ne ero completamente dimenticata e...».

D'un tratto non ricordo più cosa volessi dire.

«Ti senti bene, mia cara?». La signorina Carter e la signora Brewster si scambiano un'occhiata. «Sembri un tantino... disorientata».

220

Mi si secca la bocca e comincio a sudare così tanto che la camicia mi si incolla alla schiena e alle braccia. Non rispondo.

Sento la voce tonante di Jim.

«E come facciamo, secondo voi, se eliminiamo i secchi? Finiremo con i piedi a mollo».

«È proprio questo il punto, signor Greaves», replica Greg con tono monocorde. «Per questioni di sicurezza e di igiene non dovreste affatto occupare uno spazio soggetto ad allagamenti».

«Sono solo un paio di piccole perdite dal soffitto, amico mio», risponde Jim con noncuranza. «Quando ero ragazzo, casa mia era piena di secchi per lo stesso motivo, eppure sono ancora vivo».

Tento di respirare a fondo per mantenere la calma, ma è inutile. Ringrazio che almeno non faccia freddo e non si debba accendere il riscaldamento. Se sapessero che la caldaia fa le bizze un giorno sì e uno no, avrebbero certamente qualcosa da ridire.

«Lascio i due... *funzionari* nelle sue mani, Rose, che dice?», bofonchia Jim quando raggiungono la mia postazione.

«Grazie, Jim», rispondo gioviale. Mi volto e sorrido a Cynthia e Greg, ma loro mi fissano imperturbabili.

«Allora, questa è la sala principale». Li accompagno verso la parete opposta. «Offriamo una bella e ampia selezione di titoli di narrativa e saggistica. E cerchiamo di mantenere ben fornita la sezione didattica scegliendo i volumi più utili sulla base dei programmi ministeriali. La signorina Jennings, insegnante locale, ci aiuta a selezionare...».

«Quanti fruitori utilizzano la struttura al momento?», chiede Cynthia consultando il suo tastierino. «Sembra che i numeri abbiano subìto un netto ribasso di recente».

«Intende dire utenti? Lettori?»

«Noi li definiamo fruitori», replica Cynthia impassibile.

«Se la biblioteca chiudesse, cosa ne sarebbe del nostro lavoro?», sbotto. «Quindi è così, siamo spacciati?»

«Verreste ricollocati altrove, se ci sono posti vacanti, magari in una scuola, o...».

«Ma io non posso!». Goccioline di sudore mi imperlano la fronte e cerco sostegno contro uno scaffale finché non mi passa il capogiro.

«Si sente bene, signorina Tinsley?»

«Sì». Mi raddrizzo. «Ma una ricollocazione non sarebbe appropriata al mio caso, capite. Per... ragioni di salute».

«Forse stiamo correndo troppo», sbuffa Cynthia. «Non è stata presa ancora alcuna decisione sul futuro della biblioteca».

Completiamo il giro della sala.

«E questo è l'angolo dedicato ai bambini», spiego, recuperando il contegno. «È molto apprezzato. La scuola primaria porta qui le sue classi un paio di volte alla settimana durante il periodo scolastico e organizziamo anche delle letture per madri e figli piccoli due volte alla settimana, a cavallo del pranzo».

Cynthia sgrana gli occhi. «Direi che una bella pulita non nuocerebbe!».

«Sì, c'è un po' di confusione, ma la lettura si è conclusa poco prima che arrivaste», preciso. «Oggi sono sola in servizio, ma me ne occuperò prima della chiusura».

«Credo di poter aggiungere senza troppi scrupoli che anche la moquette dell'intera struttura andrebbe sostituita», osserva Greg.

«Facciamo del nostro meglio, sa?», mi sento replicare stizzita. «Facciamo del nostro meglio in circostanze difficili».

Noto con una certa preoccupazione che gli occhi della signora Brewster stanno per uscire dalle orbite, ma ormai è troppo tardi. Quel che è detto è detto.

«Ne siamo consapevoli, signorina Tinsley...».

«Volete scusarmi?». Li scanso entrambi, diretta all'ufficio sul retro. «Perdonatemi, mi serve... solo un momento».

Capitolo cinquanta
Rose

Oggi

Come sono riuscita a superare la giornata con la mente così confusa e catapultarmi fuori dalla porta, sinceramente non lo so, ma eccomi sulla strada di casa dopo il lavoro.

Nel primo pomeriggio, quando i funzionari della contea hanno lasciato la biblioteca, sono scoppiata a piangere a dirotto.

Jim, la signora Brewster e la signorina Carter sono accorsi a consolarmi, ma ho rifiutato le loro premure. Non mi sentivo per niente degna della loro compassione.

«Non è colpa tua, tesoro», continuava a ripetere Jim. «Sembri molto tesa; forse la situazione ti ha messa troppo alla prova».

Non ho risposto e ho affondato il viso nel fazzoletto che la signorina Carter mi aveva procurato, dandomi una bella strigliata tra me e me. Sapevo della visita da oltre una settimana ma, avendo la testa da un'altra parte, la mia preparazione al riguardo era stata pari a zero. Anzi, ancora peggio, me n'ero addirittura dimenticata e sapevo, a giudicare dalle loro facce, che lo avevano notato.

Sto accumulando errori su errori, dimentico cose importanti e sbotto con frasi inadeguate senza riflettere sulle conseguenze.

Gli impegni banali di tutti i giorni diventano troppo difficili da affrontare, sommati al resto. Perfino i miei controlli di sicurezza oggi sono poco efficaci.

La mia pancia ha brontolato per l'intera mattina, così forte che un paio di persone ci hanno scherzato sopra. Jim si è offerto di andare a comprarmi un panino, ma non sopporto neppure l'idea di mangiare. A meno che non si tratti del cibo giusto. Nient'altro mi aiuterebbe.

Basta poco, tuttavia, a dissipare la mia nonchalance per l'ambiente attorno a me. Il cuore riprende il suo battito concitato e la bocca mi diventa asciutta come segatura. Affretto il passo, ansiosa di arrivare a casa.

Svoltando l'angolo, scorgo l'insegna rassicurante del supermercato e, senza rendermene conto, i miei piedi deviano in quella direzione.

All'interno, sfreccio lungo le corsie a tempo di record, caricando il cestino di ogni sorta di prodotti. Anziché andare alla cassa, mi accodo alla breve fila del pagamento self-service dove un nuovo addetto, che grazie al cielo non è un maestro dei convenevoli, è di guardia, pronto ad aiutare gli eventuali clienti in difficoltà.

Quindici minuti più tardi, eccomi a casa con i miei due sacchi della spesa.

Chiudo la porta a chiave alle mie spalle, lascio cadere gli acquisti a terra e tiro le tende del salotto. Poi porto la spesa in cucina e abbasso la veneziana, controllando un paio di volte che il chiavistello sulla porta sia a posto.

Mi verso un bicchierone di bibita gasata, mi siedo al tavolo della cucina e avvio il solito rituale che di sicuro mi darà sollievo.

Per prima cosa, mangio tre bignè al cioccolato. La pasta è così leggera che la crema al cioccolato scivola subito in gola senza nemmeno masticare.

Mentre armeggio con la confezione della torta glassata al limone, mi ficco in bocca un paio di biscotti al cioccolato e finalmente sento che la tensione al collo e alle spalle comincia ad allentarsi.

Non mi prendo neanche la briga di usare un piatto; taglio una grossa fetta di torta e verso sopra una cucchiaiata di panna superconcentrata. Mi sono riempita la bocca fin troppo, ma in qualche modo riesco a masticare e gustarmi quel soffice ammasso di bontà che per me è tutto.

Chiudo gli occhi e le mie preoccupazioni – i pensieri orribili che mi affliggono – svaniscono. Non mi interessa più niente, a parte quella meravigliosa sensazione nella mente che annulla tutto il resto.

Nel giro di pochi minuti ho divorato metà barattolo di panna e due terzi di torta. Passo alla grossa vaschetta di gelato al gusto biscotto e cioccolato, che mi congela la lingua e la gola, anestetizzando il dolore, sotterrato dal peso delle calorie.

Dopo aver svuotato la vaschetta, barcollo verso il salotto e mi sdraio sul divano. Chiudo gli occhi e tento di ignorare lo stomaco in subbuglio, concentrandomi sulla confortante sensazione di calore che mi avvolge come una coperta calda.

Mi crogiolo per un po' in quella strana via di mezzo tra il sonno e la veglia, poi mi costringo a rimettermi seduta. È l'ora.

Salgo al piano superiore, sbottonandomi la camicetta da lavoro lungo le scale per poi lasciarla cadere sull'ultimo gradino. Fuori dalla porta del bagno mi sfilo anche i pantaloni ed entro nella stanza solo con la biancheria intima.

Sollevo il copriwater e mi chino in avanti, poi unisco dito indice e medio e li infilo lentamente in bocca. Premo la lingua verso il basso, aumentando la pressione finché le dita non raggiungono la gola.

Et voilà! Eccola risalire in tutta la sua gloria: la cremosa poltiglia al limone e cioccolato, che aveva abbracciato le mie preoccupazioni, finisce nella tazza insieme a loro.

Sono così sollevata di avere ancora il tocco magico.

Dopo essermi lavata il viso e le mani e risciacquata la bocca in fiamme, vado in camera e mi metto un paio di leggings e una maglietta larga.

Tiro di nuovo lo sciacquone, pulisco il bordo del water e

spruzzo un po' di candeggina all'interno, prima di richiudere il coperchio. Apro la finestra e mi siedo sull'ultimo gradino delle scale, in attesa che l'aria circoli per qualche minuto.

Non lascio mai le finestre aperte in casa senza stare di guardia. È una delle mie misure di sicurezza.

La richiudo e torno in cucina a pulire il disastro che ho lasciato in giro. Con la mano raduno in un mucchietto le briciole di torta al limone sparse sul ripiano, poi lo deposito nella pattumiera a pedale, insieme a tutti gli involucri strappati e al barattolo di panna quasi vuoto.

Mentre strofino via gli aloni di crema dal ripiano, mi assale la nausea. Bevo un po' d'acqua per placare il bruciore acido in gola, ma peggiora solo le cose.

Con delicatezza mi sfioro le labbra e torno con la memoria al periodo peggiore della mia bulimia. All'epoca avevo le labbra ricoperte di vesciche e taglietti agli angoli della bocca. Il bruciore in gola era una costante e la pelle uno sfogo di brufoli.

Ma io notavo solo che il mio orribile corpo grasso era diventato un tantino più accettabile e che l'incessante tortura della mente si era placata. Durava solo un breve lasso di tempo, poi mi riassaliva il bisogno di epurarmi.

Non voglio ricadere in quella situazione. Mi prometto in silenzio che non succederà.

Non posso continuare a posticipare quello che devo fare. Metto in borsa il necessario, prendo le mie chiavi e la chiave della casa accanto e mi dirigo verso la porta sul retro.

È giunto il momento di parlare con Ronnie.

Capitolo cinquantuno
Rose

Oggi

Sono solo le cinque e mezza del pomeriggio, ma sembra la conclusione di una lunghissima giornata.

Mi sento una specie di zombi, come se la mia mente avesse inserito il pilota automatico per portare a termine le azioni basilari e niente di più. La conversazione con Mike North questa mattina, la visita dei funzionari della contea, la mia bocca imbottita di cibo appena tornata a casa... sembra confondersi tutto nella mia testa. Quasi fosse accaduto moltissimo tempo fa.

Peccato che non sia vero, perché forse all'epoca sarei riuscita ad affrontare meglio i miei problemi e a superarli. Chiudo a chiave la porta sul retro e mi fermo in giardino per qualche istante. L'aria fuori è tiepida, ma il cielo è grigio e coperto di nuvole. Non è la serata ideale per stare seduti all'aperto.

Guardo la mia casa. Il mutuo ormai è estinto; la proprietà è mia, ma senza un lavoro non riuscirei a mantenermi. Se chiudesse la biblioteca, non ci sarebbe altro per me nei paraggi, dovrei per forza cercare qualcosa altrove.

Ora come ora, preferisco non pensare agli effetti di una simile eventualità sui miei livelli di ansia.

Volto le spalle alla casa. Oggi avevo l'opportunità di fare una bella impressione sui funzionari della contea e me la sono bruciata. Ma la cosa peggiore è stata la sensazione di panico, di non avere il controllo sulla mia vita. Ha riportato a galla i ricordi peggiori, la paura di ricadere.

Accantono per il momento il pensiero della chiusura della biblioteca. Ho qualcosa di più urgente da risolvere con la massima priorità.

Attraverso il cancelletto della casa accanto, ma lo lascio socchiuso per quando tornerò, dopo aver parlato con Ronnie. Busso alla porta sul retro e cerco di abbassare la maniglia ma, come sospettavo, è chiusa a chiave. Sarà stata Claudia, la badante, prima di andarsene.

Apro con la mia copia della chiave e mi richiudo la porta alle spalle, una volta entrata. In fondo alle scale, mi tolgo le scarpe.

«Sono Rose», annuncio, apprestandomi a salire.

Arrivata sul pianerottolo, indugio, paralizzata dalla vista della stanza-ripostiglio. Mi sembra ancora impossibile che per tutti questi anni la copertina di Billy sia sempre rimasta lì dentro. Nessuno, compresa me, ha mai pensato di cercarla lì.

Sento dei colpi di tosse stizzosa, che mi riportano al presente, e mi dirigo nella direzione opposta al ripostiglio nella speranza di dimenticarmene.

Quando busso alla porta di Ronnie, mi accoglie la sua risposta roca. «Entra pure».

La camera da letto è buia ed emana un odore acre. Claudia ha socchiuso le tende, forse perché la luce esterna era molto più intensa quando lei era qui.

Ronnie è seduto nel suo letto, sostenuto da diversi cuscini.

Noto subito che ha perso molto peso dal ricovero in ospedale. Ha il viso scarno e pallido.

«Ciao, Ronnie», lo saluto, sforzandomi di sorridere. «Prima le cose importanti, ti serve aiuto per andare in bagno?».

Lui scuote il capo. «Claudia se n'è andata appena un'ora fa».

«Bene», dico e mi siedo ai piedi del letto. «Come ti senti?»

«Stanco», risponde lui mogio. «Sono davvero stanco, Rose».

In effetti ha l'aria distrutta, ma mi sorge il dubbio che voglia solo evitare di parlare con me. Gli ho detto senza mezzi termini, prima di andare al lavoro, che volevo fare due chiacchiere…

Dice di non avere fame, ma che gradirebbe una tazza di tè.

Scendo in cucina a mettere il bollitore sul fuoco e osservo dalla finestra stretta lo squallido cortile di cemento, chiedendomi come farò ad affrontare il discorso della copertina di Billy.

Ronnie è stato molto male – e non si è ancora ripreso – perciò è possibile che la sua memoria abbia delle lacune. Forse prima dovrei indurlo a ricordare il passato in termini generali, senza alcuna premura.

Gli porto il tè con un paio di biscotti.

Lui lascia i biscotti sul piatto e sorseggia il tè, scrutandomi oltre il bordo della tazza.

«Nemmeno tu hai una bella cera, Rose». Corruga la fronte e la sua voce crepita come carta stropicciata.

«Sto bene», replico.

«Hai le guance arrossate come una volta. Quando eri malata».

Ignoro l'osservazione.

«Hai preso le tue pillole?»

«Sì», annuisce.

«Mentre attraversavo il cancelletto poco fa, ho ripensato alle feste che facevamo in giardino», dico con leggerezza. «Quando tu e papà vi sbizzarrivate con il barbecue. Ti ricordi?».

Lui beve un altro sorso di tè e gli sfugge una specie di grugnito dal profondo della gola.

«Erano giorni felici. Dove sono spariti quegli anni, Ronnie?»

«Non lo so», sospira. «Ma vorrei tanto che tornassero. Per fare le cose in modo diverso».

Drizzo le orecchie.

«In che senso? Quali cose?».

Mi auguro che il mio tono suoni naturale, ma il cuore comincia a martellarmi nel petto. A volte, quando la gente invecchia e si ammala, decide d'impulso di liberarsi del peso che porta. Forse sto per assistere a uno di quei momenti.

«Prima di tutto non lavorerei così tanto». Ronnie si schiarisce la voce. «I soldi facevano comodo, ci hanno permesso una bella vita, ma vorrei aver trascorso più tempo con Sheila e il piccolo Eric».

«Hai fatto del tuo meglio», commento. «Scommetto che la maggior parte degli uomini del paese prova lo stesso. Avete lavorato tutti sodo giù alla miniera».

«Già. All'epoca non immaginavamo che il governo ci avrebbe fregati, no? Credevamo di tenerci il lavoro per tutta la vita».

Annuisco.

«E poi... io...». Ronnie esita e l'aria intorno a noi sembra caricarsi di elettricità. «Provo un grande rammarico per quello che è accaduto a Billy», conclude con voce appena sussurrata.

Capitolo cinquantadue
Rose

Oggi

«Che vuoi dire, Ronnie?». Mi si stringe la gola e le parole escono strozzate. «Perché provi rammarico?»

«So che per te è doloroso solo sentirlo nominare, Rose, ma c'è una cosa che mi tortura da quella notte».

Trattengo il fiato e fisso il mio anziano vicino di casa. Sembra avvicinarsi al dunque per poi allontanarsi di nuovo; mi parla, ma le sue parole risuonano confuse come se si sciogliessero le une nelle altre.

Sta per dirmi della coperta. Sta per confessare tutto.

«Rose?». Ronnie alza la voce e i suoni riemergono distinti.

«Scusa…». Rimetto la vista a fuoco. «Cosa stavi dicendo?»

«Dicevo che continuo a sentirmi in colpa per non averlo trovato durante le ricerche», ripete Ronnie, voltandosi verso la luce ormai fioca alla finestra. «Sono stato io a guidare i volontari verso il lago e l'abbazia, lontano dalla parte residenziale della tenuta. Lontano dai boschi dove… dove è successo tutto. Provo un grande rammarico per questo».

Lo fisso di nuovo. Non avevo mai considerato che all'epoca Ronnie avesse avuto il potere, come coordinatore delle ricerche, di sviare i volontari dal luogo in cui si trovava il corpo di Billy. Se avesse avuto a che fare con la sua morte, la copertura sarebbe stata perfetta. Oggi come oggi, la polizia avrebbe verificato ogni minimo dettaglio, ma all'epoca le cose funzionavano diversamente.

«Ti senti bene, Rose?».

Distolgo lo sguardo. Ronnie sembra rievocare il passato alla perfezione, nonostante ieri insistesse di non ricordare proprio nulla.

«Immagino tu abbia fatto ciò che potevi», mormoro, nel tentativo di non farlo distrarre. «All'epoca, intendo».

D'un tratto mi assale la paura che non capiterà un momento migliore di questo per parlargli della scoperta del ripostiglio. È la mia occasione, forse l'*ultima*, per carpire informazioni da Ronnie, perché al più presto dovrò decidere cosa fare di quella prova cruciale.

Senza dire una parola, allungo la mano verso la mia borsa e stringo le dita attorno al sacchetto di plastica trasparente al suo interno. Lo estraggo e lo poso sul letto tra me e Ronnie.

La copertina rossa, benché sbiadita, spicca sul copriletto chiaro come una chiazza di sangue.

Lui vi posa sopra lo sguardo e appoggia la tazza sul comodino.

«Te la ricordi, Ronnie?», domando con tono cauto. «È la copertina di Billy».

«Io... non saprei», risponde lui, agitando le dita lungo l'orlo del copriletto. «Da quando sono caduto, la mia memoria fa cilecca, Rose. Continua ad andare e venire».

«Billy la portava sempre con sé, dappertutto. L'aveva con sé anche il giorno in cui sparì. La vidi nel suo zaino mentre usciva. La polizia la cercò per settimane dopo l'accaduto».

Sembra che Ronnie non riesca a staccare gli occhi dalla copertina.

Mantengo il tono fermo e pacato. «Mentre eri in ospedale, l'ho ritrovata in una scatola. Nel tuo ripostiglio, Ronnie».

Lui scuote il capo.

«Sì. L'ho trovata lì dentro e ho bisogno di capire come ci è finita». Osservo la sua espressione frastornata. «Capisci quello che sto dicendo, vero, Ronnie? La polizia ha cercato questa co-

232

pertina dappertutto e io la ritrovo sedici anni dopo, a casa *tua*. Non posso ignorare la scoperta; tradirei la memoria di Billy».

«Ma... come... Io non so perché, Rose. Insomma, se Billy l'aveva con sé il giorno in cui è sparito, come ci è finita *qui*?».

O gioca d'astuzia facendo il finto tonto, oppure è sinceramente confuso. Non riesco a distinguere.

«È il mio stesso dilemma, Ronnie». Esito un istante ma poi, consapevole che la gravità della situazione superi il rischio di turbarlo, proseguo. «Solo la persona che ha fatto del male a Billy poteva avere la copertina, capisci? Non c'è altra possibilità».

Ronnie annuisce perplesso. Socchiude gli occhi e alza lo sguardo verso l'alto. «Ma non si spiega perché sia qui», riflette.

Parlargli senza peli sulla lingua, senza accusarlo direttamente di essere coinvolto nell'omicidio di mio fratello, non ha funzionato.

Respiro a fondo.

«Il punto è, Ronnie, che quando andrò alla polizia, vorranno sapere...».

«La polizia?». Era pallido anche prima, ma d'un tratto il suo viso si prosciuga di ogni traccia di colore.

«Sì. La copertina è una prova cruciale. Non posso fingere di non averla trovata».

«No, ma...». Si porta una mano tremante alla bocca. «Potrebbero pensare che io c'entri qualcosa con la morte di Billy... Cosa dirà il mio Eric?». Gli si riempiono gli occhi di lacrime e si preme la mano sulla fronte. Il suo respiro si fa irregolare.

Balzo in piedi e corro da lui.

«Respira, Ronnie. Respira». Gli avvicino alle labbra il bicchiere d'acqua che Claudia ha lasciato accanto al letto e lui ne beve un piccolo sorso. «Va tutto bene. Non volevo farti agitare, ma dovevo chiedertelo. Lo capisci, vero, Ronnie?»

«Sì», risponde lui con un filo di voce.

«Lasciamo stare per il momento; non puoi agitarti così, mentre sei ancora convalescente». Una parte di me si oppone frustrata alle mie stesse parole. Ma la parte più grande rifiuta di accettare che quest'uomo fragile e anziano abbia fatto del male a mio fratello. «C'è solo una cosa che ho bisogno di sapere, Ronnie. Mentre ti portavano in ospedale, mi hai chiesto specificatamente di non salire al piano di sopra. Anche se non te lo ricordi, ti viene in mente perché puoi averlo detto? Perché non volevi che io venissi qui?».

Lui sprofonda nel cuscino e chiude gli occhi. Quando li riapre brevemente, gli tremano le labbra.

«Per quella roba nel baule». Gli trema la voce, cerca la mia mano e io lascio che me la prenda. «Mi vergogno così tanto, Rose. Ho portato un tale peso per tutti questi anni. Desideravo da tanto tempo confidarlo a qualcuno, ma...».

Mi precipito ai piedi del letto e scoperchio il pesante baule di legno intagliato.

«Rose, ti prego...».

Sento il ronzio delle sue parole, ma non riesco a distinguerle. Avevo già cercato lì dentro, ma...

Tiro fuori le lenzuola e le poso da una parte. Niente... Continuo a cercare. Coperte, federe. Guardo Ronnie con espressione frustrata.

«Tra le pieghe di un lenzuolo, c'è una busta...».

Riprendo in mano le lenzuola piegate con cura, le apro una a una finché... avverto un lieve fruscio di carta e le mie dita si stringono attorno a una grossa busta. La estraggo e la poso sulle gambe.

Ronnie continua a parlare, blatera qualcosa a proposito di famiglia e perdita e... Bandisco la sua voce e apro la busta con dita tremanti.

Sono solo documenti. Deglutisco il nodo che mi sta crescendo in gola e prendo un bel respiro. Spiego il primo foglio: un certificato di nascita con un nome che non riconosco.

«Si chiamava George alla nascita ma, sai, Sheila si è intestardita a volerlo cambiare».

I tre documenti successivi sono certificati di morte. Le parole scribacchiate dall'anagrafe mi si confondono davanti agli occhi.

«Il nostro primo, piccolo Eric sopravvisse solo una settimana, ma il secondo era più forte e fu una benedizione averlo con noi per cinque mesi». Guardo Ronnie, sconvolta. Non capisco il senso di quello che dice, ma ormai è troppo tardi per fermarlo.

Lui sorride, lo sguardo rivolto alla finestra, e mi accorgo che non è più qui. La sua mente sta viaggiando nel passato. Non dico una parola e lui di colpo si gira di scatto verso di me.

Apro il successivo foglio ingiallito e lo sollevo alla luce. Una smorfia d'orrore adombra il volto di Ronnie nel riconoscere il certificato d'adozione.

«Lui non lo sa, Rose! Eric non sa di essere stato adottato». Le lacrime gli scendono copiose sul viso segnato e avvizzito. «So che non dirglielo è stato un errore, ma... avrebbe spezzato il cuore di Sheila. Lei aveva bisogno di credere che fosse vero, capisci? Che lui fosse davvero *nostro*».

«Ronnie, io...».

«Lei non voleva parlarne. Ci provai un paio di volte, ma la faceva stare male. Eric ha il diritto di sapere ma... sono stato un debole, provavo una tale vergogna per questo segreto. Ho lasciato perdere, come voleva Sheila, per provare a dimenticare, ma negli ultimi anni è tornato a incombere sempre più minaccioso nella mia mente».

Penso a tutti i ricordi e gli oggetti intoccati a casa di Ronnie. Armadietti e scatole stipati di oggetti dai quali non riesce a separarsi, almeno così credevo.

E ora scopro che Ronnie ha sempre avuto paura di affrontare i segreti del passato.

Lo lascio divagare e, con un certo imbarazzo, ripiego i documenti strettamente personali che ho di fronte. Quello che Ronnie mi sta raccontando sembra non avere alcun senso... eppure lui spiega come Sheila avesse finto di essere incinta e poi avessero adottato un orfano di tre mesi di nome George Holland, che divenne Eric Turner, loro figlio.

«Dopo la morte di Sheila, mi assalì il terrore che per qualche ragione saltasse fuori che Eric era stato adottato e che lui lo avrebbe scoperto dai pettegolezzi di paese. Non mi avrebbe più rivolto la parola e io non lo avrei sopportato, così...». Ronnie deglutisce a fatica e si osserva le mani avvizzite. «Ho pensato di distruggere i documenti, naturalmente, ma non servirebbe a cancellare la verità, giusto, Rose?».

Scuoto piano la testa, pensando che nemmeno nascondere la copertina di Billy ha cancellato l'orribile realtà dell'accaduto.

«Non ci sono riuscito. Mi sentivo un mostro per aver mentito a mio figlio per tutti questi anni, perciò credo di essermi rassegnato all'idea che scoprirà la verità quando me ne sarò andato».

«Per questo mi hai chiesto di non salire?».

Ronnie annuì. «Una cosa stupida, lo so. Non esco mai perché sto di guardia al segreto di Eric, sai? Quando mi hanno portato in ospedale ho pensato che era giunta l'ora, che ero spacciato. Volevo che Eric lo venisse a sapere solo sgombrando la casa».

Ronnie chiude gli occhi e gli sistemo i cuscini dietro la schiena in modo che possa appoggiare la testa con più comodità.

Sembra che si stia appisolando, ma i suoi occhi si riaprono di scatto.

«Sono così dispiaciuto che tu abbia trovato la copertina di Billy in casa mia, Rose. Lo giuro, io non so come ci sia finita». Le sue lunghe dita fredde si stringono alle mie come una morsa. «Devi credermi, Rose. Non lo sapevo».

Serro le labbra, abbozzando il sorriso più rassicurante possibile, e sfilo le dita dalle sue.

Mentre Ronnie si addormenta, ripongo la copertina nella borsetta e lascio la stanza, un poco traumatizzata ma con determinazione rinnovata.

Ronnie si è liberato del peso di un segreto che ha tenuto nascosto per cinquant'anni. Dev'essere bravissimo a mantenere i segreti. Che stia cercando di proteggere se stesso o qualcun altro, negando di sapere della copertina o mi ha detto la verità?

Quel che è certo è che adesso mi rimane un unico sentiero da percorrere.

Devo parlare con qualcuno che potrebbe avere la risposta ai miei interrogativi, e arrivare alla verità molto più in fretta di quanto farebbe la polizia.

Nonostante la promessa fatta a papà, so di non avere altra scelta che mettermi in contatto con Gareth Farnham.

Capitolo cinquantatré

Sedici anni prima

In seguito accadde tutto molto in fretta, anche se Rose ne fu a malapena consapevole.

A metà mattina le venne la febbre e rimase assopita in un torpore confuso, penetrato solo dalla luce e da rumori occasionali.

Aprì gli occhi brevemente, quando suo padre fece irruzione nella camera da letto di Gareth Farnham e la prese tra le braccia.

«Lei vuole stare qui, con me», gli gridava Farnham alle spalle mentre Ray trascinava fuori la figlia, verso l'automobile. «È adulta ormai, non puoi dirle cosa deve fare».

Una volta a casa, il dottor Nadin venne a visitarla. Con il permesso del padre, le fece un prelievo del sangue.

«Temo sia stata drogata», spiegò prima di andarsene.

Stella non aveva mai visto il marito così furioso.

«Calmati», gli diceva. «Devi calmarti, Ray».

«Ci sono testimoni che lo hanno visto costringere Rose a salire sulla sua auto, Stella», sbraitò lui con gli occhi lucidi. «Guardala. Guarda cosa le ha fatto».

Un ex minatore che abitava nella via di Cassie aveva assistito alla scena, ma stava badando al nipotino e non aveva potuto avvertire la famiglia fino al mattino seguente.

«Credevo fossero solo normali scaramucce tra fidanzati», si scusò quando Ray gli chiese come mai non avesse chiamato la polizia.

A quel punto Ray andò da Carolyn, per chiederle se avesse incrociato Rose, e Jed gli raccontò della relazione tra sua figlia e Gareth Farnham.

«Ha scaricato Cassie e mentre tu credi che sia fuori con gli amici del college, in realtà è con lui», gli spifferò Jed con un certo sollievo. «Questa storia va avanti alle tue spalle da una vita, Ray».

Per poco le gambe dell'uomo non cedettero. Carolyn gli preparò una tazza di caffè forte.

«Mi dispiace», continuava a ripetere lui. «Avete già un sacco di problemi».

Una volta recuperate le forze, Ray guidò fino al cantiere. Farnham stava parlando con i funzionari della contea nei pressi dell'area suggerita per il laghetto della pesca.

In un lampo Ray attraversò il terreno dissestato e afferrò Gareth per il bavero, sollevandolo quasi da terra.

«Ma che diavolo…». I funzionari si scostarono.

«Ha rapito mia figlia, l'ha portata via contro la sua volontà e… e… ha fatto sesso con lei!», sbraitò Ray, mentre gli altri volontari tentavano di separarlo da Gareth. «Ha appena diciotto anni e lui ne ha quasi trenta. Mi fidavo di te, Farnham. Sei un bastardo!».

Tinsley allungò il braccio all'indietro e sferrò un pugno, gustandosi l'appagante scricchiolio del naso di Gareth nel momento dell'impatto.

Rose si svegliò nel proprio letto. Sua madre era seduta accanto a lei, in lacrime.

«Mi dispiace, mamma», mormorò.

«Non pensarci adesso», piagnucolò Stella. «Devi prima rimetterti. Avremo un sacco di tempo per parlare dell'accaduto».

Il padre annuì e Rose gli lesse in faccia l'orgoglio ferito.

«Papà, io… non avrei dovuto mentire. Il tuo lavoro, io…».

«Dobbiamo pensare al futuro ora, Rose», intervenne Ray,

ispezionandosi le nocche indolenzite. «Farnham è stato sospeso e hanno mandato un direttore temporaneo che mi ha chiesto di continuare a lavorare al progetto».

Rose respirò a fondo. Dentro l'aria, fuori l'aria, dentro, fuori. Suo padre non avrebbe avuto problemi.

«Nessuno vede Farnham da giorni», le riferì Stella nel fine settimana. «Crediamo abbia lasciato il paese ma... se tu lo denunciassi per...».

«Mamma, ti prego. Voglio solo dimenticare l'accaduto e ricominciare da capo».

«Lascia stare, tesoro, per il momento». Ray posò una mano sul braccio di Stella. «Rose è adulta ormai. Deve decidere da sola».

Rose non poteva confidare il vero motivo. Non poteva raccontare delle fotografie scattate da Gareth.

Se lui le avesse fatte circolare per il paese come aveva minacciato, se i suoi amici e la sua famiglia le avessero viste... Rose non avrebbe più osato mostrarsi in giro.

Il suo viso si illuminò quando Billy entrò nella stanza.

«C'è vento fuori?», gli chiese.

Lui annuì, raggiante. Sapeva a cosa si riferiva la sorella. «Abbastanza per l'aquilone!», ridacchiò.

«Allora andiamo, dài», lo esortò Rose, alzandosi dal letto. «Non perdiamo altro tempo: andiamo a lanciare l'aquilone nei cieli dell'abbazia».

«Evviva!». Billy tirò un pugno in aria per la gioia e tutti scoppiarono a ridere.

Aveva trascurato il fratellino per troppo tempo, pensò Rose, mentre si infilava le scarpe da ginnastica. Aveva intenzione di rimediare subito, insieme a tante altre cose. Gareth Farnham aveva lasciato il paese, non aveva più alcun motivo di temerlo.

Sua madre era andata al college un paio di giorni prima e aveva concordato con i professori che, se si fosse sentita meglio, Rose sarebbe potuta rientrare la settimana successiva. I suoi genitori, che riteneva così rigidi, la stavano aiutando a ricominciare. Rose si rese conto che avevano solo cercato di proteggerla e che le volevano bene.

L'ultimo paio di settimane con Gareth erano state un incubo dal quale aveva avuto la fortuna di scappare, grazie alle persone intorno a lei.

Cassie si rifiutava ancora di vederla, ma Rose era sicura che con il tempo sarebbe riuscita a superare anche quel ponte.

Rose e Billy attraversarono il paese diretti all'abbazia di Newstead, senza smettere di chiacchierare.

I deboli raggi del sole filtravano tra le nuvole sparse e il vento non sembrava affatto freddo. Rose non aveva sentito il bisogno di portare con sé più di un cardigan leggero e Billy, che era uscito solo in maglietta, non aveva nemmeno le guance arrossate, nonostante i timori di Stella.

I prati dell'abbazia erano costellati di gente, ma non affollati come in piena estate.

Rose aveva regalato l'aquilone al fratello minore per il suo compleanno a marzo, ma fino a quel momento non c'erano mai state giornate di vento simili. Tanta pioggia e temporali, ma il tempo adatto agli aquiloni si era fatto desiderare. Ecco perché Rose voleva cogliere l'occasione, era la giornata perfetta per trascorrere del tempo con Billy. Per cominciare a porre rimedio al trauma che gli aveva inflitto a causa del fidanzato di pessima scelta.

Il calore del sole le accarezzava il viso, il fratellino era pieno di vita e stupore e Rose sentì di stare bene. Nutriva speranze per il futuro ed era grata per quello che aveva.

Billy era sparito tra i cespugli di rododendro per recuperare l'aquilone e non era ancora riemerso.

Rose era seduta sull'erba con le gambe allungate e controllava da lontano. Si voltò verso il sole, cercando di concentrarsi sui pensieri positivi.

La comitiva di un pullman si riversò dal parcheggio e puntò

verso l'abbazia, con l'ovvio intento di visitare il maniero nonché casa di famiglia di Lord Byron.

Rose si distese e chiuse gli occhi.

Ultimamente si sentiva sempre molto stanca, ma la madre l'aveva rassicurata che era normale dopo quello che era successo. Dopotutto, erano passati solo pochi giorni. Seduta in mezzo alla natura, si sentì più rilassata di quanto non accadeva da settimane e settimane.

Desiderava solo che tutto tornasse alla normalità, compresa la sua amicizia con Cassie.

Era più che comprensibile che l'amica si fosse sentita tradita, perché lei aveva preferito la nuova relazione con Gareth alla loro amicizia lunga una vita, ma non appena Rose avesse avuto occasione di spiegarle ogni cosa, era sicura che avrebbero ritrovato l'armonia.

La polizia fino a quel momento aveva girato a vuoto riguardo all'aggressione di Cassie e, stando alle voci di paese, dalla loro casa provenivano discussioni sempre più accanite e Carolyn era ormai in balia dell'alcol, giorno e notte.

I volti, le voci e gli eventi del passato presero a vorticare, mescolandosi nella sua testa. Avvertiva il calore sul viso e la deliziosa frescura dell'erba sotto le braccia nude. Lasciò vagare la mente… si abbandonò al turbinio di forme e colori che scorrevano dietro le palpebre chiuse…

Lo scoppio del tubo di scappamento di un'automobile nel parcheggio la fece balzare in piedi di scatto. Si era addormentata? Forse per pochi minuti. La comitiva del pullman doveva essersi inoltrata all'interno dell'abbazia, perché non si vedeva più.

«Billy!».

Rose guardò l'orologio. Era sparito da oltre dieci minuti ormai, pensò allarmata. Poi si disse che magari quel birichino voleva giocare a nascondino. Non era certo la prima volta.

Si schermò gli occhi dal sole con una mano e perlustrò il

lungo sentiero fiancheggiato dai cespugli che conduceva alla residenza da svariati milioni di sterline, collocata sui terreni dell'abbazia.

Rose si morse il labbro. L'aquilone era precipitato là in fondo da qualche parte e Billy aveva insistito per andare a recuperarlo da solo.

«Non sono un bambino», si era lagnato, quando lei aveva tentato di accompagnarlo.

Ma ora, dal punto d'osservazione di Rose, sembrava così lontano... più di quanto avesse stimato. Afferrò il cardigan da terra e cominciò ad avanzare a grandi passi verso la zona in cui era sparito il fratello.

«Billy!», chiamò. «È ora di tornare a casa».

Camminava guardandosi attorno. C'erano ancora diverse persone in giro, ma pareva che i visitatori si fossero diradati tutto d'un colpo.

«Billy?».

Nessuna risposta, e più Rose avanzava lungo il sentiero, più calava il silenzio.

«Billy! Basta scherzare. Vieni fuori subito!».

E se fosse inciampato su un ramo o una radice e avesse battuto la testa su un sasso o qualcos'altro? Sua madre l'avrebbe strangolata.

A Rose tornò in mente quello che le era capitato durante una gita scolastica al Mulino di Cromford, nel Derbyshire. Un compagno era inciampato sul terreno sassoso e aveva battuto la tempia a terra. Gli avevano messo dei punti e la gita era stata interrotta.

Rose raggiunse la zona in cui aveva visto Billy per l'ultima volta prima che sparisse tra i cespugli.

Un altro mese e i rododendri sarebbero stati in piena fioritura, ma per il momento c'era solo un fitto mare di foglie verdi e lucide.

«Billy. Vieni fuori. Ti prego... Adesso mi stai spaventando».

Era vero. Il cuore le batteva nel petto come un tamburo di latta, la bocca e la gola prosciugate per la paura.

Per cinque minuti buoni, e interminabili, percorse il sentiero avanti e indietro, si infilò tra i cespugli ogni volta che scovava un'apertura, cercò il fratello ovunque.

Ma Billy non si trovava da nessuna parte.

Capitolo cinquantaquattro

Sedici anni prima

L'intero paese proseguì le ricerche per tutta la notte.

Rose pensò che al buio il campo di fronte a casa emanasse un'atmosfera fatata, l'orrore mascherato da una fiumana di torce che sembravano lanterne, viste dalla finestra alla quale erano affacciati lei e i suoi genitori.

L'ispettore capo North aveva impedito a Ray con la forza di uscire per unirsi alle ricerche.

«Ho bisogno che lei resti a casa, Ray», aveva detto risoluto ma con gentilezza. «La sua famiglia ha bisogno di lei. Lasci che se ne occupino gli altri, abbiamo già uomini a sufficienza».

Rose e la madre si strinsero l'una all'altra e osservarono l'uomo forte e fidato che tanto amavano crollare sulla sua sedia, chinare il capo e scoppiare in singhiozzi sommessi.

Quando si mossero per andare a consolarlo, l'ispettore North alzò una mano per trattenerle.

«Il mio consiglio è di lasciar fluire le emozioni», suggerì pacato.

Quando era tornata di corsa dall'abbazia, senza fiato e sul punto di svenire per la paura, Rose aveva trovato la madre in cucina con un enorme mazzo di fiori tra le mani. «Sono per te». Sorrideva quando Rose spalancò la porta. Poi, alla vista della faccia isterica della figlia, la sua espressione mutò.

L'ispettore parve molto interessato alla vicenda di Gareth Farnham. Parlò con Rose in cucina a porte chiuse.

«Raccontami tutto», le disse, la matita sospesa sul blocco degli appunti. «Fin dall'inizio».

E così lei fece.

«Sono stata una vera sciocca», sussurrò alla fine. «Tutto quello che è successo... è solo colpa mia. Sono stata io a portare Gareth Farnham nelle nostre vite ordinarie e sicure».

«Ti sbagli, Rose; tu sei una vittima», tentò di rassicurarla North. «Sei stata manipolata. Adescata».

«Ma ho scelto io di stare con lui!», gridò lei.

L'ispettore North serrò le labbra e la guardò. «Ascoltati bene perché la risposta è proprio lì, nelle tue parole. La manipolazione. Farnham è stato bravissimo in questo, Rose. Non te ne sei nemmeno resa conto. Credevi di avere scelta, ma in realtà non l'hai mai avuta. Ripensaci, rifletti anche sulle piccole cose; in un modo o nell'altro finivi sempre per fare tutto quello che *lui* voleva...».

Rose era sul punto di obiettare, ma si bloccò.

Il gusto del gelato, la scelta del film; malgrado le sue preferenze o il fatto che lui chiedesse la sua opinione, alla fine optavano sempre per i suggerimenti di Gareth.

In seguito, naturalmente, non le chiese nemmeno più cosa preferisse. Diceva cosa avrebbero fatto e lei accettava, punto e basta.

In caso contrario, si scatenava l'inferno; non valeva la pena scontrarsi con lui.

«Come ho potuto essere così stupida», sussurrò, torcendosi le dita delle mani. «Come ho fatto a non capirlo?»

«Non prendertela con te stessa, Rose», insisté North risoluto. «La manipolazione funziona così. È pervasiva; si insinua sotto la pelle. Credimi, non sei l'unica».

Eppure, nonostante le parole di sostegno del detective, Rose continuò a sentirsi in colpa per il comportamento di Gareth.

Si sentiva responsabile per tutto quel casino terribile.

La famiglia Tinsley rimase seduta in silenzio fino alle prime ore dell'alba, avvolta nelle coperte, gli sguardi fissi nel vuoto.

Quando sorse il sole, un fitto muro di silenzio calò sulla casa e sulla strada. Poi, un rumore... come di piedi trascinati in cortile. Che fosse Billy, che avesse finalmente ritrovato la strada di casa?

Rose si precipitò alla finestra e scrutò il giardino cupo e immobile. Il cuore le sprofondò nel petto.

«Dove sei finito, Billy?», sussurrò, mentre una lacrima solitaria le rigava il viso gonfio.

Ma nessuno rispose.

Poche ore dopo, alle sette e mezza circa, Rose decise di fare due passi verso il campo da gioco. Aveva bisogno di uscire di casa, lontano da quell'atmosfera opprimente. Sapeva di voler solo scappare da se stessa, dai propri pensieri. Impossibile, eppure... Era una giornata tetra e piovosa e tutti avevano avuto il buonsenso di restare in casa, in attesa che il gruppo delle ricerche si radunasse per le nove.

Rose sobbalzò con un grido, nel sentire alle spalle una voce familiare che la fece rabbrividire fino all'osso.

«Rose, ti prego ascoltami. Dammi solo un paio di minuti per spiegare».

Lei si voltò perché l'altro non la vedesse tremare. «Vattene o mi metto a urlare. Chiamo la polizia».

Le mancava il fiato e si sforzò di respirare. Inalazioni brevi e rapide che non bastarono a riempirle i polmoni.

«Sai che non potrei mai fare una cosa simile». Gareth le toccò un braccio da dietro e lei si allontanò con uno scatto. «Sai che non farei mai del male a Billy».

«Io non so niente!». Lo guardò in faccia e un incendio le divampò nel petto. «Dicevi che era una scocciatura. Prima che ci lasciassimo, te la sei presa con lui e lo hai colpito».

«Non significa che gli farei del male, Rose!».

«Hai detto che Cassie avrebbe rimpianto di essere nata e il giorno successivo è stata aggredita. *Violentata*». Gli occhi di

247

Rose guizzarono verso il campo, oltre la strada, in cerca di qualcuno del paese, ma non c'era anima viva.

«È questo che pensi di me? Dopo tutto l'amore che ti ho dato, il rispetto che ti ho mostrato?».

Rose scosse il capo e lo fissò esterrefatta. «Tu sei uno *squilibrato*! Le cose che mi hai fatto… le fotografie che hai scattato per minacciarmi…».

«Oh, Rose! Non ho scattato nessuna fotografia. Era una finta. Devi credermi».

Ma i giorni in cui Rose aveva creduto alle parole di Gareth Farnham erano finiti.

Vide, come fosse la prima volta, le rughe di insoddisfazione sulla sua fronte, la carnagione ingrigita e stanca… ma qualcosa nei suoi occhi la fece rimanere di sasso, perché si rese conto che lui credeva davvero alle proprie parole.

Era davvero convinto di averla trattata con rispetto, anche dopo averla drogata e rinchiusa come una prigioniera!

In quel momento, Rose ebbe più paura che mai e si avviò a passi rapidi verso la strada.

«Rose, ho bisogno che tu faccia una cosa per me. Ti prego. Il mazzo di fiori che ti ho comprato e ho lasciato dietro la tua porta… Ho cercato la ricevuta dappertutto. So che la fioraia me l'ha data, perché l'ha compilata davanti ai miei occhi, ma nel mio portafoglio non c'è. Ho rovistato in tutto l'appartamento e in macchina. Credo di averla infilata nel sacchetto che avvolgeva il mazzo. Ho pagato in contanti, ma la ricevuta dimostrerà che ero ben lontano da qui quando Billy è scomparso».

Voleva che lei lo aiutasse a evitare l'arresto, ecco cosa voleva. Voleva che lei lo aiutasse a farla franca, qualunque cosa avesse fatto a Billy, così come l'aveva convinta con astuzia a non riferire alla polizia che, la sera prima che Cassie venisse aggredita, lui aveva esternato quel commento tanto orribile.

«Non ho più intenzione di ascoltare le tue bugie. Se davvero vuoi aiutarmi, allora dimmi cosa hai fatto a mio fratello».

«Rose, ti prego!». Gareth l'afferrò per un braccio, ma lei si divincolò all'istante.

Nel silenzio, la posizione di potere si era invertita. Rose ripensò per un attimo a tutte le cose che Gareth le aveva detto e fatto. Pensò a come l'aveva manipolata, senza che lei se ne rendesse conto fino a quel momento... fino a quando l'ispettore North non le aveva aperto gli occhi.

Era come se fosse caduto un velo e ora tutto appariva chiaro: ogni singola e scaltra mossa di Gareth, che l'aveva isolata dagli amici e dalla famiglia, tiranneggiandola in tutti i modi, anche a letto.

E le bugie... quante bugie.

«Sta' lontano da me, bastardo», sibilò.

Lui rimase a bocca aperta, mentre lei gli voltava le spalle per andarsene.

Rose si aspettava che la richiamasse, che le corresse dietro, che la implorasse... che addirittura la minacciasse per aiutarlo a sfuggire alle conseguenze di qualunque cosa avesse fatto a Billy. Si aspettava di tutto.

Ma lui non fece nulla.

Non disse una parola e Rose non si guardò indietro.

Quando rincasò, i suoi genitori stavano parlando con la polizia in salotto.

Andò in cucina e osservò la lunga credenza di legno nell'angolo. Stella vi conservava tutti i sacchetti di plastica della spesa e di altri acquisti.

Era lì che Rose aveva infilato il sacchetto del mazzo gocciolante di gigli Stargazer comprato da Gareth, che aveva trovato ad attenderla al suo rientro dall'abbazia.

In un primo momento aveva pensato che fossero di felice augurio, finché non aveva riconosciuto la grafia sul biglietto.

Aveva gettato subito il mazzo nella pattumiera esterna.

Si era sentita così in colpa per quei fiori: erano stupendi... di una bellezza incompatibile con l'orrore della scomparsa di Billy.

Non aprì la credenza per cercare la ricevuta.

Si soffermò a riflettere sul perché le parole di Gareth continuavano a frullarle nella testa.

Lei si era sempre ritenuta una persona onesta. Una *credulona*, avrebbe detto Cassie. Ma Rose tendeva sempre a vedere il lato buono delle persone, era fatta così.

Purtroppo aveva cercato di vedere il lato buono di Gareth Farnham per troppo tempo.

Di conseguenza lui l'aveva manipolata; o, come avrebbe detto qualcuno, le aveva fatto il lavaggio del cervello. E un'altra conseguenza, forse, era stata l'aggressione brutale ai danni dell'amica... Sarebbe mai venuta a galla la verità?

Rose scosse il capo e osservò di nuovo la credenza.

Puntualmente, i sacchetti si accumulavano e Stella faceva piazza pulita. Magari l'aveva già fatto e Rose arrivava tardi.

Malgrado non volesse più credere a una sola parola di Gareth Farnham, se non avesse verificato subito, le sarebbe rimasto il dubbio per sempre. Tenne la mano sospesa sulla maniglia del mobile.

Voleva scoprirlo davvero? Che differenza avrebbe fatto, in fondo?

Capitolo cinquantacinque

Sedici anni prima

Due giorni dopo la scomparsa di Billy, il paese individuò il suo principale sospettato.

Farnham c'entrava qualcosa con la sparizione; lo dicevano tutti. E a essere sincera, in cuor suo anche Rose lo sapeva. Proprio come sapeva che l'aggressione di Cassie, dopo quel commento barbaro, non poteva essere una coincidenza.

Il pensiero di Gareth che faceva una cosa simile... di ciò che aveva subìto l'amica... la nauseava. Ma in quel momento non poteva pensarci; la sua mente era concentrata su Billy.

Trovarlo era l'unica cosa che contava e Rose sapeva che Gareth non le avrebbe rivelato niente di utile, perché gli importava soltanto di se stesso. Credeva ancora di poterla convincere a dimostrare la sua innocenza, quando era chiaro come il sole che fosse colpevole.

Al momento, era lui il principale sospettato delle indagini. La polizia del Nottinghamshire continuava a portarlo in centrale, interrogarlo e poi rilasciarlo.

Gli abitanti del paese dichiararono di averlo visto scuotere Billy e tirarlo per un braccio in mezzo alla strada, quando la famiglia era convinta che il bambino fosse al campo, a giocare con gli amici.

Rose aveva notato lo strano livido sul braccio del fratello e gliene aveva chiesto il motivo, preoccupata che fosse vittima di qualche bullo. Non aveva capito che era opera di un adulto.

La goccia che aveva fatto traboccare il vaso era stato il comportamento aggressivo di Gareth nei confronti di Billy di fronte ai suoi occhi e lei lo aveva riferito alla polizia. Aveva raccontato anche del commento di Gareth sul fatto che avrebbe reso la vita di Cassie un incubo.

Rose si rifiutava categoricamente di coprirlo ancora.

Era come se avesse ingerito una fiala di siero della verità e riuscisse finalmente a vedere Gareth com'era davvero: scaltro, subdolo, *pericoloso*.

Se c'era di mezzo lui, Rose non poteva fidarsi di se stessa. Ma poteva fidarsi degli altri, e tutte le persone che per lei erano importanti, e la cui opinione stimava molto, pensavano la stessa cosa.

Gareth sapeva dove si trovava Billy.

Rose afferrò la maniglia della credenza e aprì l'anta. Si inginocchiò, sparpagliò sul pavimento tutti i sacchetti di plastica accartocciati e cominciò a controllarli a uno a uno.

Non ricordava il colore, né il marchio del sacchetto che conteneva i fiori. Infilò tutti quelli del supermercato in una borsa e la ripose nel mobile. Ne rimaneva circa una dozzina.

Il suo sguardo fu attirato da un sacchetto di plastica rosa con una scritta argentata. Lo prese con mano tremante.

La scritta diceva: FIORERIA SIMPKIN. Rose lisciò le pieghe del sacchetto e lo aprì. All'interno trovò una ricevuta bianca, compilata a mano. Indugiò e prestò ascolto all'incessante ronzio di voci nella stanza accanto. Certa che nessuno sarebbe entrato in cucina a breve, rivolse di nuovo l'attenzione al sacchetto.

Con dita tremanti, Rose distese la ricevuta sul pavimento di fronte a sé.

La lisciò ripetutamente con la mano, posticipando il momento della lettura.

Chinò lo sguardo verso il fondo del foglietto. Era fin troppo dettagliato. La grafia tonda e chiara riportava che i fiori erano stati acquistati alle 15:26 del pomeriggio in cui Billy era sparito.

Rose si sedette sui talloni e la ricevuta le cadde di mano, fluttuando nella corrente leggera che entrava dalla finestra aperta.

In quel preciso momento, lei e Billy stavano ancora giocando con l'aquilone sul prato dell'abbazia.

All'apparenza, Gareth si trovava a Derby, dal fioraio. Distava almeno quaranta minuti d'auto da Newstead. In teoria, avrebbe potuto farcela a prendere Billy, ma i tempi erano stretti. Molto, molto stretti.

Sempre che avesse detto la verità, ovviamente.

Rose non era certa di quando fosse iniziato, ma a poco a poco si rese conto che le voci provenienti dal resto della casa si erano trasformate in sussurri che non le giungevano mai a portata d'orecchio.

In quella situazione infernale, il senso del tempo le era scivolato tra le dita. Poteva essere giorno o notte, il suo stato di consapevolezza non arrivava oltre. Sapeva solo che Billy non era stato ancora ritrovato ed era l'unica cosa che le occupava la mente.

Ora le sentiva meglio, le voci basse e preoccupate che filtravano dal salotto. Aprì piano la porta per ascoltare, ma non riuscì a decifrare una sola parola di quel mormorio profondo e allarmato.

Una poliziotta, Rose credette di ricordare che si chiamasse Collette, comparve sulla soglia.

«Ciao, Rose...», la salutò con voce troppo allegra. «Niente di nuovo da queste parti. Perché non vai a rilassarti un po' in camera tua?».

Stava scherzando? *Rilassarmi?*

«Nessuno qui si sta rilassando», replicò Rose accigliata, aprendo del tutto la porta. «Di cosa stanno parlando di là?».

Gli occhi della poliziotta guizzarono verso la porta chiusa del salotto.

«Posso chiedere a tua madre di fare un salto in camera tua tra poco, se vuoi».

«Non serve, ormai sono già qui».

Rose spalancò la porta del salotto e le voci si interruppero all'istante. I suoi genitori, l'ispettore North e un paio di compaesani si voltarono verso di lei, gli occhi sgranati.

«L'avete trovato?», gridò Rose, posando lo sguardo di scatto sul viso pallido della madre. «Avete trovato Billy?»

«No, Rose. Non l'abbiamo ancora trovato», rispose North.

«Allora che c'è?». Si scagliò contro il padre, gli afferrò un braccio e prese a scuoterlo. «Dimmelo, papà... Cos'è successo?».

La stanza piombò nel silenzio. L'aria attorno a loro crepitava come se fosse satura di elettricità. Ray Tinsley si irrigidì da capo a piedi, poi sospirò e abbassò le spalle.

«Mi dispiace tanto, Rose...», disse stringendola a sé. «Si tratta di Cassie».

Capitolo cinquantasei

Sedici anni prima

L'unica cosa che Rose ricordava chiaramente era il lamento primitivo che aveva pervaso la stanza.

Era partito come un gemito profondo per poi amplificarsi a spirale in un grido acutissimo.

La madre si era coperta le orecchie di scatto e il padre si era allontanato da lei, frastornato e impotente.

Rose era crollata a terra.

Solo con i primi singhiozzi il grido si era placato.

Quando Rose si risvegliò, la stanza era illuminata dai raggi del sole che si riflettevano sulle pareti bianche.

Non ci sarebbe stata nessuna lieta riconciliazione, nessun abbraccio con l'amica al ricordo dei vecchi tempi.

Cassie era morta.

«Non riusciva a superare l'aggressione, ha esagerato con i sedativi», le aveva spiegato la madre. «È una cosa molto, molto triste, ma tu devi cercare di rimetterti in forze, Rose. Dobbiamo tenere duro».

Perché Rose sentiva che in un certo senso la morte di Cassie era colpa *sua*?

Perché non era stata più insistente, non si era accampata sui gradini di casa dell'amica finché lei non avesse acconsentito a vederla, perché non aveva travolto Jed per correre in camera sua?

Ora l'intera famiglia di Cassie era stravolta e l'unica cosa che poteva ancora fare per l'amica – prendersi cura della madre e del fratello – non le era possibile, perché era bloccata *lì*.

Rose conficcò le unghie nelle lenzuola bianche e inamidate del letto, mentre il senso di colpa si ingigantiva sempre di più nella sua mente, come se sapesse di poter avere la meglio.

Perché non era andata con Billy a cercare l'aquilone?

«Ciao, Rose». Un'infermiera di mezza età, con i capelli scuri che le incorniciavano il viso tondo e sorridente, apparve accanto al suo letto. «Mi chiamo Avril».

«Dove sono?», sussurrò Rose.

«Sei in una stanza dell'Ashfield Community Hospital. Sei qui da tre giorni, ma confidiamo che...».

«Billy», gracchiò Rose, un'esclamazione più che una domanda. Aveva la gola secca e dolente, ma tentò di nuovo. «La prego, mi dica... dov'è mio fratello? Dov'è Billy?».

L'infermiera Avril le strinse la mano. «Vado a chiamare il dottor Chang», disse.

Billy e l'aquilone erano laggiù.

Quando l'aquilone perse quota, Rose cominciò a correre verso di loro. Aveva ancora tempo, se solo li avesse raggiunti prima...

«Corri!», diceva a se stessa. «Corri!».

E correva, per mettersi in salvo, per mettere in salvo Billy. Ma le sue gambe si spostavano al rallentatore, come se stesse avanzando nella melassa, e ogni volta che guardava avanti Billy sembrava sempre più lontano.

Abbassò gli occhi sui piedi nudi e li vide ricoperti di spine e sanguinanti.

Ma non smise di correre.

Non smise mai di correre.

Voci frammentate si intromisero nei suoi sogni. Suoni dapprima lontani, poi sempre più vicini.

Rose aprì gli occhi.

I suoi genitori erano in piedi in fondo al letto, accanto a un dottore e un'infermiera.

«Rose!». Sua madre si precipitò a carezzarle il viso.

«Ci vada piano, signora Tinsley», l'ammonì il dottore con tono lapidario. «Ciao, Rose. Sono il dottor Chang, ricordi?».

Rose strizzò gli occhi per sforzare la memoria.

«Mi ha… fatto un'iniezione», rispose con tono d'accusa.

Il medico sorrise. «Una piccola iniezione, è vero. Solo per farti stare tranquilla, Rose».

Lei osservò il padre, ancora ai piedi del suo letto. Sembrava più magro, più debole. Le parve… abbattuto.

«Da quanto tempo sono qui?». L'infermiera aveva detto tre giorni l'ultima volta che si era svegliata, ma poi si era assopita di nuovo…

Continuava a fissare il padre, ma fu il dottore a risponderle. «Sei qui da circa una settimana, mi sembra».

«Sì», annuì Stella, la mano ancora sulla guancia della figlia. «Otto giorni oggi. Hanno dovuto sedarti, Rose, hai avuto un… Non sei stata bene…».

«Dov'è Billy?», chiese lei a voce bassa, senza smettere di guardare il padre.

Lui si voltò verso la finestra. Rose seguì il suo sguardo.

Si vedevano solo il cielo e le nuvole, non il terreno sottostante. Come se fossero tutti sospesi in una bolla, fluttuanti nell'aria, lontani dalla realtà.

Fu allora che comprese che Billy non c'era più, prima ancora che glielo riferisse la madre.

«Voglio morire anch'io», disse con un filo di voce.

Ed era proprio quello che aveva cercato di fare, rifletté Rose con il senno di poi, mentre era seduta a leggere accanto alla porta aperta della cucina.

Leggere aiutava. Almeno così una parte del suo cervello si distraeva con la storia, se era un buon libro. Stringendolo tra le mani, Rose si sentiva al sicuro, come fosse una sorta di porta-fortuna.

Chissà perché, le venne voglia di rileggere i vecchi romanzi di Enid Blyton della sua infanzia. Il caro signor Barrow le aveva mandato una scatola colma dei suoi titoli preferiti.

Non *La banda dei cinque* – non era certo in vena di avventure – ma altre serie. Al contrario delle persone, i libri non tenevano sotto controllo le sue reazioni, non facevano domande, né si scambiavano sospiri di disapprovazione.

Anzi, fungevano da balsamo per il suo cuore scottato e ferito.

L'esaurimento nervoso era durato quasi un mese.

L'avevano sedata durante la parte peggiore, quando tentava di scappare da tutto e da tutti, di fuggire con indosso soltanto il camice d'ospedale.

«Eccoti tornata sulla via della guarigione», le aveva annunciato sorridente il dottor Chang, il giorno in cui l'avevano dimessa.

Era vero che aveva smesso di gridare, di lasciarsi morire di fame, di tentare di fuggire.

Si era tagliata i capelli fino alle spalle da sola e li aveva tinti di castano scuro per non vedere più allo specchio quelle lunghe trecce rosse che a lui piacevano tanto e che adorava avvolgersi attorno alle dita.

Ora, due mesi dopo, Rose si sentiva semplicemente morta dentro. Quando era sveglia somigliava a uno zombi e quando chiudeva gli occhi non faceva che vedere i volti di Billy e Cassie.

Non voleva uscire, non ci riusciva.

«È in prigione, Rose», le ripeteva la madre di continuo. «Non può più farti del male».

«Rimarrà a marcire lì dentro», aggiungeva il padre. «Non uscirà mai più».

Rose notò che avevano smesso di nominarlo da molto tempo. Tutti si muovevano attorno a lei in punta di piedi, pensandoci due volte prima di parlare.

I suoi genitori avevano i volti smunti, una pallida imitazione di quello che erano stati un tempo. Si sforzavano di andare avanti nonostante il lutto per Billy e lei sapeva di aver aggiunto ulteriori preoccupazioni a quel peso già di per sé insopportabile.

Loro facevano di tutto per farla stare meglio e Rose non poteva che essergliene grata.

Ma c'era una cosa che non capivano: non importava dove fosse Gareth Farnham o che non potesse raggiungerla fisicamente.

Perché la sua voce era sempre lì. Nella sua testa.

Capitolo cinquantasette
Rose

Oggi

Mentirei se negassi che continuo a pensare al passato. Ripenso a ogni momento ma, in particolare, il ricordo che mi brucia davvero è quel primo fatidico incontro che cambiò la vita a me e a tutti coloro che mi circondavano.

Ci penso costantemente. Immagino cosa avrei potuto dire o fare per scoraggiare Gareth Farnham, quando mi offrì il suo aiuto per portare il materiale del corso d'arte dalla fermata dell'autobus fino a casa.

Penso alle persone con le quali avrei potuto confidarmi ai primi segnali di crollo della sua facciata.

Ma in fondo, in tutta onestà, come facevo a soli diciotto anni a sapere che esistessero persone del genere? Come potevo prevedere come sarebbero andate le cose se, almeno all'inizio, tutto sembrava così... così perfetto?

Quegli interrogativi sono i miei primi pensieri quando mi sveglio e spesso gli ultimi ad attraversare il mio stato di coscienza prima che mi addormenti la sera.

Ho capito da tempo che quanto è accaduto non mi abbandonerà mai. Mai più.

«Piano piano andrà meglio», mi rassicurava di continuo la terapista. «Vedrai».

Ma non va meglio, è chiaro.

Più che altro ci si abitua a colpevolizzare se stessi. La forza di quella sensazione, la vergogna... non ti abbandona *mai*, ma in un certo senso ti abitui a conviverci. Cominci ad accettare che non ti sentirai mai felice o in pace con te stessa.

Ma ora... quello che provo al momento... Conviverci è semplicemente impossibile.

L'incertezza... le orribili possibilità che si presentano, una peggiore dell'altra.

I compartimenti che mi sono creata nella testa tanti anni fa e nei quali ho seppellito il dolore? Be', da quando mi sono avventurata nel ripostiglio di Ronnie, si sono svuotati tutti. Uno dopo l'altro.

La mia mente è una confusione totale di ricordi intollerabili appena sguinzagliati e non so quanto a lungo riuscirò a sopportarli.

Billy non era scivolato battendo la testa mentre cercava il suo aquilone; era stato rapito.

Lo cercammo per due giorni prima di ritrovare il corpo tra i cespugli di rododendro sul terreno dell'abbazia. L'autopsia rivelò che era morto soffocato.

Si scatenò la caccia all'uomo. Il paese si riempì di benefattori, volontari e giornalisti.

I sospetti si concentrarono fin da subito su una sola persona. Gareth Farnham fu arrestato, interrogato e infine accusato dell'omicidio di Billy.

Lui negò di avere ucciso mio fratello, e continuò a farlo anche in seguito. Ma ormai avevo scoperto che era un bugiardo patentato, un manipolatore che diceva esattamente ciò che gli serviva per arrivare allo scopo.

In tribunale la difesa chiamò a testimoniare una psichiatra, una certa dottoressa Simeon Chambers, che tentò di convincere la giuria che Gareth era un sociopatico, incapace di trattenersi dal controllare la gente attorno a lui. La cosa, per quanto riprovevole, aveva sottolineato la psichiatra, non c'entrava nulla con l'omicidio di un bambino. Arrecare del male a Billy non rientrava in quel quadro clinico.

Io avevo subìto le sue menzogne e la sua aggressività in prima persona e lo riferii davanti alla corte.

Leggendo la sentenza finale, il giudice dichiarò, secondo la sua esperta opinione: «Farnham è un manipolatore narcisista più che un sociopatico. È perfettamente consapevole delle sue azioni».

Avrei voluto correre a baciarlo per aver impedito a Gareth di evadere la giustizia, ma naturalmente mi trattenni. Rimasi seduta con le dita intrecciate perché smettessero di tremare. Fissai dritto davanti a me, senza mai guardare Gareth, nemmeno quando arrivò il suo turno di parlare.

Nel momento in cui non fu in grado di giustificarsi, sentii il suo sguardo addosso, ansioso che lo ricambiassi per potermi iniettare il suo veleno silenzioso. Per minacciarmi di tenere la bocca chiusa, per implorarmi di aiutarlo... Era in grado di trasmettere tutte quelle cose senza dire una parola, tale era la portata del controllo che esercitava su di me.

Ma io non cedetti; non lo guardai.

L'ultima volta che i nostri occhi si incrociarono brevemente, lui era già un uomo condannato all'ergastolo, che stava per essere condotto in cella.

Avevo giurato che non gli avrei mai più rivolto la parola, né uno sguardo, e avevo promesso a me stessa di fare del mio meglio per non pensare mai più a lui.

Certo, era stato prima della mia scoperta nel ripostiglio di Ronnie.

Capitolo cinquantotto
Rose

Oggi

L'ora della decisione è giunta.

Potrei cercare di dimenticare la copertina di Billy. Me lo ripeto nella testa in silenzio, ma so che il solo pensiero è fantasia pura.

È assolutamente impossibile che io dimentichi una scoperta così scioccante, così grave.

Anche se riuscissi a spingerla verso i meandri più reconditi della mia psiche – impresa che non ha avuto grande successo con i traumi precedenti – avvelenerebbe tutto. Vivrei piena di interrogativi per il resto della vita e odierei me stessa per aver scelto la via più facile.

Potrei parlare con Ronnie per la terza volta, ma credo con tutta sincerità che non ne caverei un ragno dal buco. Dopo la nostra ultima conversazione, la sua memoria sembra più labile e lui non è ancora in forze. Un attimo prima lo guardo e vedo il mio vicino di casa premuroso e incoraggiante e quello dopo me lo immagino più giovane e vigoroso, capace di arrecare del male.

Ho parlato con Mike North, l'ispettore capo che aveva condotto le indagini, e nemmeno lui è stato in grado di fornirmi risposte solide. Solo suggerimenti fiacchi: riferirlo alla polizia, che però potrebbe decidere di non muoversi, perché ammettere un errore giudiziario e riaprire un caso chiuso implicherebbe una responsabilità enorme.

Potrei andarci comunque, ma sento che è proprio l'ultimissima opzione in ballo. Se Ronnie venisse traumatizzato dagli interrogatori e poi confermato innocente, non riuscirei più a vivere in pace con me stessa.

Finirei per distruggere l'unica vera amicizia rassicurante che mi è rimasta da quando è morto Billy. Verrei denigrata da tutti coloro che vogliono bene a Ronnie e non mi resterebbe altra scelta che trasferirmi altrove.

No. La mia prossima mossa è chiara, per quanto terrificante. Devo fare una cosa che avevo giurato a me stessa che non avrei mai fatto, che vanifica ciò che ho promesso a papà sul letto di morte.

Devo mettermi in contatto con Gareth Farnham.

Rabbrividisco e mi torco le dita così forte da farmi male. Eppure, sento che è l'unica decisione logica in questo momento.

Chiudo gli occhi e ripenso alle prime lettere che mi scriveva dalla prigione. Ne lessi solo un paio prima che la mamma distruggesse tutte le successive. Ma le prime due erano praticamente identiche.

Entrambe seguivano la stessa impostazione. Nel bel mezzo di una lunga invettiva in cui mi accusava di averlo abbandonato e tradito, di punto in bianco passava alle dichiarazioni d'amore.

Mi implorava di andare a trovarlo, di parlare insieme dell'accaduto. Diceva di avere delle cose da dirmi riguardo a quel giorno, cose di cui voleva parlare solo con me.

«Sta' lontana da lui, Rose», mi aveva intimato papà una mattina, gettando un'altra delle lettere di Gareth nel fuoco. «È diabolico e il suo unico obiettivo è quello di controllarti e distruggerti. Per l'amor di Dio, non caderci di nuovo».

Non se ne rendeva conto, ma mi faceva sentire una stupida quando mi parlava così.

So che lo meritavo in pieno. Insomma, che razza di idiota può permettere a qualcuno di manovrarle la mente al punto da non prestare più ascolto a chi le vuole bene, prendendo invece per Vangelo le parole di un perfetto estraneo?

Una volta vidi un documentario affascinante su certi parassiti schifosi che controllano la mente degli animali ospitanti.

Il batterio responsabile della toxoplasmosi è una creatura monocellulare che infetta i topi e i ratti modificando completamente il modo di pensare del roditore, al punto che quello non scappa più di fronte all'odore dei gatti, ma addirittura comincia a sentirsi attratto dai feromoni presenti nell'urina dei felini.

In poche parole, i topi smettono di nascondersi nei muri e finiscono dritti in pasto al nemico. A quel punto il parassita si riproduce nello stomaco dei gatti.

Ricordo di aver cambiato canale, perché la faccenda diventava inquietante.

In modo analogo, anch'io ero stata infestata da Gareth Farnham quando avevo diciotto anni. Gli avevo permesso di penetrare nella mia mente e in un certo senso lui mi aveva modificato il DNA.

Papà aveva ragione, eccome. Devo stargli lontana per il resto della vita. Ed è proprio quello che intendo fare... una volta ottenuto da lui quello che mi serve.

Scrivere la lettera si rivela subito molto più difficile della decisione in sé.

Parliamo dell'uomo che sta scontando l'ergastolo per aver ucciso il mio adorato fratellino Billy.

L'uomo che si è introdotto così abilmente nella mia testa e che ha rovinato le nostre vite.

Come faccio a trovare le parole giuste, quando in realtà vorrei solo sputargli in un occhio?

Il tono della lettera significa tutto. Non dev'essere troppo speranzoso. Va calibrato bene, altrimenti lui coglierà al volo l'occasione per manipolarmi di nuovo. Ma se è troppo distaccato, potrebbe ignorare la lettera.

Devo stuzzicare il suo interesse in qualche modo. Devo aggiungere qualcosa che riguardi lui; con Gareth Farnham funzionava sempre così.

Il gesto stesso di scrivere una lettera a mano sembra troppo personale. Ormai è tutto digitalizzato.

Alcune prigioni consentono le comunicazioni via e-mail, ma a me non piace l'idea che la mia lettera vaghi per il cyberspazio. Quando Gareth è stato condannato, la posta elettronica non era tanto diffusa. Lui potrebbe non essere pratico delle nuove tecnologie ed è meglio non correre il rischio.

Una lettera, per quanto sia difficile elaborarla, è molto più affidabile perché ha buone probabilità di finire nelle sue mani.

Ho carta e penna. Ho fatto ricerche su come si contatta un detenuto e recuperato l'indirizzo postale del carcere di Wakefield.

Non mi resta che scrivere.

"Caro Gareth", comincio.

La punta della penna slitta sul foglio, lo afferro e lo appallottolo. Non posso iniziare con "caro".

Prendo un altro foglio.

Gareth,
   dopo la morte di Billy, dicevi che...

Ancora troppo personale. Non voglio rivolgermi a lui in tono familiare, né tantomeno infangare la memoria di Billy citandolo nella lettera.

Appallottolo anche il secondo foglio e lo lascio da parte. La penna rimane sospesa sopra una nuova pagina bianca.

Risoluto, diretto e formale è senza dubbio l'approccio più adatto.

Alla c.a. di Gareth Farnham, Carcere di Wakefield

Diversi anni fa volevi discutere con me di certe informazioni in tuo possesso.
Se lo desideri ancora, mi trovo ora nella condizione di leggere una tua lettera.

Rose Tinsley
206, Tilford Road, Newstead Village, Nottinghamshire
NG15 0BX

Mi sfugge una smorfia nel riportare il mio indirizzo, pensando che i suoi occhi, un tempo pieni d'amore per me e alla fine sprezzanti, ci sarebbero andati a nozze.

Ma non è il momento di lasciare che le emozioni negative prendano il sopravvento. Lui sa già dove abito. Non gli sto comunicando niente di nuovo, senza contare che fornire il proprio recapito è una delle condizioni stabilite dal carcere di Wakefield per inoltrare la posta a un detenuto.

Rileggo il biglietto un paio di volte e poi, prima che diventi un'ossessione, lo ripiego e lo infilo nella busta già completa di indirizzo. Per ironia della sorte, la prigione di Wakefield, nello Yorkshire occidentale, si trova in una via chiamata Love Lane, "strada dell'amore". Destinazione curiosa per un individuo che ha distrutto così tanto amore, rifletto tra me e me.

Fisso la lettera per qualche istante.

Ce l'ho fatta.

Controllo l'ora sull'orologio alla parete e noto che sono quasi le nove di sera. Non esco mai con il buio: è una delle mie regole. Ma voglio imbucare questa lettera prima che mi assalga l'ansia.

Carica di spavalderia per averla scritta, mi infilo le scarpe e afferro le chiavi.

Posso farcela. Posso arrivare fino in fondo, per Billy.

Capitolo cinquantanove
Rose

Oggi

Come prevedibile, chiudo occhio a malapena e mi risveglio in una giornata uggiosa. Rivoli di pioggia scorrono come lacrime lungo la finestra della mia stanza.

Sono esausta e terrorizzata al pensiero di andare al lavoro.

Ieri sera, quando sono uscita di casa per imbucare la lettera, per strada c'era un silenzio inquietante. A parte un autobus che percorreva lento la via principale, con l'interno illuminato e qualche sparuto passeggero, non si vedeva traffico né anima viva.

Sono uscita dalla porta principale, controllando due volte di averla chiusa bene a chiave. Appena mi sono voltata e ho radunato il coraggio necessario a raggiungere la cassetta delle lettere in fondo alla via, i miei occhi hanno colto un movimento rapido.

Ho girato la testa di scatto, perlustrando la strada da cima a fondo.

Ecco, intravedevo qualcosa… uno spostamento nell'oscurità, una sagoma indistinta più che una persona. Ho sbattuto le palpebre e l'ombra è scomparsa, tutto appariva immobile. Che fosse stata solo la mia immaginazione iperattiva?

Ho guardato la lettera nella mia mano e ho esitato. Avrei potuto spedirla la mattina seguente andando al lavoro. Sarebbe partita comunque lo stesso giorno. Eppure…

C'era un che di definitivo nell'atto di imbucarla che mi ha spinta ad avanzare passo dopo passo, nonostante l'impressione di guadare nella melassa.

Ho infilato la busta nello stretto spiraglio della cassetta, che alla luce del lampione brillava di un rosso pericoloso. Dopo essermi guardata attorno e accertata che non ci fosse nessuno nei paraggi, sono tornata a casa di corsa. Letteralmente.

Chiave in mano, ho aperto la porta d'ingresso, l'ho chiusa sbattendola forte, ho girato la chiave e tirato il chiavistello.

Poi sono rimasta immobile, la schiena contro il freddo rivestimento in PVC della porta, a ridere di me stessa. Sarebbe mai giunto il momento in cui l'avrei piantata con quelle assurdità per vivere la mia vita in pace?

Alla fine, fuori non c'era nessuno che mi osservava di nascosto e nessun'ombra minacciosa si era dileguata tra i campi.

Eppure oggi vorrei tanto rimanere a casa e recuperare il sonno perduto in una stanza illuminata dal bagliore rassicurante del giorno. Purtroppo non ho scelta. La mia routine è la mia ancora di salvezza.

Mi faccio la doccia, mi asciugo i capelli e, mentre mi vesto, mangio una banana per colazione.

Al pensiero di dover passare da Ronnie a controllare che sia tutto a posto mi si stringe lo stomaco. Recupero tutto quello che mi serve per il lavoro, poi chiudo bene a chiave, per avviarmi verso la biblioteca direttamente da casa sua.

Due minuti dopo, salgo le scale della casa accanto.

«Sono io», annuncio.

Trovo Ronnie fuori dal letto, seduto a terra con aria frastornata. È pallido come un lenzuolo e ha la testa china da una parte.

«Ronnie!». Gli corro incontro.

«Sto bene», farfuglia lui, lasciandosi aiutare. «Dovevo andare in bagno e… ci sono riuscito, ma poi mi è venuto un capogiro mentre tornavo a letto. Le mie stupide gambe non hanno retto».

«Sei svenuto?».

Scuote il capo. «Solo caduto. Ora sto bene, Rose, vai pure al lavoro».

Eccolo lì, a preoccuparsi per gli altri come sempre. Ho un

bisogno disperato di sapere che è lui il *vero* Ronnie. Dev'esserlo per forza o potrei non riuscire mai più a fidarmi di un essere umano.

Sono proprio felice di aver imbucato la lettera ieri sera. L'unico modo per andare avanti è ottenere delle risposte da Gareth Farnham.

Prego che lui sia pronto, dopo sedici anni di riflessione, ad affrontare finalmente la verità.

In biblioteca, Jim mi gira attorno con una certa agitazione.

«Come ti senti oggi, tesoro? Non devi dare troppo peso alla visita di quegli idioti di ieri, sai. La decisione di chiudere la biblioteca non spetta solo a loro».

«Lo so, Jim, ma quei cosiddetti gruppi di consultazione giudicano sulla base dei suggerimenti ricevuti. Mi sembra di aver sprecato un'occasione fondamentale per dimostrare quanto sia importante la biblioteca per il nostro paese».

«Hanno lasciato mio nonno senza lavoro chiudendo le acciaierie nel nord del Paese, i problemi alla miniera hanno ucciso mio fratello e alla fine hanno chiuso anche quella». Jim serra la mascella. «Non lo faranno anche alla nostra maledetta biblioteca, Rose».

Quanto vorrei avere un briciolo della sua sicurezza. Le parole di Jim trasudano determinazione, ma non salveranno questo posto. Nell'ultimo paio di anni, sono state chiuse almeno cinque biblioteche nella nostra contea e di certo non sono mancate le proteste locali. È il bilancio a regnare sovrano e quelli sono andati avanti per la loro strada come niente fosse.

«Vado a spremermi le meningi», annuncia Jim con un sorriso. «La gente di qui mi sottovaluta spesso, Rose, ma non dovrebbe. Sai come si dice... Acqua cheta rompe i ponti».

Capitolo sessanta
Rose

Oggi

«Devi esserti sbagliata, Rose», dichiara la signorina Carter con tono gelido. «Ti prego di ricontrollare».

Ha appena fatto la sua apparizione al bancone per restituire tre libri, tutti in ritardo di un giorno. È prevista una piccola sanzione da pagare, ma lei non sente ragioni.

Sospiro e ripasso il lettore ottico sul primo libro.

«Ecco, vede?». Giro il monitor per mostrarglielo. «Il prestito scadeva il 23, signorina Carter».

Lei tende le labbra in una linea sottile e raddrizza il busto. «E che giorno sarebbe oggi, se mi è dato saperlo?»

«È il…». Abbasso lo sguardo sull'angolo a destra del monitor. «Oh!».

«Appunto». Il volto della signorina Carter si illumina di soddisfazione per aver avuto ragione. «Oggi è il 23, Rose».

«Sono mortificata, non so proprio come…», farfuglio, sentendomi avvampare. «Ero convinta che fosse il 24. Sono una stupida. Mi dispiace moltissimo, signorina Carter».

«Non importa, Rose», replica lei con tono caritatevole. «Capita a tutti di sbagliare».

E figurati se a me non capitava proprio con l'integerrima signorina Carter.

«Mi spiace», mormoro di nuovo, posando i libri da una parte, con la speranza che lei si allontani il prima possibile verso la sezione dei romanzi rosa.

Torno a immergermi nei pensieri che mi affollano la mente.

La cassetta nella quale ho imbucato la lettera ieri sera prevede il ritiro alle 9:30.

Se è un carcere efficiente, Gareth Farnham potrebbe ricevere la lettera già domani. Sarà così? So che gli addetti devono controllare il contenuto di qualsiasi comunicazione, ma io ho scritto solo poche righe, non devono mica spulciare l'intero *Guerra e Pace* di Tolstoj.

«Rose!».

L'esclamazione brusca mi fa alzare il capo di scatto e vedo la signorina Carter ancora davanti a me, china sul bancone per guardarmi dritta negli occhi.

«Ch... chiedo scusa!», balbetto. «Stavo solo...».

«Stavi vagando tra le nuvole, ecco cosa facevi», osserva la donna indispettita. «Ho chiesto, come sta il signor Turner?».

La fisso.

«Il tuo vicino?»

«Ah! Sì, molto meglio, grazie. È a casa e si sta riprendendo bene. A breve dovrebbe arrivare il figlio dall'Australia».

«Eric? Ma pensa. Spero non torni solo per reclamare i propri diritti sull'eredità; non è mai stato un granché come figlio e credo che Ronnie possa contare sulle dita di una mano le visite che ha ricevuto da lui negli ultimi dodici anni. Ma senza dubbio gli farà piacere». Sospira. «Mi metterò d'accordo con la signora Brewster per passare a trovarlo più tardi».

«Sta recuperando la mobilità a poco a poco, ma passa ancora molto tempo a letto», mi affretto a precisare.

«Non importa, non ci tratterremo a lungo». Mi rivolge un sorriso tirato e finalmente si allontana dal bancone per dirigersi verso la sezione di narrativa.

Dopo nemmeno un'ora, un uomo abbronzato in jeans e giacca sportiva fa il suo ingresso in biblioteca e si avvicina alla mia scrivania. «Ciao, Rose», saluta con un curioso accento misto, lo sguardo rivolto agli scaffali di libri che mi circondano.

«Eric! Non ti aspettavo, Ronnie diceva che avresti telefonato».

Scaccio dalla mente i pensieri vietati, il segreto che non dovrei conoscere.

«Figurati se non capiva fischi per fiaschi». Eric alza lo sguardo al soffitto. «Comunque sia, eccomi qui. Mi chiedevo se tu avessi la chiave di riserva, per evitare che si alzi dal letto per aprirmi».

«Ma certo. Solo un secondo». Rovisto nella borsetta e gli porgo la chiave. «Come stai?»

«Bene, grazie. E tu?». Eric ha la spiacevole abitudine di non guardarti mai negli occhi quando ti parla. Ricordo di averlo notato ai tempi in cui viveva ancora nella casa accanto.

Forse si è sempre sentito diverso senza sapere il perché. Forse i suoi genitori gli sembravano degli estranei alle volte e lui dava la colpa a se stesso. Un segreto di cui non sapeva nulla, ma che celava un'effettiva verità e lui la percepiva.

«Sto bene anch'io, grazie», rispondo, anche se mi sento uno schifo.

Segue qualche istante di silenzio. In realtà non abbiamo mai avuto niente da dirci. Eric ha tre anni più di me ma, nonostante fossimo vicini di casa, non abbiamo mai fatto lo sforzo di andare d'accordo.

Lui era un cocco di mamma. «Sempre appicicato alle sottane di sua madre», si lamentava la mia. Diceva che non poteva mai spettegolare in pace con Sheila senza che ci fosse Eric tra i piedi.

Io lo ricordo come un tipo solitario, ma Ronnie e Stella lo trattavano da principe. Non che la cosa abbia giovato a nessuno: di punto in bianco, lui ha levato le tende e nessuno lo ha più visto.

In un certo senso, ora comprendo meglio la sua decisione.

«Adesso sarà meglio che vada dal mio vecchietto rimbambito», dice sorridendo. «Ci vediamo».

I giorni si trascinano. Lavoro, casa, letto… il tutto arricchito dai continui controlli alle porte, alla strada davanti a casa, al cortile sul retro.

Più quelli che riservo a Ronnie due o tre volte al giorno.

La verità è che, nonostante i miei sforzi, non riesco a pensare ad altro: Gareth Farnham avrà letto la mia lettera?

Forse non l'ha ancora ricevuta. È così frustrante. Potrei telefonare al carcere, ma dubito che me lo direbbero.

Ecco che mi controlla di nuovo, pur non essendone consapevole stavolta.

Cinque giorni dopo aver spedito la lettera, alla fine dell'ennesimo, irrilevante turno di lavoro, riesco a frenare il desiderio impellente di comprare cibi di conforto al supermercato e marcio dritta verso casa sotto la pioggia leggera.

Di solito vado e vengo dalla porta sul retro, ma dato che piove opto per l'ingresso principale e mi introduco nel mio atrio minuscolo.

Mi tolgo l'impermeabile con un brivido e mi volto per appenderlo al gancio accanto alla porta. Sento qualcosa sotto il piede, abbasso lo sguardo e mi accorgo di aver calpestato la posta inavvertitamente.

Accendo la luce, ignorando le gambe tremanti, e mi chino a raccoglierla. Il volantino di una pizzeria con consegne a domicilio, la pubblicità di un'assicurazione sulla casa indirizzata in modo generico al PROPRIETARIO e una busta bianca con il mio nome e indirizzo stampati con cura sulla parte anteriore.

Lascio cadere il resto e mi rigiro la busta tra le mani. Niente suggerisce che arrivi dalla prigione ma, per qualche ragione, sembra diversa. Ci sono un codice a barre adesivo e un paio di scritte a mano illeggibili, come se avesse dovuto superare una specie di procedura di controllo.

Finché non apro la busta, non lo saprò.

Chiudo la porta a chiave e tiro il chiavistello, mi tolgo le scarpe nel punto in cui mi trovo e getto la borsa a terra. Poi mi siedo, infilo l'indice in un angolino non sigillato della busta e ne estraggo un unico foglio ripiegato.

Lo apro e lo stendo sulle ginocchia. Rimango delusa perché non è una lettera di Gareth Farnham, ma quando leggo la prima riga cominciano a tremarmi le mani.

Mi costringo a scorrere anche il breve paragrafo sottostante, puntando i gomiti contro i fianchi e deglutendo a fatica, lo sguardo fisso sull'intestazione del foglio stampata in grassetto.

PERMESSO DI VISITA
Il detenuto 364599 Gareth Benjamin Farnham ha accettato la richiesta di visita.

Si prega di selezionare di seguito tre possibili date e orari per la visita. Riceverà un'e-mail di conferma entro tre giorni lavorativi.

Accartoccio il foglio e lo getto a terra, lontano dai miei piedi.

Sento una morsa che mi stritola il petto quando comprendo le implicazioni contenute nella nota. Perché non mi ha scritto e basta? Non avevo considerato quest'eventualità...

Com'è possibile che riesca ancora a destabilizzarmi? Ho l'impressione di essere io la prigioniera.

Lascio la lettera sul pavimento e vado a stendermi in camera. Un solo pensiero mi rimbomba di continuo nella testa.

Non posso andare a trovarlo.

Proprio non posso.

Capitolo sessantuno
Rose

Oggi

Una settimana dopo, imbocco la M1 e la percorro dall'uscita numero 27 alla numero 40.

Sembra banale ma, per calmare il cuore che martella e rinfrescare le guance in fiamme, devo parlare con me stessa a voce alta per tutto il tempo. Non è solo una reazione al fatto che non guido in autostrada da anni, ma anche a ciò che mi attende alla fine del viaggio.

Preferisco non pensare allo stress e alla tensione che mi hanno travolta da quando ho ricevuto per posta il permesso di visita. Sono rimasta sdraiata in camera per ore a fissare il soffitto con occhi vitrei. Quando sono scesa, sono passata da Ronnie, poi mi sono messa a scrivere un'altra lettera per Gareth Farnham. Era identica alla prima, con un'aggiunta:

Non mi è possibile venire di persona. Attendo risposta via lettera.

Tre giorni dopo ho ricevuto un altro permesso di visita.

Ero così furiosa da volerlo ignorare, ma altrettanto disperata da intraprendere il viaggio per andare a parlare con lui. Dopo svariate notti insonni e un giorno di malattia dal lavoro, alla fine ha vinto la disperazione.

Mi fermo alla stazione di servizio Woodall, tra l'uscita 29 e la 30, e abbasso il finestrino anche se piove, per far circolare l'aria nella mia Ford Fiesta vecchia di dieci anni. Ho parcheggiato accanto a una fila di alberi all'apparenza desolati, ma avverto la presenza di un merlo da qualche parte. Sento il suo canto, un trillo profondo e così nitido che pare posato sulla mia spalla.

Magari avessi anche la mente così nitida. Starò facendo la cosa giusta? Faccio un respiro profondo a denti stretti e rilascio l'aria.

A essere sincera, non so se ci *sia* una cosa giusta da fare.

Appoggio il gomito sul bordo del finestrino aperto e lascio penzolare il braccio all'esterno, mentre una brezza leggera mi solletica le dita.

Se non fossi stata insieme a Billy, quel giorno all'abbazia, forse avrei trovato una spiegazione logica per la presenza della copertina a casa di Ronnie e mi sarei tolta quel pensiero dalla testa.

Ma non sarei riuscita a scacciarlo del tutto, come avrei potuto?

Anche perché io *c'ero* quel giorno all'abbazia e *so* che Billy aveva la copertina con sé.

Tutti adorano Ronnie e, se mai ne avessi dubitato, le tante manifestazioni di affetto e apprensione dopo la sua breve malattia lo hanno dimostrato a dovere.

Nel corso degli anni lui ha aiutato così tante persone che, se solo osassi suggerire il contrario, verrei subito additata come la strega cattiva.

Vengo distratta dai miei pensieri da una famiglia – genitori e due bambini piccoli – in procinto di infilarsi nella macchina parcheggiata accanto alla mia. Fratello e sorella chiacchierano eccitati e i genitori, nonostante l'aria sfinita, hanno modi rilassati e confortanti che non posso fare a meno di invidiare.

Un genitore da una parte e uno dall'altra, assicurano i due figli sui seggiolini posteriori e il padre sorride scuotendo il capo alla vista del portapacchi stipato di vestiti, giocattoli e valigie.

Anche mamma e papà si impegnavano affinché trascorressimo una vacanza tutti insieme, una volta all'anno. Di solito era una settimana al mare; molto spesso a Whitby o Morecambe. Ma l'anno che siamo stati a St Ives in un piccolo cottage mi è rimasto impresso nella mente.

La luce sfavillante, l'azzurro del mare e del cielo, il verso dei gabbiani quando ci svegliavamo al mattino e quando tornavamo dopo una giornata torrida sulla spiaggia.

Inauguravamo ogni mattina con una colazione sostanziosa, di quelle speciali che papà riservava alle domeniche a casa. Poi la mamma preparava il cesto del picnic, che consumavano sullo sfondo delle onde e con il sole che ci batteva sulle spalle.

La ciliegina sulla torta erano i gelati e le merende, e le cene giù al porto, a base di *fish and chips* divorati direttamente dai vassoi.

Avevamo stretto amicizia con la famiglia della casa accanto. La figlia, Bethany, era di un solo anno più piccola di me. Andavamo spesso insieme al negozio all'angolo, quando le nostre rispettive famiglie finivano il pane o il latte, oppure altre provviste essenziali.

Il proprietario del negozio, di cui non ricordo il nome, ci aveva prese in simpatia e ci dava consigli sui migliori locali per i giovani e noi ogni tanto lo aiutavamo a riportare dentro la lavagna con la lista dei sandwich, compito da sbrigare prima della chiusura, alle sei del pomeriggio.

Poi un giorno, poco prima che tornassimo a casa, la polizia fece visita al nostro cottage. L'aveva mandata il proprietario del negozio, che sospettava me e Bethany di aver rubato da sotto la cassa una sacca di stoffa contenente diversi assegni e circa cento sterline in contanti.

Fu orribile. Le nostre mamme scoppiarono in lacrime, i due papà si scambiarono sguardi diffidenti, come se ognuno dei due sospettasse della figlia dell'altro. Il giorno seguente scoprimmo che per il furto era stato arrestato un ragazzo del posto; lo aveva ripetuto in diversi negozi lungo la costa.

Tuttavia non ho mai dimenticato la sensazione di essere accusati, i tentativi vani e disperati di dimostrare la propria innocenza e la consapevolezza che più ti arrabbi e più ti credono colpevole.

Per anni mi sono chiesta se mamma e papà avevano dubitato di me, prima di scoprire che la polizia aveva stanato il colpevole.

Non voglio prendermi la responsabilità di far provare a Ronnie la stessa cosa, se è innocente. Lo stimo troppo.

Vado ai servizi e uscendo mi prendo un cappuccino. Devo berlo tutto prima di ripartire, perché la mia automobile non è dotata del lusso di un portabevande. Dico sempre che devo procurarmi uno di quegli anelli di plastica a ventosa, ma ultimamente è raro che usi la macchina.

Spesso mi chiedo se valga la pena sobbarcarmi la spesa di mantenerla, ma mi rassicura sapere che è lì, parcheggiata davanti a casa. Nel caso avessi bisogno di scappare in fretta.

Oggi mi è stato utile averla a portata di mano. Perché, dopo aver rimuginato all'infinito sulle possibili alternative, provo un'energia rinnovata all'idea di andare a Wakefield per fare visita a Gareth Farnham.

Devo rimanere forte e lucida e scoprire la verità. Dopotutto, è lui quello rinchiuso in cella.

E io non sono più la ragazzina ingenua del college... Che male può farmi ormai?

Capitolo sessantadue

Carcere di Wakefield, oggi

Rose fu costretta a fare il giro del parcheggio del carcere due volte prima di trovare un posto.

In circostanze diverse, avrebbe finto di essere nel posteggio di un centro commerciale... ma poi scese dall'auto e guardò alla sua destra. Di fronte a lei giaceva un edificio desolato color biscotto, con il tetto verde scuro e piatto, circondato da una lunga e imponente cinta muraria, che sembrava sfidarla ad avvicinarsi.

Rose chiuse la portiera a chiave e, borsa in spalla, avanzò verso il viale pedonale che conduceva alla prigione. Era consapevole di camminare troppo lentamente, trascinava i piedi e percorreva il tragitto più lungo, anziché tagliare in mezzo alle automobili parcheggiate.

Ma si concesse il tempo di cui aveva bisogno. L'importante era giungere alla meta, non quanto impiegava ad arrivarci. In fondo, aveva aspettato sedici anni.

Il cielo grigio non creava nessun contrasto con i colori cupi attorno a lei. Pesanti nuvole cariche di pioggia sovrastavano gli alberi alle spalle del carcere, minacciando di traboccare da un momento all'altro.

Mentre Rose raggiungeva l'edificio, le porte elettriche si aprirono con un soffio e ne emerse una coppia anziana. L'uomo cingeva con un braccio le spalle della donna, le cui guance erano rigate da lacrime irrefrenabili.

Tentò di non fissarli, ma ignorarli era impossibile. A mano a mano che si avvicinava all'ingresso, il suo cuore accelerava i battiti.

«Rose Tinsley», annunciò alla reception. «Sono qui per Gareth Farnham».

La donna di mezza età dietro al bancone controllò i documenti e le chiese di firmare il registro, poi le diede indicazioni per la stanza delle visite.

«Percorra tutto il corridoio, poi giri in fondo a destra. Verrà sottoposta a un paio di controlli di sicurezza, poi potrà procedere con la visita». Le sorrise, presumendo che Rose non aspettasse altro.

Il livello del rumore che le aggredì le orecchie sulla soglia della stanza la colse alla sprovvista.

Rose rimase pietrificata per qualche secondo a perlustrare con gli occhi la sala gremita. Uomini, donne e bambini, radunati a piccoli gruppi, ronzavano attorno come sciami di insetti.

Non sapeva cosa aspettarsi, ma nella sua ingenuità aveva immaginato un luogo tranquillo, con una guardia carceraria in piedi accanto al tavolo al quale avrebbe incontrato Gareth Farnham.

In effetti *c'erano* diverse guardie, sparse qua e là per la stanza, ma – Rose non poté fare a meno di constatare – non abbastanza vicine da impedire a un detenuto di tirare un pugno in faccia a qualcuno, se non peggio, se gli fosse saltato in mente di farlo.

Rose deglutì a fatica e osservò il fiume di teste attorno a lei.

La stanza era organizzata in modo spartano, con file di tavoli bassi e bianchi, ognuno accompagnato da quattro sedie nere di plastica dura.

Si stupì che i tavoli fossero tanto vicini da oscillare e traballare ogni volta che i bambini si infilavano correndo tra l'uno e l'altro, brandendo giocattoli da portare ai genitori noncuranti, che sembravano assorti in profonde conversazioni o si fissavano con aria d'accusa senza avere granché da dirsi.

«Permesso», disse qualcuno alle sue spalle con tono seccato.

«Scusi». Rose si affrettò a spostarsi dalla soglia che stava ostruendo ed entrò nella stanza. Ciononostante, non riusciva ancora a trovare il coraggio di avvicinarsi ai tavoli delle visite.

«Tutto bene?», chiese una poliziotta corpulenta con i capelli castani corti e un sorriso amichevole. «Prima volta?».

Rose annuì, contenta che qualcuno si prendesse la briga di preoccuparsi per lei. «Sì, sono venuta a trovare...». Perlustrò la stanza di nuovo per controllare se nel frattempo fosse comparso, poi tornò con lo sguardo alla poliziotta. «Gareth Farnham».

«Capisco». Rose era certa di averla vista sgranare leggermente gli occhi e fissarla con più attenzione prima di voltarsi verso la sala. «Non è ancora uscito, ma può aspettarlo al tavolo libero nell'angolo in fondo. Non riceve molte visite».

Restava solo una manciata di posti liberi e Rose si diresse verso quello indicato dalla guardia.

Si rese conto di aver trattenuto il fiato fino a quel momento e così, avanzando verso il tavolo vuoto, si sforzò di rilasciare la tensione che le attanagliava il petto.

Spostò una sedia e strizzò gli occhi sentendola stridere sulle piastrelle del pavimento, ma nessun altro sembrò notare quel cigolio irritante, in mezzo al chiasso della conversazione.

Rose posò la borsetta sulla sedia accanto e alzò lo sguardo, sollevata di vedere un poliziotto in uniforme con la schiena al muro, abbastanza vicino al suo tavolo.

Con grande fatica, attivò la respirazione "rilassante" – ovvero, dentro dal naso contando fino a tre e fuori dalla bocca contando fino a sei – poi intrecciò le mani di fronte a sé e si mise a fissarle.

Non voleva guardare gli altri detenuti e le loro famiglie. Parlavano, ridevano e, mentre attraversava la stanza, ne aveva scorti alcuni in lacrime, incuranti del contesto circostante. La maggior parte sembrava perfettamente a proprio agio in una situazione che ormai doveva essere diventata normale.

Rose si stupì dell'ambiente spoglio e desolato della prigione.

Come gran parte della gente, aveva letto sui giornali della vita di agi e comodità che i criminali conducevano nei confortevoli istituti penitenziari britannici, ma ora che ne vedeva uno con i propri occhi non sapeva se crederci.

Si respirava un'aria d'abbandono lì dentro, e l'assenza di speranza permeava ogni cosa.

Rose immaginò che chi era costretto a trascorrere giorno e notte in quel luogo per un certo periodo di tempo avrebbe cessato ben presto di prospettarsi un futuro roseo. Ancora più inverosimile le pareva l'idea che uno potesse ricominciare da capo nel mondo esterno, una volta scontata la pena.

Rose avvertì la presenza di una figura... un'ombra che incombeva su di lei.

Vide spostarsi la sedia di fronte e, di colpo, eccola lì... a guardare Gareth Farnham negli occhi.

Capitolo sessantatré

Carcere di Wakefield, oggi

Sedici anni prima, quegli stessi occhi l'avevano implorata di aiutarlo a dimostrare la sua innocenza. Rose si era rifiutata perché credeva sinceramente, come tutti, che avesse rapito lui Billy.

E lo credeva *ancora*.

L'istinto le diceva di voltarsi, invece si ritrovò a sostenere quello sguardo. Eccoli, quegli occhi da bugiardo che le erano parsi così affidabili.

Ma Rose non era più la stessa ragazza ingenua e impressionabile. Adesso sapeva che quell'uomo era marcio fin nel midollo. Sapeva di cosa fosse capace.

In quel momento non riusciva a individuare niente in quegli occhi: né rabbia né amore né rimpianto... Le parvero più cupi di come li ricordava, più vuoti.

Le labbra di Gareth, premute in una linea ferma e sottile, con gli angoli incurvati verso il basso, somigliavano alla bocca di uno squalo bianco.

«Ciao, Rose», esordì lui come niente fosse e si sedette. Le sovvenne che un tempo quella voce forte e profonda le faceva rammollire le ginocchia. Ora sembrava più lieve, più stridula.

Gareth intrecciò le dita, rispecchiando la posa di Rose.

Lei schiuse le labbra, ma non riusciva a parlargli. Non ci riusciva proprio. Aveva fatto appello a tutta la propria determinazione per non respingere la sedia e uscire al volo da quel posto, perciò si costrinse a riportare l'attenzione su di lui.

Era molto ingrassato. La pelle del viso e delle mani ridondava pallida e gonfia, e il mento e la fronte erano cosparsi di brufoli. Quando Gareth aprì la bocca per parlare, lei notò i denti gialli e trascurati.

«Oh, Rose. Cosa hai fatto ai tuoi bellissimi capelli?», mormorò lui.

Senza rendersene conto, lei si toccò timidamente le ciocche tinte di scuro e sistemate alla buona in un piccolo chignon. Rabbrividì nello sfiorare con le dita il collo nudo e sudato.

D'impulso abbassò la mano, ma a Gareth naturalmente non sfuggì e un sorrisetto gli attraversò le labbra.

«Sai quanto mi piacevano lunghi e rossi». Si protese in avanti e la fissò con intensità. «Forse li hai tagliati perché non volevi farti guardare da nessun altro. È così, tesoro?».

Rose sentì il calore infiammarle il viso e capì che stava per diventare paonazza. Senza alcun dubbio, Gareth si sarebbe goduto lo spettacolo plateale dei suoi nervi a fior di pelle, ma lei ormai si conosceva abbastanza da accettare di non poterci fare niente.

C'erano in ballo cose molto più importanti.

«Allora, come sta la mia Rosie?».

Lei non rispose.

«Alla fine sei venuta. Mi piacerebbe credere che è perché non puoi vivere senza di me». Gareth fece una pausa per studiare la sua espressione vacua. «Ma non ne sono così sicuro».

Rose infilò una mano nella borsetta ed estrasse una fotografia dalla tasca laterale. La fece scivolare sul tavolo e gliela mise di fronte.

«Ah», disse lui. «Billy».

Sentendolo pronunciare a voce alta il nome di suo fratello, a Rose venne voglia di prenderlo a pugni, invece gli parlò con tono impassibile. «Sì, sono qui per Billy».

Si sentiva la lingua gonfia e riarsa; le giaceva in bocca apatica, riluttante a formulare le parole che Rose aveva bisogno di pronunciare.

Si pentì di non aver preso un bicchiere d'acqua dalla macchinetta prima di entrare, ma ormai era troppo tardi. Doveva tenere viva l'attenzione di Gareth, farlo continuare a parlare.

«Non voglio parlare di Billy», dichiarò lui con freddezza. «Voglio parlare di noi».

«No. Sono qui per parlare di mio fratello».

Rose inspirò con forza dal naso, ma l'aria non raggiunse i polmoni e lei si sentì mancare il fiato.

Gareth si mosse sulla sedia e si avvicinò un po' di più.

«Sai, sento ancora il tuo sapore, Rose. Di notte, nella mia cella, mi immagino sopra di te, dietro… dentro. È questo che mi ha aiutato ad andare avanti in tutti questi anni».

Il calore le esplose sul viso, ma lo ignorò.

«Che dolce». Gareth sorrise e fece scivolare la mano verso quella di Rose. Lei ritrasse le dita e spostò entrambe le mani sotto il tavolo. «Sei ancora una ragazzina timida, dopo tanto tempo». Gareth piegò la testa da una parte e la osservò per qualche istante, come per ponderare qualcosa.

«Non sei più stata con nessun altro dopo di me. Si vede che sono ancora l'unico».

«Perché non la pianti?», sbottò lei.

Gareth tirò indietro la testa e scoppiò a ridere. «Accidenti, ho toccato un tasto dolente, eh? Ti leggo come un libro aperto, Rose. *Ti conosco.* So tutto di te».

Rose ingoiò il boccone amaro e guardò la fotografia di Billy. L'aveva scattata lei al parco, pochi mesi prima della sua morte. Il fratellino penzolava dal castello per l'arrampicata come una scimmietta, il viso pieno di vita, gioia e audacia.

«Finora hai scontato metà della pena». Rose si stupì del tono calmo della propria voce. «Inutile negare ancora l'accaduto».

Vide le dita di Gareth tamburellare a ritmo sul tavolo e notò le unghie dei pollici lunghe e curate.

Distolse lo sguardo.

«Potrei uscire prima per buona condotta, dicono. Sapevi di

questa eventualità? Tu e io… potremmo riprendere da dove abbiamo interrotto, Rose». La lingua di Gareth guizzò fuori e sparì di nuovo. «Ti piacerebbe?».

Rose percepì un sapore metallico in bocca e si accorse di essersi morsa la lingua. Rilassò la mandibola e guardò Gareth, sbattendo le ciglia di proposito. Che pensasse pure di avere un'altra occasione… ne valeva la pena, pur di arrivare alla verità.

«Dimmi cosa ne hai fatto della copertina di Billy», gli sussurrò, torcendosi le mani sotto il tavolo.

«Perché mi fai una domanda del genere, così di punto in bianco? Sembra molto specifica, Rose?».

«Per nessuna ragione», si affrettò a precisare lei. «Mi sono sempre chiesta che cosa ne avessi fatto».

Lui assottigliò lo sguardo. «Stai mentendo. Te lo leggo in faccia. Cos'è successo? Sono emerse nuove prove?».

Rose avvertì un pizzico di panico nel constatare che tutto quello che le passava per la testa, i pensieri e le preoccupazioni erano così trasparenti per lui.

«Me lo chiedo da sempre», ripeté. «Ecco perché sono qui, per avere la risposta. Avrei preferito riceverla per lettera, ma…».

Gareth la interruppe con una risatina lunga e profonda.

«Bel tentativo, Rose, ma ti è andata male. Come ho già detto, ti conosco. Nemmeno una mandria di cavalli selvaggi sarebbe riuscita a trascinarti qui se non per una ragione speciale».

Capitolo sessantaquattro
Rose

Oggi

Rientrata a casa, lascio cadere la borsa ai piedi delle scale... e mi blocco.

Con i peli ritti sulla nuca, avanzo lentamente verso il salotto. C'è qualcosa di... diverso. Un sottile cambiamento d'atmosfera, niente di più.

Perlustro la stanza. Sembra tutto come l'ho lasciato. Il permesso di visita ancora sul bracciolo della poltrona, la tazza e il piatto che mi sono dimenticata di riportare in cucina.

Scuoto la testa. Mi sto lasciando trasportare dall'ansia.

Sfilo le ballerine e salgo a farmi una lunga doccia calda.

Chiudo gli occhi e piego la testa, sbattendo le palpebre quando gli aghi di acqua bollente mi pizzicano il collo e i muscoli delle spalle tesi.

Inspirando l'aria densa di vapore, provo a immaginare la patina di sporcizia invisibile, lasciata sulla mia pelle dalla visita a Gareth Farnham, che si dissolve e sparisce per sempre nello scarico.

Ma per quanto mi insaponi e strofini più volte, riesco ancora a percepirla. Incollata e unta, uno strato di grasso che mi ostruisce i pori. Tuttavia, quando alla fine riemergo dalla doccia, grazie al cielo mi sento più pulita.

Epurare anche la mente risulta più difficile.

Le parole di Gareth si sono ancorate nella mia testa, come una zecca che si aggrappa a un povero cane o gatto, annidandosi a fondo sotto la pelle.

Con la mano ripulisco lo specchio dal vapore e osservo il mio viso arrossato. I capelli umidi si rizzano a ciuffi, risultato del pessimo taglio che mi sono fatta fare in un piccolo salone in un vicolo di Hucknall, ancora dotato di una serie di vecchi caschi asciugacapelli fissati al muro.

Inutile negarlo: non mi dona per niente. Ma era così che lo volevo; parte del processo di guarigione implicava liberarsi dei lunghi capelli rossi e ricci che Gareth adorava. In fondo, in quel periodo lontano, avevo l'impressione che i miei capelli appartenessero più a lui che a me.

Eppure, nonostante l'odio che provo per lui, le sue critiche hanno fatto di nuovo centro. Come accadeva sedici anni fa, ho provato l'impulso di compiacerlo e di evitare la sua disapprovazione.

Cosa diavolo c'è di sbagliato in me?

Perché la mia prima reazione è quella di fare la marionetta come allora?

Mi sentivo pronta quando sono arrivata in prigione, ma più lui parlava e mi guardava in quel modo, più avvertivo la vecchia me stessa risvegliarsi... la giovane Rose, che riaffiorava esitante. E lui se n'è accorto.

Il mio piano era semplicissimo: arrivare al sodo in maniera rapida e concisa. Pretendere da Gareth che dicesse la verità su Billy.

Di sicuro, pensavo, dopo tanto tempo in cella si sarebbe convinto a liberarsi di quel peso.

Invece lui ha stravolto subito i piani. Nonostante i miei sforzi, nel giro di pochi minuti ha preso in mano la situazione. Riflettendoci, non so nemmeno come ci sia riuscito.

Nella mia fantasia, lo immaginavo prostrato da anni di carcere.

Vedevo un uomo consumato dal rimorso, che avrebbe colto al volo l'occasione di dirmi finalmente la verità su Billy. Mi sbagliavo di grosso.

Per i primi tre mesi, dopo la sentenza del giudice per l'omicidio di mio fratello, Gareth Farnham mi scrisse ogni singolo giorno. A volte, anche più di una lettera al giorno; ne cadevano anche due o tre nella fessura delle lettere.

Cominciai a temere quel suono, il clangore della ribalta di metallo e il tonfo sordo delle buste sul tappetino d'ingresso. Dopo le prime due, i miei genitori distrussero le altre senza nemmeno aprirle.

Nei tre mesi seguenti passammo a due o tre lettere alla settimana, che poi si ridussero a un paio al mese per i successivi sei mesi.

Come se non bastasse, seguirono le telefonate. Quotidiane per i primi dieci giorni, calate a tre o quattro alla settimana nelle settimane successive.

All'epoca mamma e papà erano ancora vivi, perciò non ero sempre io a rispondere al telefono per essere accolta da un messaggio registrato.

Una voce incorporea ci chiedeva di accettare una chiamata da un detenuto del carcere di Wakefield.

Le prime volte, papà si metteva a gridare e imprecare contro la cornetta finché la mamma non gli spiegò che in quella fase della chiamata non c'era nessuno ad ascoltare all'altro capo del telefono. Ben presto, ci limitammo a dire solo: «Di nuovo la prigione», e a riporre il ricevitore.

Non riuscivamo a pronunciare il suo nome.

Dopo le prime settimane, chiudemmo le chiamate senza più specificare chi fosse. Sapevamo chi cercava di mettersi in contatto con noi e il solo pensiero ci rivoltava lo stomaco.

Poi, così com'era iniziata, qualunque tentativo di contatto cessò di punto in bianco, poco prima di arrivare a un anno. Nessuna lettera, nessuna chiamata… niente di niente.

«Con un po' di fortuna, qualcuno lì dentro l'ha fatto fuori», ripeteva papà speranzoso, ma sapevamo che non era così, perché l'ispettore North ci avrebbe subito informati.

Distolgo lo sguardo dallo specchio e comincio ad asciugarmi.

Vorrei aver conservato le lettere che mi inviava. Perché non ho mai pensato che prima o poi sarei stata abbastanza forte da aprirle, da volerne esaminare le parole ambigue in cerca degli indizi della sua colpevolezza?

Per quello che ne so, una di quelle lettere avrebbe potuto contenere una confessione. Troppo tardi per scoprirlo ormai e, comunque, so perché non ci ho pensato due volte a liberarmi delle sue lettere.

Nella mia mente non c'era ombra di dubbio.

Ero fermamente convinta della colpevolezza di Gareth Farnham.

Quando la polizia lo arrestò e accusò dell'omicidio, nessuno in paese ebbe la minima esitazione. Quando testimoniai al processo contro di lui, ero più che convinta di fare la cosa giusta.

Nella mia mente, il piccolo dettaglio della ricevuta che dimostrava la presenza di Gareth da tutt'altra parte era solo il tentativo a malapena celato di sfuggire alla giustizia per l'omicidio di mio fratello. A quel punto, ormai, non credevo più a una singola parola che gli uscisse di bocca.

Era senza vergogna, lo sapevamo tutti. Avrebbe strozzato anche sua nonna per salvarsi la pelle.

Aveva strangolato il mio fratellino in un accesso patetico di gelosia. Vivrò per il resto della vita consumata dal senso di colpa.

Billy è morto a causa mia e della mia decisione di intraprendere una relazione con Gareth Farnham.

Nei giorni che precedettero il suo arresto, fu come se qualcuno avesse puntato un faro sui meandri più oscuri della mia vita. Cominciai a vedere tutto con una nitidezza cruda e dolorosa.

Il modo in cui si era insinuato di proposito e a tempo di record nella mia vita, controllando ogni minimo dettaglio del mio aspetto. Censurando quello che leggevo o guardavo alla TV.

Mi domandai perché, se era tanto ovvio, io non fossi mai riuscita a capirlo.

Ancora adesso non ho la risposta.

Una leggera folata di vento mi scuote dai miei pensieri. Mentre vado in camera, mi pietrifico sul pianerottolo con gli occhi sgranati. La finestra della camera degli ospiti è socchiusa.

Corro dentro e la chiudo bene, con la mano che trema.

Apro regolarmente le finestre del primo piano per arieggiare le stanze ma... non le lascio mai, mai spalancate. Fa parte della mia routine. Controllare, controllare, controllare... non faccio altro.

Che sia così stressata negli ultimi tempi da dimenticare di applicare alla lettera le misure di sicurezza? Ripenso alla strana sensazione che ho provato entrando in casa, come se ci fosse qualcosa di diverso... eppure era tutto come l'avevo lasciato.

La spiegazione è una sola.

Alla fine, riprendere i contatti con Gareth Farnham mi sta portando alla follia...

Capitolo sessantacinque
Rose

Oggi

«Come sta Rose, oggi?», chiede Jim alle mie spalle quando arrivo al lavoro.

«Come? Oh, bene, Jim, grazie. Scusa, negli ultimi tempi sono un po' distratta, in questi giorni hai dovuto ripetermi ogni cosa almeno una volta».

«Non preoccuparti, tesoro. Sei stata una brava vicina per Ronnie, ma le nostre care vecchiette dicono che si sta riprendendo. Credo che il ritorno di Eric gli abbia fatto bene».

Sorrido, al pensiero di cosa direbbero la signorina Carter e la signora Brewster se sapessero come Jim le ha appena chiamate. Mi solleva sapere che mi creda soltanto impegnata a occuparmi di Ronnie. Dio solo sa cosa penserebbe di me se scoprisse che sono stata da Gareth Farnham.

Nel pomeriggio, la signora Brewster si ferma alla mia scrivania. «Hai dei bei capelli, oggi, Rose», osserva, piegando il capo di lato per studiarmi. «Hai una luce diversa in viso».

«Oh», mormoro, rigirandomi tra le mani la sovraccoperta di un libro. «Grazie».

«Non sarai una di *quelle persone*, vero, Rose?». La donna si corruccia e mi scruta da sopra gli occhiali con la montatura dorata, finché non alzo lo sguardo. «Intendo quelle che si sentono più a loro agio di fronte a una critica piuttosto che a un complimento». Mi sorride con aria di rimprovero, se la cosa è possibile, come si farebbe con un bambino birichino.

«No», replico allegra, agitandomi sulla sedia e allontanando lo sguardo dai suoi occhi penetranti. «Sono solo occupata. Sa come funziona qui, c'è sempre da fare».

La verità è che non ricevo complimenti spesso e, nelle rare occasioni in cui capita, mi si accappona la pelle in segno di protesta. Come adesso, sotto lo sguardo della signora Brewster.

Di primo acchito penso sempre che chi mi porge un complimento stia mentendo, o che dica qualcosa di carino solo per farmi stare meglio. Perché dovrebbe pensarlo sul serio?

Ricordo che, qualche mese dopo la morte di Billy, la terapista mi illustrò un concetto che lei definiva "autodisprezzo".

«È un modo per sopravvivere», spiegò Gaynor nel tipico modo contorto di esprimersi dei terapisti. «Nutrire basse aspettative per evitare ulteriori delusioni».

In un paio di sedute "approfondimmo il concetto", per usare la terminologia a lei così cara.

«Voglio che pensi alle cose che ti ripeti di continuo, Rose», suggerì. «Le parole che ti risuonano nella mente come una musica che riparte sempre da capo. Intendo quelle che sono lì da tanto di quel tempo che non ci fai più caso».

Temporeggiai, per far passare i minuti della seduta, ma Gaynor non ci cascò. Appoggiò la schiena alla poltrona, incrociò le mani in grembo e attese in silenzio.

«Credo di ripetermi piuttosto spesso di essere una persona cattiva», mormorai.

«E perché?», pungolò lei. «Perché credi di essere una persona cattiva?»

«Per quello che è successo a Billy», risposi, come se fosse ovvio.

«Non sei stata *tu* a fargli del male».

«No, ma è successo per colpa mia», mi affrettai a replicare, ansiosa di concludere. «Sono stata io a portare Gareth Farnham nelle nostre vite. Io ho smesso di passare del tempo con Billy, forse se avesse sentito di poterne parlare con me, avrebbe potuto…».

Deglutii a stento per via della gola secca, ma scossi il capo quando Gaynor mi offrì dell'acqua.

«Cos'altro ripeti a te stessa?».

Feci spallucce, poi dissi la seconda cosa che mi balenò per la mente, per evitare quell'orribile silenzio. «Che nessuno mi desidererà più».

Detestavo quell'autoanalisi. Sembrava così indulgente, tanto per cominciare, quando l'unica vera cosa importante era che avevo perso mio fratello.

Io, io, io. Nessuno avrebbe mai desiderato la scialba e vecchia me.

Ma è proprio quello che ripeteva sempre Gareth Farnham verso la fine e io sapevo che era vero. La sensazione di inferiorità era nata allora, si era annidata dentro di me e non mi aveva più lasciata.

Ogni tanto, prima di tagliarmi i capelli, mi capitava di vedere qualche uomo lanciarmi occhiate d'apprezzamento. Io le rifuggivo subito come se scottassero, nascondendo il viso dietro i capelli finché quelli non proseguivano oltre.

Forse gli altri non riescono a vedere i miei difetti, ma io so di averli da un sacco di tempo e di non essere nemmeno lontanamente degna di suscitare l'interesse di una persona perbene.

Comunque sia, ho affrontato le mie paure. Ho fatto molto di più che scrivere una lettera a Gareth Farnham, gli ho parlato faccia a faccia.

Speravo che notasse quanto sono cambiata. Che la mia vita è andata avanti lo stesso senza di lui.

Esulterebbe, se solo sapesse la verità sulla mia patetica esistenza.

Capitolo sessantasei
Rose

Oggi

Tiro giù la scala e salgo titubante. Arrivata in cima, clicco sull'interruttore a pavimento e la luce si accende di colpo. Mi stupisce che funzioni ancora, ma papà era bravissimo nei lavoretti di casa e, conoscendolo, avrà scelto una lampadina con una durata di almeno quindici anni o giù di lì... sempre che esista.

Prendo fiato e mi destreggio per salire sull'attico, impresa più facile a dirsi che a farsi. L'ultima volta che sono venuta qui per aiutare papà a organizzare gli spazi, ero una ragazza forte e sana, non un mucchietto di ossa denutrito.

Mi siedo un attimo e osservo le mie gambe che penzolano fuori dalla botola. L'immagine riflette più o meno come mi sento dentro: il corpo nel mondo reale e la mente annebbiata da pensieri oscuri e alternative intollerabili che mi spaventa esplorare.

La mamma aveva fatto un bel repulisti e tutto ciò che aveva voluto conservare senza ingombrare lo spazio abitabile era finito qui. Dopo il funerale di Billy, quando cominciammo a ricomporre i pezzi delle nostre vite, papà infilò tutta la roba – documenti, appunti, contatti e recapiti – in una grossa scatola di cartone e l'abbandonò quassù.

La mamma aveva annotato con estremo puntiglio ogni informazione che secondo lei avrebbe potuto tornarci utile. Da piccola, aveva lavorato per anni come segretaria volontaria per il comitato del paese, perciò ci sapeva fare con il lavoro d'ufficio.

Non abbiamo mai toccato niente; perché avremmo dovuto? La scatola delle prove, come l'avevamo chiamata, è rimasta intatta da quando papà l'ha confinata in soffitta. L'assassino era stato arrestato, processato e condannato all'ergastolo. Dopo il nostro crollo, erano stati l'ispettore North e la sua squadra ad abbinare i pezzi sparsi fino a ricomporre l'orribile quadro.

Non volevamo rivivere l'accaduto, ma neppure liberarcene del tutto. La scatola dimostrava che avevamo fatto del nostro meglio per Billy, setacciato ogni angolo e analizzato ogni minima informazione che ci era capitata tra le mani.

E ora... ora che tutte le mie certezze minacciano di sgretolarsi, sono proprio felice e grata di averla conservata.

Mi trascino con il sedere sulle assi polverose di truciolato sistemate da papà e tiro su le gambe. Ci sono un sacco di scatoloni quassù, più di quanti ricordassi. È buffo che la mamma sentisse il bisogno di conservare tutta questa roba... e che una volta collocata in soffitta non l'abbia mai più toccata.

Mi sposto lentamente da una scatola all'altra, sbirciando qua e là. Decine e decine di fotografie di scuola, sia mie sia di Billy. E biglietti d'auguri, scritti con amore, che la mamma non se la sentiva di buttare via. Mi si serra la gola aprendone uno con la scritta BUON COMPLEANNO, MAMMA, in cui riconosco la grafia infantile di Billy.

Percorro con l'indice le parole e le righe sottili che lui tracciava con matita e righello per scrivere dritto.

«Oh, Billy», sospiro piano. «Mi manchi tantissimo».

Mio fratello avrebbe compiuto ventiquattro anni quest'anno. Era alto per la sua età; la mamma diceva sempre che avrebbe superato il metro e ottanta. Sarebbe stato strano da vedere... il mio fratellino che mi superava di una spanna. Non saprò mai cosa si prova.

Chissà se ce l'avrebbe fatta a diventare un pilota come sognava. Forse no. Non credo che sarebbe stato capace di affrontare degli studi tanto impegnativi, ma che importa? Avrebbe avuto successo in qualunque altra cosa avesse scelto di fare ed è questo che conta.

Ripongo con cura i biglietti di auguri nella scatola e la richiudo, per proteggerla dalla polvere e dai segni del tempo, che ormai non possono più infierire su Billy.

Sono in soffitta solo da cinque minuti e sento già un grosso peso dentro, come se mi avessero risucchiato tutte le energie. Non voglio spulciare tra i ricordi per rivedere tutto quello che ho perso: mamma, papà, Billy... tutta la mia famiglia.

Mi dirigo verso l'estremità opposta della stanza. La soffitta è piccola, come il resto della casa. Le pareti in calcestruzzo su entrambi i lati dell'edificio ci separano dalle case accanto. Quando ero ragazzina, lessi una serie di thriller in cui l'assassino strisciava di sottotetto in sottotetto per sbirciare nelle abitazioni dei vicini. Mi terrorizzò al punto che non riuscii più a chiudere occhio, finché un giorno papà, sbellicandosi dalle risate, mi portò in soffitta e mi mostrò quelle pareti divisorie.

La maggior parte delle scatole sono bianche. Trovo subito quella che mi serve: è di cartone comune, un po' più piccola delle altre, poco distante da me. Avanzo a passo lento e impiego molto più del necessario a raggiungerla. Prendo tempo, fingendo di controllare dove metto i piedi.

I lembi della scatola sono aperti e i brandelli di scotch, che ormai non incollano più, penzolano lungo i lati come inutili viticci arricciati. Strano, perché ho il distinto ricordo della mamma che, con estrema cura, rivestiva il pacco di uno strato di carta da pacchi e poi ne fissava i due lembi con lo scotch. La stessa donna che tappava le creme solari con l'adesivo quando, ogni tanto, andava via per il week-end con papà.

Mi chino e spalanco la scatola. Sembra che qualcuno l'abbia rovistata. Chi può essere stato? Non c'è modo di capire se sia accaduto la settimana scorsa o sedici anni fa. Provo a convincermi che sia un dettaglio insignificante, ma mi si forma in gola un groppo grande come una noce.

Non ho la forza di passare in rassegna l'intero contenuto della scatola. Un giorno lo farò, quando sarà il momento. Per ora, mi limito a cercare l'agenda sulla quale la mamma annotava i numeri di telefono.

Estraggo un quadernino, convinta che sia quella, invece è un libretto di preghiere bianco con il nome di Billy stampato sulla copertina a caratteri dorati. Forse il dono di un compaesano di buon cuore per confortare mamma e papà. Mentre lo sollevo, ne scivola fuori qualcosa che si era incollato dietro la copertina.

È una lettera.

Osservo la grafia e un brivido mi percorre da capo a piedi. Non è una lettera *qualunque*: è una lettera di Gareth.

Trasalisco, pietrificata per qualche secondo. Sono sicurissima che tutta la posta che mi aveva inviato era stata distrutta.

Con mani sudate e incerte, la estraggo dalla busta e la apro. E mi ritrovo a leggere le sue parole velenose.

Mia carissima Rose,
   mi dispiace molto per la tua terribile perdita.

   Un giorno scoprirai che sono innocente. E allora capirai di avermi tradito, abbandonato nel momento del bisogno. Io non ti avrei mai abbandonata, Rose, ma ti perdono. TI PERDONO per non avermi ascoltato, aiutato…

   HO BISOGNO DI PARLARTI, ROSE.

   Non è troppo tardi. Ci sono cose che devo dirti… cose che proverebbero la mia innocenza, così tu e io potremmo tornare insieme.

   Mi dispiace tanto per quello che è accaduto al povero Billy, ma non è stata colpa mia, mio tesoro. Il vero assassino è ancora libero e vive la sua vita impunito.

   Nessuno mi ascolterà. Nessuno vuole stare a sentire che non ho fatto niente. L'intero paese mi ha condannato nel momento stesso in cui Billy è sparito.

Ma mi aspettavo di meglio da te, Rose. Credevo sinceramente che tu mi amassi.

HO BISOGNO DI PARLARE CON TE. Ti prego, Rose. L'assassino di Billy dev'essere punito SUBITO.

Non importa se vicini o lontani, Rose, ricordalo sempre... tu sarai MIA PER SEMPRE.

Con tutto il mio amore,

G

Accantono la lettera e chiudo gli occhi, pregando che le sue vili parole e menzogne mi lascino in pace. Non avrei mai dovuto leggerla.

Tremo, incrocio le braccia sul petto e mi stringo forte, dondolando avanti e indietro.

Come fa a esercitare ancora tanto potere su di me, dopo tutti questi anni? Come ho potuto andare a trovarlo... dargli l'opportunità di controllarmi di nuovo?

Dopo qualche istante, riprendo il contegno e recupero l'agenda della mamma. In fondo, proprio dove l'avevo lasciata, c'è una piccola busta bianca contenente un frammento di carta.

Mentre ripongo il resto nella scatola, mi cade l'occhio sul titolo di un giornale ripiegato:

ARRESTATO UN UOMO, VENTOTTO ANNI, PER L'OMICIDIO DEL BAMBINO

Le parole di Gareth mi rimbalzano nella mente: *Il vero assassino è ancora libero e vive la sua vita impunito.*

Prendo la busta e mi alzo per scendere. Lascio la scatola aperta e in disordine. Proprio non capisco come una scatola piena di oggetti possa esercitare un tale controllo su di me... ma non posso più accettarlo.

Spengo la luce e scendo la scala.

Vado alla porta per controllare la posta e mi blocco. C'è qualcosa, incastrato nella fessura.

Avanzo e lo sfilo dalla porta. È una busta marroncina e consumata, con una finestrella. All'interno c'è un foglio di carta bianca ripiegato.

Senza spostarmi da lì, lo apro e leggo le sei parole stampate.

Non svegliare il can che dorme.

Capitolo sessantasette

Carcere di Wakefield, oggi

«Ciao, Rose, è bello rivederti», disse Gareth, scostando la sedia per accomodarsi. «Mi hai portato le cose che ti ho chiesto? Il sapone Imperial Leather e le riviste?»

«Sì», mentì lei. «Ma ho dovuto lasciare il pacco all'entrata».

«Grazie, lo apprezzo molto». Le sorrise. «Allora, cosa hai fatto di bello da quando ci siamo visti la settimana scorsa?».

Le parlava con uno strano tono colloquiale, come se si fossero appena trovati al pub per una birra.

Rose trattenne l'impazienza e rispose.

«Le solite cose. Lavoro e qualche visita a Ronnie, il mio vicino. È stato poco bene».

«Oh, mi dispiace molto», replicò lui senza la minima apprensione nella voce. «Ha vissuto una bella vita, però, no? Ormai è agli sgoccioli e tu hai fatto tanto per lui, Rose; chissà, magari ti lascia la casa in eredità».

Rose scoppiò a ridere. «Dubito. Ha un figlio, Eric, che vive in Australia».

Gareth alzò lo sguardo, interrogando la memoria. «Sì, mi ricordo di Eric. Un tipo losco, un po' solitario, mi pare».

Senti da che pulpito viene la predica, pensò Rose. Quanto avrebbe goduto uno come lui se avesse scoperto il segreto di Eric.

«Credo sia sposato, ora». Rose fece spallucce, guardandolo dritto negli occhi. «Quando Ronnie è stato ricoverato in ospedale per qualche giorno, gli ho pulito tutta la casa, anche il primo piano».

«Sei proprio un angelo, eh?», ammiccò lui senza indugio. «Sempre pronta ad aiutare gli altri, eppure non hai aiutato me quando ne avevo un bisogno disperato, vero, Rose?»

«La mia priorità era mio fratello», rispose lei, chinando lo sguardo sulle mani e ripensando alle parole della lettera. «Non puoi farmene una colpa, ma forse ora possiamo aiutarci a vicenda».

Gareth sollevò la testa di scatto. «In che modo?»

«Tu mi dici cosa ne hai fatto della copertina di Billy e io ti porterò tutto quello che ti serve».

Gareth rise. «Ecco che provi a fregarmi di nuovo, Rose. Temo che tu abbia adottato qualche subdola abitudine da quando mi è toccato lasciarti».

«Cosa vuoi dire?»

«È successo qualcosa. Nessuno aspetterebbe sedici anni per fare certe domande. Nemmeno tu».

«Tu dimmi perché l'hai fatto. Hai sempre negato da vero vigliacco... Voglio sapere com'è andata quel giorno».

Rose si tappò la bocca, arrabbiata con se stessa. Fino a quel momento era riuscita a tenere a bada l'astio, ma era così difficile.

«Se c'è una cosa che non sono, ragazzina, è proprio vigliacco». Gareth la gelò con gli occhi e il suo viso si incupì come lei ricordava bene, facendole aggrovigliare le viscere.

Scacciò quel ricordo, rammentò a se stessa di non essere più la *ragazzina* di Gareth ormai. Non era proprio la ragazzina di nessuno, era una donna. Una donna finalmente decisa a scoprire la verità.

«Allora dimostralo!».

«Rose, Rose», ridacchiò lui sotto i baffi. «Non litighiamo, dài; abbiamo atteso così tanto per ritrovarci».

«Se davvero tenessi a me, me lo diresti», insisté Rose. «Mi diresti cos'è successo a mio fratello».

«Farei di tutto per te, Rose, lo sai». Il volto di Gareth diventò serio. «Ma non posso esaudire la tua richiesta perché non ho ucciso io Billy».

Lei sospirò.

«Ammetto di averti mentito ogni tanto quando stavamo insieme, Rosie. Come tutti gli uomini, siamo fatti così». Gareth tese in avanti i palmi delle mani e alzò le spalle. «Ma il giorno in cui ti ho detto di essere innocente per l'omicidio di Billy, ero sincero. So che è dura da accettare, Rosie, ma la verità è questa: l'assassino di Billy è ancora libero».

Le parole della lettera riecheggiarono nella mente di Rose.

«Piantala!», gridò a voce così alta da attirare lo sguardo preoccupato di una guardia. Fece un cenno di scuse e tornò con gli occhi a Gareth. «Se continui a mentire, non verrò più a trovarti».

«Non sto mentendo», sibilò lui, mostrando quei denti ingialliti che un tempo formavano il sorriso ammaliante da lei tanto amato.

Rose trasse un bel respiro e si decise a pronunciare le parole successive, prima che le mancasse il coraggio. «A chi hai chiesto di portarmi quel messaggio? Non sono ancora andata alla polizia ma lo farò, se costretta».

«Non ti ho mandato nessun messaggio», tagliò corto lui.

«Nessuno sa che sto venendo qui, a parte noi. Ieri sera ho trovato una busta infilata nella porta».

«Io non c'entro niente», rispose lui con aria torva. «Cosa c'era scritto?»

«Diceva: "Non svegliare il can che dorme"». Rose osservò attentamente il viso di Gareth.

L'aria confusa gli riusciva benissimo, ma lei conosceva fin troppo le sue doti di attore. Quella finestra aperta, però... La strana sensazione che aveva provato in casa...

«Se non dovessi vederti più, Rose, la verità è questa, perciò ficcatela bene in quella testa dura che ti ritrovi. Non. Ho. Ucciso. Io. Billy». Si guardò attorno furtivo e abbassò la voce. «Ti ho chiesto di aiutarmi perché dicevo la verità. Non ero in zona. Ora, qualcuno ti ha lasciato un biglietto con il quale io non c'entro niente. L'assassino è ancora libero. Sarà stato *lui* a portartelo».

Rose lo fissò ammutolita. Ronnie era di nuovo in piedi. Possibile che...?

«Ricordi i fiori che ti ho comprato?», chiese Gareth.

«Sì», rispose lei. «I gigli Stargazer».

«Esatto. Se solo mi avessi ascoltato, avresti trovato la ricevuta nel sacchetto che...».

«Me l'hai già detto a suo tempo».

«Perché è vero!». Gareth si portò una mano alla fronte con un gemito. «L'avresti trovata e così...».

«Una ricevuta non sarebbe bastata a dimostrare se *eri* innocente», affermò Rose, interrompendolo. Trattenne un sorriso nel vedere un lampo scuro attraversargli lo sguardo. A lui non piaceva essere interrotto, Rose lo ricordava bene e la prese come una piccola vittoria. «Avresti potuto mandare qualcuno a comprare i fiori mentre tu prendevi Billy. La ricevuta da sola non dimostra niente».

«Vero, ma avrebbe fornito le basi per riaprire il caso. Quando la polizia verificò il mio alibi, la commessa della fioreria dichiarò di non ricordarsi di me e, *guarda caso*, il blocchetto con i duplicati delle ricevute non fu più trovato... Molto comodo, no?». Rose notò il viso di Gareth contorcersi per la rabbia soppressa. «Ho sempre avuto l'impressione che gli sbirri mi avessero fregato. Quella ricevuta era l'unica prova che potesse far sorgere qualche dubbio al poliziotto capo, costringendolo a frenare la persecuzione nei miei confronti. Ma tu non hai nemmeno voluto cercarla, mi avevi già condannato come tutti gli altri abitanti di quel paesino di merda».

Mike North aveva insabbiato delle prove che avrebbero aiutato Gareth? Possibile? Rose decise che non le importava. Per quel che la riguardava, Gareth era colpevole come il peccato.

«Avevo trovato la ricevuta», ammise semplicemente.

Lo vide spalancare la bocca, ma si costrinse a rimanere impassibile.

«Che cosa ne hai fatto?», sussurrò lui con impeto. Allungò la mano sul tavolino, ma senza toccarla. Sembrava quasi paralizzato nell'attesa trepidante della risposta di Rose.

«Ce l'ho ancora», replicò lei.

Capitolo sessantotto

Carcere di Wakefield, oggi

Per la prima volta da quando lo conosceva, Gareth Farnham rimase completamente senza parole.

«L'ho trovata il giorno stesso in cui me l'hai chiesto, quando hai cercato di convincermi ad aiutarti. Ma non ti ho creduto, ho immaginato che fosse solo un altro dei tuoi trucchi, delle tue bugie».

«Rose, ascoltami, tesoro. Se fossi disposta a dichiarare che ti ho comprato quei fiori e a mostrare la ricevuta come prova, anche se è passato tanto tempo, forse basterebbe ad avviare la procedura per stabilire se si è trattato di errore giudiziario». Gareth distolse lo sguardo e sorrise estasiato. «Oh, mio Dio, potrebbe accadere davvero».

Allungò la mano e afferrò quella di Rose. Lei provò a ritrarla, ma la presa di Gareth era troppo forte.

«Rose, ascoltami. Ho commesso degli errori. Ci sono state occasioni in cui non ti ho trattata bene, ma devi credermi... L'ho fatto solo perché ti amavo da morire».

La guardò in attesa di una risposta, ma Rose rimase in silenzio. Le sue parole le scivolarono addosso come burro caldo sulla lama di un coltello. Gareth pretendeva sul serio che lei accettasse di essere stata rapita e violentata... e Dio solo sa cos'altro... perché lui l'*amava*?

Rose scosse il capo lentamente.

«Ascoltami», ripeté lui concitato, quasi sapesse che lei stava per andarsene. «Il mio avvocato ha contattato la fioraia in merito a quel giorno, sai. Ma era il periodo della festa della mamma e avevano avuto tanti clienti, perciò non erano certi di avermi visto. Non esistevano le telecamere a circuito chiuso all'epoca, né i rilevamenti delle targhe... Avevamo le mani legate. Quello sbirro, North, voleva solo sbattermi dentro. Con la ricevuta, avrebbe *dovuto* approfondire il mio alibi».

«E se avessi mandato qualcun altro a comprare i fiori? Se non fossi stato tu?»

«Sono stato io a comprarli, Rose. Per scusarmi, per riconquistarti. Giuro su Dio che è la verità. Non ho fatto del male a Billy, ma là fuori c'è il colpevole e lo troveremo insieme. Quando uscirò di qui, gli darò la caccia per te, amore mio, ti do la mia parola».

Rose rimpianse di avergli confessato della ricevuta. Il viso di Gareth si era rianimato, pieno di speranza, come se riuscisse a vedere, a pregustare la promessa della libertà. Era un uomo disperato.

«Chiederò al mio avvocato di contattarti, Rosie. Probabilmente vorrà una tua dichiarazione e la ricevuta... Ti amo. Lo sai, vero?».

Nonostante le proteste di Gareth, Rose lasciò la stanza delle visite subito dopo. Non aveva raggiunto in fretta nessuna soluzione. Anzi, adesso era più confusa che mai.

Non capiva proprio se Gareth dicesse la verità, ma un pensiero le gelava il sangue.

O lui aveva un complice all'esterno del carcere che le aveva lasciato quel biglietto minaccioso, oppure era davvero innocente e qualcun altro la stava tenendo d'occhio.

Qualcuno che conosceva ogni sua mossa.

Capitolo sessantanove
Rose

Oggi

Mi sono addormentata sul divano appena arrivata a casa.

Ho preparato un tè, mi sono seduta e non ricordo altro. Il semplice sforzo di affrontare Gareth Farnham mi aveva sfinita.

Mi risveglio di soprassalto, il cuore che martella nel petto, allarmato per i colpi ripetuti alla porta sul retro.

Scorgo una figura familiare, distorta dal vetro opaco decorato. «Eric!».

«Scusa il disturbo, Rose», ansima lui affannato, sostenendo la propria mole robusta contro l'angolo della parete. «Abbiamo un problemino a casa di papà... un ospite che non riusciamo a mandare via e che ha *bevuto*».

Da quando è tornato Eric, Ronnie non ha più bisogno che mi occupi di lui e, per quanto mi senta divorata dal senso di colpa malgrado i sospetti che ancora nutro, non riesco a passare a trovarlo neanche per una visita di cortesia. Con tutto quello che sto passando, e le visite a Gareth, credo proprio che sarebbe la classica goccia che fa traboccare il vaso.

«Rose?». Eric osserva il mio sguardo assente con aria preoccupata. «Mi hai sentito? È agitatissimo e non la smette di bere».

«Chi?»

«Jed! Ma non hai ascoltato una sola parola?»

«Scusa, io...». Allungo lo sguardo oltre la sua spalla per vedere se Jed è in giardino. «Cosa dovrei farci *io*?»

«Non lo so, parlargli, sbarazzarti di lui, magari. È in cerca di guai, insiste che papà parli di quando eravamo tutti giovani, vuole sapere chi ha detto o fatto cosa, ma lui non ricorda tutti quei particolari».

Sospiro, ma non mi muovo.

«Continua a blaterare cose sulla sorella morta», aggiunge Eric. «Cassie. Era tua amica».

«Era la mia migliore amica. Vado a mettermi le scarpe».

Non ho nessuna intenzione di parlare di Cassie con Eric. È evidente che l'empatia non è il suo forte; non lo è mai stata, da quel che ricordo.

Lui non mi aspetta, perciò infilo le ballerine e un cardigan, chiudo la porta a chiave e faccio un salto nella casa accanto.

Mentre apro il cancelletto comunicante, penso all'ultima volta che ho visto Jed. Camminava davanti al supermercato, una figura misera e ingrigita, aggrappata a una bottiglia di birra quasi fosse questione di vita o di morte e a malapena capace di reggersi sulle gambe.

Ogni volta che lo incontro cerco di salutarlo, ma lui mi guarda come se non mi riconoscesse e continua per la sua strada.

Sono stata anche a casa sua per tentare di parlargli, anni dopo le rispettive tragedie. Sapevo che Cassie avrebbe voluto che lo facessi, ma lui si rifiutò... non riusciva a sopportarlo. A dirla tutta, mi ha sbattuto la porta in faccia.

Anche adesso, quando ci incrociamo, è come se guardando me lui rivedesse Cassie, e i ricordi dolorosi e insopportabili dell'esuberanza della sorella e del suo amore per la vita gli confondono la mente.

La porta secondaria di Ronnie è aperta e mi giungono le voci concitate dall'interno.

«Se non te ne vai dovrò chiamare la polizia», dichiara Eric alzando il tono della voce, mentre io accorro in salotto. «Tanto nessuno crederà a una sola parola di quello che dici. Hai il cervello annegato nell'alcol».

Rimango congelata sulla soglia.

Jed è sul divano, metà seduto e metà sdraiato. È più trasandato che mai. I jeans sono luridi e strappati, i piedi neri di sudiciume spuntano dai sandali aperti. Ha i capelli grigi, adesso, unti e incollati alla testa.

Quando mi vede, sbianca.

«Cosa ci fai *tu* qui?», biascica. «Cassie è morta. *Morta!* Capito?»

«Lo so, Jed», rispondo mantenendo un tono calmo e controllato. «Cassie non avrebbe voluto vederti in questo stato. Se vuoi, possiamo farti aiutare».

Le mie parole suonano patetiche. Avrei dovuto rimanere in contatto con lui nel corso degli anni.

Lui piega la testa indietro e scoppia a ridere, i pochi denti rimasti ancorati alle gengive come picchetti di legno marcito.

«Aiutarmi? Sei tu ad avere bisogno di aiuto, tu e quel cavolo di ragazzo che hai». Farfuglia, ma riesco a cogliere qualche parola e a metterle insieme. «Cassie lo odia. Lo odia. Voglio parlare di quello che è successo».

È chiaro che non riesce a distinguere il passato dal presente. È in condizioni pessime.

«Se non te ne vai, chiamo la polizia», sbotta Eric. Cammina irrequieto per la stanza, paonazzo in viso. «A nessuno interessano le tue storie inventate sul passato».

Guardo Ronnie, lui scuote la testa e abbassa gli occhi sul tappeto.

«Dov'è Billy?», grida di colpo Jed, io trasalisco e faccio un passo indietro. «Dov'è Billy Tinsley?»

«Basta!». Eric mi sorprende con la sua voce forte e tonante. «Non ti permetto di pronunciare il nome di Billy in questa casa».

Apro la bocca per protestare. Cosa intende dire? Il nome di Billy non è certo qualcosa da dimenticare o censurare.

Prima che io possa ribattere, Jed emette un ruggito potente e corre fuori, cadendo in mezzo alla strada.

«Grazie a Dio!», esclama Eric furibondo e sbatte la porta.

«Non possiamo certo lasciarlo in quello stato», protesto riapren-
dola.

Jed si è già rimesso in piedi e zoppica lungo la strada, agitando
le braccia come un pazzo.

«Jed, aspetta!». Gli corro incontro. «Per favore, parliamone».

«Non posso», piagnucola lui, le lacrime che gli rigano il volto.
«È finito tutto, non si può più aggiustare niente».

«Le cose non miglioreranno mai per te se non butti fuori un
po' di veleno, Jed», gli dico con dolcezza. «Io lo so bene».

Lui si ferma a osservarmi e per un attimo scorgo in quei pro-
fondi occhi azzurri il ragazzo che conoscevo. Quando riprende
a parlare, lo fa lentamente, con voce più nitida e calma di poco
fa, a casa di Ronnie.

«Parlerò con te, Rose, ma non qui, non davanti a loro. Vieni
all'abbazia, stasera alle dieci».

«Cosa? Non posso! Non a quell'ora», gli grido dietro, mentre
lui si allontana barcollante lungo la via. «Perché non subito?»

«Alle dieci all'abbazia», risponde Jed, senza guardarsi alle
spalle.

Scuoto la testa e torno verso casa. Non ho intenzione di passare da Ronnie, non ho voglia di sentire qualche altro commento
insensibile di suo figlio.

Negli ultimi sedici anni non sono mai uscita da sola alle dieci
di sera. Mi si serra lo stomaco al solo pensiero.

Voglio aiutare Jed, ma mi ha chiesto di fare una cosa troppo
difficile per me.

E perché non voleva parlarne davanti a Eric e Ronnie?

Capitolo settanta
Rose

Oggi

Le gargouille di pietra scrutano verso il basso dalla loro posizione dominante, le espressioni arcigne che sembrano mutare al passaggio delle nuvole, dietro le quali si nasconde e poi riappare la luce perlacea della luna che risplende sopra di esse.

Scorgo delle piccole e strane sagome nere che svolazzano attorno alla vecchia torre. Pipistrelli. Ci sono tutti gli ingredienti dei film horror proprio qui, davanti ai miei occhi. Rabbrividisco e mi stringo nelle braccia. Sono stanca, stanca di avere paura.

Devo essere impazzita. Ancora non capisco perché sia dovuta venire in questo posto, ma in un modo o nell'altro mi sono convinta che non avrei corso pericoli, che avrei guidato fin qui e parcheggiato all'abbazia. Mi sono detta che per Cassie avrei potuto farcela, a radunare il coraggio, e lo avrei fatto anche per me stessa.

«Jed!», chiamo, scossa dai brividi.

A che gioco sta giocando? Cosa avrà da dirmi di tanto disperato da non potermene parlare a casa?

Un pianto sommesso attira il mio sguardo verso l'alto e lo vedo... sulla punta più alta dell'abbazia. Come diavolo è riuscito ad arrivare lassù?

«Rose», grida Jed.

Mi avvicino e noto una scala, appoggiata alla parete centrale dell'edificio sulla quale si è arrampicato Jed. A mano a mano che avanzo, distinguo meglio il suo viso: è di un pallore spettrale, gli occhi arrossati e frenetici che sporgono dalle orbite cupe.

Mi sono messa le scarpe da ginnastica per uscire e sono felice della scelta, mentre mi arrampico sulla scala per sedermi con cautela sul cornicione in cima alla parete. Jed è una decina di metri sopra di me e io lo guardo da qui, con il cuore che mi rimbomba in gola.

«Ti ha dato di volta il cervello?», gli grido. «Scendi da lì, Jed».

Se fossi più vicina, scommetto che gli sentirei addosso l'odore dell'alcol. Nessuno lucido di mente si metterebbe a fare il cretino a un'altezza simile, e per giunta in piedi.

«Voglio parlarti di Cassie, Rose. Adorava venire qui all'abbazia».

È decisamente ubriaco, biascica le parole. Ma è vero quello che dice di Cassie: l'abbazia era la sua meta preferita quando eravamo bambine. Mi rendo conto che a volte ci lasciamo prendere dalla vita quotidiana e crescendo ci facciamo sfuggire le cose che amiamo, dimenticando cosa ci rende felici.

«Hai ragione, lei adorava questo posto, ma parliamone a terra, Jed», propongo. «È una follia, finirai...».

«No! Dirò quello che devo da quassù».

«Come vuoi! Ma fa' in fretta... Ti prego...». Alzo lo sguardo e osservo le nuvole spostarsi rapide e rabbiose nel cielo scuro. Mi assale il panico e provo a rimettermi in piedi. «Non ce la faccio, Jed. Non ci riesco».

«Cassie mi ha detto che è stato Gareth a violentarla, Rose», dice lui sputando le parole come fossero denti marci. «Mi ha fatto giurare di mantenere il segreto».

Rimango di sasso. L'aria mi si blocca in gola e nella mia mente comincia a vorticare quella tremenda verità che mi accorgo di aver sempre saputo, in cuor mio, ma che avevo insabbiato.

«Tua madre diceva che Cassie non ha visto in faccia l'aggressore, perché indossava una maschera».

Me l'ero chiesto tante volte... era stato Gareth ad aggredirla?

Non avevano arrestato nessuno e in paese girava voce che fosse opera di un forestiero di passaggio, che l'aveva trovata sola a casa.

Eppure io non ero mai riuscita a togliermi dalla testa quella sera a casa di Cassie, quando Gareth l'aveva scrutata in quel modo orribile. Lui mi aveva chiesto di scegliere tra loro due e io l'avevo accontentato. Avevo scelto lui senza battere ciglio.

Inconsapevolmente, ero stata io a condannare la mia amica, riferendo a Gareth che secondo lei mi stavo facendo manipolare e che aveva minacciato di raccontarlo a mio padre?

Non voglio credere alle parole di Jed, eppure sembrano irradiare la luce della verità...

«Aveva una maschera», annuisce Jed. «Un passamontagna. L'ha tenuto addosso mentre... la violentava... ma Cassie mi ha detto che prima di andarsene, lasciandola sul pavimento della cucina in una pozza di sangue, se l'è sfilata sulla porta e le ha sorriso».

D'istinto mi copro la bocca con la mano e mi affanno a deglutire la bile che risale lungo la gola. *Perché Cassie non ha mai trovato la forza di dirmelo?*

«Le ha detto che, se avesse fiatato, lui avrebbe rovinato la tua famiglia. Le ha detto che, se era tua amica, avrebbe accettato di pagare quel prezzo per proteggerti». Jed scuote la testa. «Era così fragile la nostra Cassie, maledizione. Faceva la dura, ma dentro aveva un cuore tenero».

Era vero. Come sua madre, Cassie ergeva una facciata dura come la roccia, ma priva di fondamenta. Se ne accorgeva solo chi la conosceva davvero.

«Oh, Cassie», sospiro. Il vento mi incolla qualche ciuffo di capelli sulla bocca. Quanto vorrei che mi strozzassero. Che finisse tutto quanto.

«Mi ha detto che aveva cercato di aprirti gli occhi sulla cattiveria di quell'uomo».

Con la mente torno a quel giorno nella sala studenti del college, quando Cassie aveva tentato di avvertirmi sulla natura ma-

315

nipolatrice di Gareth. E io cosa avevo fatto? Ero corsa da lui e gli avevo spifferato tutto.

Per forza Cassie non si era più confidata con me. Avrà creduto ciecamente che Gareth avrebbe messo in pratica le sue minacce.

Ciò che mi spezza il cuore è che, nonostante il nostro litigio, Cassie aveva continuato a fare di tutto per proteggermi. Tutte le volte che si era rifiutata di vedermi, che aveva ignorato le mie chiamate... lo aveva fatto per proteggere *me* da quel mostro di Gareth Farnham.

«Gli ho chiesto centinaia di volte se era stato lui ad aggredirla», mormoro con un filo di voce. «Mi ha sempre mentito. E giura anche di non essere stato lui a uccidere Billy. Le menzogne... non finiscono mai».

Jed emette un gemito strano, una via di mezzo tra un ululato e un guaito. Sembra quasi un animale ferito. Mi alzo in piedi.

«Ferma lì! Non provare ad avvicinarti», grida lui.

«Jed, tutto questo non ha senso. Cassie è morta, tua madre è morta d'alcolismo. Per l'amor del cielo, non anche tu. Ti aiuterò io. Te lo giuro, posso procurarti l'aiuto che ti serve».

«Tu non potrai mai aiutarmi, Rose». Il dolore è palpabile nella sua voce. «Non potrai mai aiutarmi perché, vedi, sono stato io. Sono stato io a uccidere Billy».

Barcollo e mi appoggio alla parete di pietra con tutto il peso. «Cosa?», sussurro.

«È stato un incidente, Rose. Volevo solo farti spaventare, nasconderlo per un paio di giorni. Avevo programmato di spargere la voce che era stato Farnham, così la gente del paese avrebbe incolpato lui. Pensavo che così si sarebbe scoperto che era stato lui a violentare Cassie. Avevo bevuto e credo che Billy si sia spaventato... Volevo solo che smettesse di gridare aiuto».

Le unghie mi si conficcano nelle cosce. Non riesco a fermarle. Non riesco a parlare.

«C'era un gruppo di persone lungo il viale e gli ho tappato la bocca con la mano per farlo stare zitto ma… devo averla trattenuta troppo a lungo. Non mi sono accorto di avergli coperto anche il naso, che non riusciva a respirare… Ti giuro che è stato un incidente. Lo giuro!».

Sento le forze scorrermi via dal corpo come linfa vitale.

Jed era stato lì. Non poteva essere altrimenti. Il pullman di turisti diretti all'abbazia… il gruppo era passato proprio vicino al punto in cui Billy era sparito a cercare l'aquilone.

Ronnie è innocente. Il mio caro, fidato Ronnie. E Gareth Farnham – per una volta nella sua vita – *aveva detto la verità*. Quel giorno, prima che lo arrestassero, aveva tentato di dirmi che non era in paese… Era la verità. Il suo alibi era solido.

«Rose, mi dispiace tanto. Davvero. Io…». Jed singhiozza così forte che distinguo a malapena le sue parole. «Se potessi riportare indietro Billy lo farei. Oddio, non sai cosa darei per…».

«Hai infilato tu quel biglietto… nella mia porta?». La mia voce suona stranamente tranquilla. Mi raddrizzo e aspetto la sua risposta accanto alla scala.

«Volevo che la smettessi. Che lasciassi perdere. Ti ho sempre tenuta d'occhio, Rose. Ho sempre avuto intenzione di dirti la verità. Ma mi sono accorto che avevi capito qualcosa, perché hai iniziato a uscire, hai cambiato la tua routine. Sono entrato in casa tua e ho trovato il permesso di visita per Farnham. Ho visto la copertina di Billy avvolta in un sacchetto di plastica… Sapevo che avevi intuito qualcosa, ma non potevo dirti la verità, altrimenti Gareth sarebbe tornato libero e lui è *colpevole*. Colpevole come non mai per aver ferito Cassie al punto da farle desiderare la morte».

Strabuzzo forte gli occhi di fronte allo strazio di quelle parole. Ripenso a come mi ero sentita sbadata per aver lasciato la finestra aperta, alla sensazione che qualcuno si fosse introdotto in casa mia…

«Jed», dico con impeto. «Ho bisogno di chiederti una cosa. Billy aveva con sé la copertina rossa il giorno in cui è sparito. Cos'è successo alla copertina? Se stai dicendo la verità, devi saperlo».

«È rimasta impigliata tra i cespugli», piagnucola lui. «Si era portato dietro quella stupida copertina anche per cercare l'aquilone. Quando ho tolto la mano e mi sono accorto che era morto, mi ha preso il panico e sono scappato».

Chiudo gli occhi. Non ce la faccio, non ce la faccio ad ascoltare gli ultimi istanti di Billy, sapendo che ero a pochi metri da lui e avrei potuto salvarlo.

«Ti prego, Rose, non piangere. Mi odio. Non voglio più vivere».

«Cos'è successo alla copertina di mio fratello?!», gli urlo contro.

«Mi ha assalito il panico quando ho visto che era morto. L'ho nascosto alla bell'e meglio con rami e foglie e sono scappato. La copertina era impigliata tra i cespugli, avevo paura che qualcuno la vedesse e l'ho presa con me».

«Cosa ne hai fatto?», ringhio.

«Sapevo che avrebbero cercato ovunque. La mamma era da Ronnie e Sheila e, vedendomi passare, mi hanno chiamato. Hanno insistito che bevessi un tè con loro. Ho finto di andare in bagno e infilato la copertina in una delle scatole nel ripostiglio. Immaginavo che nessuno avrebbe cercato a casa di Ronnie, ma forse da noi sì». Abbandona il capo in avanti. «Poi Sheila si è fatta sfuggire di voler fare le pulizie di primavera e io mi sono offerto di aiutarla a sollevare le scatole del ripostiglio, per essere sicuro che quella non venisse toccata».

«Oh, Jed». Ho il corpo scosso dal pianto. «Che cosa hai fatto? Come hai potuto… al nostro Billy?»

«Mi dispiace tanto, Rose». Il pianto, i gemiti, di colpo cessa tutto e stranamente la sua voce torna calma. «Mi dispiace davvero. Non posso più vivere così».

Poi si butta. Jed si butta dalla facciata dell'abbazia.

Mi siedo un istante e chiudo gli occhi.

«Ti voglio bene, Billy», mormoro.

Pian piano, reggendomi alla parete, scendo dalla scala. Impiego una vita a tornare a casa. Una volta arrivata, chiudo la porta a chiave e rimango seduta per un po', svuotata dentro ma stranamente tranquilla.

Poi chiamo la polizia.

Capitolo settantuno

Carcere di Wakefield, oggi

Rose entrò nella sala delle visite e sorrise a Gareth, avvicinandosi al tavolo.

«Ecco la mia principessa», la accolse lui raggiante. «Wow, guardati! Ti sei fatta bella per me?».

Era stata da una parrucchiera a Mansfield quella mattina stessa per fare taglio, messa in piega e colpi di luce ramati. Indossava una camicetta nuova, dal taglio lungo, color smeraldo e si era messa il mascara e un velo di rossetto scuro; a essere precisi, era lo stesso che le aveva regalato Cassie tanti anni prima.

«Ho fatto un piccolo sforzo perché oggi è un giorno speciale». Gli sorrise.

«Brava la mia ragazza. Allora, hai la ricevuta?». Gareth guardò l'ora. «Il mio avvocato dovrebbe arrivare tra poco e ha riservato una stanza nell'edificio principale per raccogliere la tua deposizione».

«Sì», confermò lei. «Ho la ricevuta qui con me».

Rose osservò Gareth con occhi diversi. Di fronte a lei non c'era l'assassino di Billy. Le aveva detto la verità.

«Grazie, Rose», rispose lui, lo sguardo luminoso. «Per aver creduto in me. Giuro che non ho mai fatto del male a Billy. Lo prendevo in giro qualche volta, ma gli volevo bene come fosse mio fratello, lo sai».

Rose lo scrutò.

«Qualcosa non va, principessa?»

«Devo chiederti un'ultima cosa, Gareth, e ho bisogno che tu mi dica la verità. Sei stato tu ad aggredire Cassie?»

«No!», esclamò lui, deglutendo a stento. «Non sono stato io, Rose. Ero sconvolto quando ho saputo che quella povera ragazza si era tolta la vita, davvero».

«Non l'hai violentata e non ti sei sfilato il passamontagna subito dopo e le hai sorriso? Minacciandola che, se avesse detto una sola parola, avresti rovinato me e la mia famiglia?»

«No!». Il viso gli diventò paonazzo. «No! Chiunque ti abbia raccontato una cosa simile è un bugiardo, Rose. Un bugiardo, credimi».

«Ti mostro la ricevuta», gli disse, prendendo la borsa.

«Puoi darla al mio avvocato», rispose lui, rilassando un poco le spalle.

«Voglio che tu lo veda, Gareth, il tuo biglietto per la libertà».

«Come sei dolce, dài, allora». Gareth sfoderò un gran sorriso. «L'avvocato dice che se gestiamo bene la cosa e dimostriamo che la polizia ha insabbiato le prove, potrei uscire nel giro di qualche settimana, forse anche prima».

Rose estrasse la piccola busta dalla borsa, la stessa che aveva prelevato dall'agenda della madre, conservata in soffitta.

«Rose…». Gareth la osservò aprire la busta, gli occhi scintillanti di trepidazione. «Gettiamoci alle spalle tutto questo orrore. Ricominciamo da capo. Cosa ne dici?».

Rose aprì la busta e un centinaio di frammenti neri di carta incenerita piovvero sul tavolo.

Gareth spalancò la bocca e la fissò terrorizzato.

«*Questa* era la ricevuta che negherò di aver mai posseduto. L'ho bruciata quando ho scoperto che sei stato tu a violentare, e di conseguenza a uccidere, la mia migliore amica», spiegò Rose compiaciuta. «Vedi, Gareth, io ho già ricominciato da capo. Ma senza di te».

Lui mosse le labbra senza articolare alcun suono.

Rose scoppiò a ridere. «Per quello che vale, adesso so che non sei stato tu a uccidere Billy, ma hai fatto del male a Cassie. Sarà il nostro piccolo segreto, Gareth. Non lo condividerò con nessuno e non ti aiuterò a tornare in libertà. Rimarrai rinchiuso qui dentro fino alla fine dei tuoi giorni».

«Tu… razza di puttana! Stai commettendo un terribile errore. Oddio, ma cosa hai fatto?».

Gareth balzò in piedi e si scagliò verso di lei, ma Rose era preparata. Indietreggiò di scatto, sfuggendogli per un soffio. Le donne e i bambini intorno a loro si misero a urlare e nel giro di pochi secondi accorse una guardia.

«Quella puttana ha distrutto…».

La guardia lo agguantò e Rose si scostò alla svelta, mentre altri due poliziotti accerchiavano Gareth. In preda all'ira, lui sollevò una sedia e la sbatté sulla testa di uno dei due. Rose strizzò gli occhi alla vista di un rivolo di sangue che scendeva dall'occhio della guardia.

La poliziotta con i capelli corti le corse incontro.

«Stai bene, cara? Che diavolo è successo?»

«Ha perso la testa», spiegò Rose con espressione allibita. «Ha iniziato a blaterare che voleva uscire di qui per ricominciare insieme. Sta scontando l'ergastolo per aver ucciso mio fratello! Quando gli ho detto che era solo un povero illuso, è impazzito».

Altre guardie erano accorse a sgombrare la stanza delle visite. Le due donne si diressero verso la porta.

«A fine mese mi ritiro dal lavoro», le riferì la poliziotta sottovoce. «Perciò voglio dirti una cosa che ti sarei grata se tenessi per te. Farnham ha appeso alla parete della cella una fotografia gigante di voi due; quando gliel'ho chiesto, mi ha detto che eri sua moglie. Ti ho riconosciuta alla prima visita».

Rose la guardò.

«Sembri una ragazza perbene e assennata. Se fossi in te starei lontana da lui, tesoro. Gli daranno almeno altri cinque anni, oltre all'ergastolo, per aver aggredito il poliziotto Renshaw oggi».

«Grazie». Rose annuì. «Non tornerò. Ho promesso a mio padre molto tempo fa che non avrei avuto più niente a che fare con Gareth Farnham e stavolta intendo mantenere la promessa».

«Mi rincuora sentirtelo dire. Ti auguro un futuro felice».

«Grazie, non vedo l'ora». Rose sorrise. «Ho una vita intera che mi aspetta».

Per la prima volta in vita sua, si rese conto che era proprio così.

Una lettera da K.L. Slater

Vi ringrazio di cuore per aver scelto di leggere *Non fidarti di lui*. Se vi è piaciuto, e volete rimanere aggiornati sulle mie ultime pubblicazioni, iscrivetevi al link seguente. Il vostro indirizzo e-mail non verrà inoltrato a terzi e potrete cancellarvi in qualunque momento.

www.bookouture.com/kl-slater

L'idea di questo romanzo è nata dal desiderio di approfondire cosa potrebbe accadere se un errore, che si credeva sepolto al sicuro nel passato, tornasse di colpo a pesare sul presente. Cosa accadrebbe se non solo avessimo riposto fiducia nella persona sbagliata, ma anche commesso un grave errore di giudizio, come ignorare un'informazione importante che avevamo tra le mani?

Così, mentre scrivevo *Non fidarti di lui*, ho cominciato a esplorare la natura delle relazioni autoritarie e gli effetti duraturi che una persona può subire dall'esperienza negativa, anche a distanza di anni.

Riteniamo spesso che le relazioni autoritarie siano di natura passionale e, in genere, che sia l'uomo a controllare la donna ma, in realtà, si tratta di un aspetto limitato. Chiunque può esercitare la propria autorità sull'altro e questo include genitori nei confronti dei figli, figli adulti nei confronti dei genitori anziani, un capo autoritario e manipolatore sul lavoro o – nell'ambito passionale – una donna nei confronti del partner.

C'è chi non si rende conto di vivere una relazione autoritaria o manipolatrice. Non è una questione di debolezza fisica o di carattere. Ci si ritrova a camminare sulle uova, ad accettare critiche (anche quelle minime possono ferire e danneggiare, se ripetute) e a colpevolizzare se stessi, anziché riuscire a individuare il vero colpevole.

Purtroppo c'è chi convive con un simile atteggiamento da parte degli altri talmente a lungo da dimenticare cosa significhi rilassarsi ed essere se stessi. Il primo passo è sempre quello di identificare e riconoscere quello che sta succedendo.

Per quanti ritenessero di avere bisogno di aiuto, consigli o chiarimenti, esistono in rete delle risorse fantastiche a portata di *clic*, cercando semplicemente "relazione autoritaria" o "manipolatoria".

Il libro è ambientato nel Nottinghamshire, dove sono nata e vivo tuttora. Mi preme avvisare i lettori locali che mi sono presa la libertà di cambiare alcuni nomi di vie o particolari geografici per adattarli alla trama.

Mi auguro che il romanzo vi sia piaciuto e, se è così, vi sarei molto grata se ne scriveste una recensione. Sarei felice di sapere cosa ne pensate e aiuterebbe i nuovi lettori ad avvicinarsi a uno dei miei libri per la prima volta.

Adoro comunicare con i miei lettori: potete scrivermi tramite la mia pagina Facebook, Twitter, Goodreads o il mio sito web.

Grazie di cuore,

Kim
Facebook: KimLSlaterAuthor/
Twitter: KimLSlater
www.KLSlaterAuthor.com

Ringraziamenti

È una vera fortuna essere circondata da un meraviglioso gruppo di persone competenti e di talento.

Un enorme grazie alla mia editor di Bookouture, Jenny Geras, irremovibile sull'idea di copertina, che ho adorato subito, per avermi sostenuta e consigliata in maniera brillante, come sempre, durante la stesura e l'editing di Non fidarti di lui.

Grazie a TUTTO lo staff di Bookouture per quello che fa – credetemi, è tantissimo – soprattutto a Lauren Finger e Kim Nash, entrambe superdiligenti: è un piacere lavorare insieme.

Grazie alla mia compagna di scrittura, Angela Marsons, sempre disponibile per una risata, una spalla sulla quale piangere o un ingegnoso consiglio narrativo. E a fornire deliziose immagini di cagnolini su richiesta.

Grazie come sempre alla mia agente, Clare Wallace, che continua a fornirmi un valido sostegno e consigli. Grazie anche al resto dello staff di grandi lavoratori della Darley Anderson Literary, TV and Film Agency, soprattutto a Mary Darby ed Emma Winter, che si fa in quattro per distribuire i miei libri nel resto del mondo, e a Kristina Egan e Rosanna Bellingham.

Un immenso grazie come sempre a mio marito, Mac, per l'amore, il supporto e la pazienza, anche quando la mia tabella di marcia lavorativa rasenta la follia! Alla mia famiglia, in particolare a mia figlia Francesca e alla mia cara mamma, sempre pronte a sostenermi e incoraggiarmi nella scrittura.

Un grazie speciale va anche a Henry Steadman, che ha lavorato sodo per estrarre dal cilindro un'altra meravigliosa copertina.

Grazie ai miei blogger e recensori, che hanno contribuito al grande successo dei miei primi tre thriller. Grazie a tutti coloro che si sono presi il tempo di postare online una recensione positiva o hanno partecipato al mio blog tour. Il vostro contributo non passa mai inosservato ed è molto apprezzato.

Un ultimo, ma non meno importante, grazie di CUORE ai miei meravigliosi lettori. Adoro ricevere i vostri fantastici commenti e messaggi, e sono sinceramente grata a ciascuno di voi per il vostro sostegno.

Indice

KIMBERLY BELLE

IL MATRIMONIO DELLE BUGIE

Volume rilegato, pagine 320, euro 12,00

Dopo sette anni di matrimonio, Iris e Will sono il ritratto della coppia felice: vivono in una bella casa, hanno un lavoro appagante e stanno cercando di avere un bambino. Quando Will parte per un viaggio di lavoro in Florida, Iris non sa che il suo mondo perfetto sta per crollare. Quella mattina, infatti, un aereo diretto a Seattle precipita e tra i nomi delle vittime c'è inspiegabilmente quello di Will. Iris è sconvolta, ma è certa che si tratti di un errore. Perché Will avrebbe dovuto mentirle? Che cosa doveva fare a Seattle? E su cosa altro ancora potrebbe averle raccontato bugie? Se vuole davvero arrivare alla verità, Iris dovrà affrontare un'indagine disperata per scoprire che cosa si nascondeva sotto la superficie calma del suo matrimonio. Ma non ha idea delle conseguenze che tutto ciò potrebbe avere…

NEWTON COMPTON EDITORI

HOLLY SEDDON

TESTIMONE SILENZIOSA

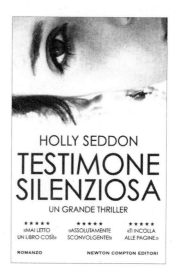

Volume rilegato, pagine 384, euro 9,90

Il caso Amy Stevenson fece scalpore nel 1995. La ragazza, all'epoca quindicenne, scomparve nel tragitto da scuola a casa e fu ritrovata, giorni dopo, mezza morta. La foto del suo viso angelico venne affissa a ogni angolo di strada, trasmessa per giorni e giorni da tutti i notiziari, ma nessun testimone si fece avanti e l'aggressore non fu mai identificato. Quindici anni dopo, Amy è ancora viva, in un letto d'ospedale, circondata da poster di celebrità degli anni '90 e dimenticata ormai dal resto del mondo. Finché nella sua stanza non entra la giornalista Alex Dale, impegnata in un'inchiesta sulle condizioni dei pazienti in stato vegetativo. Alex e Amy sono cresciute nella stessa periferia, hanno ascoltato la stessa musica, flirtato con gli stessi ragazzi… Alex non può fare a meno di sentirsi coinvolta e, nella speranza di poter finalmente emergere dall'inferno personale in cui è piombata da qualche tempo, inizia a indagare su quel caso mai risolto. Ma scavare nel passato potrebbe rivelarsi più pericoloso del previsto, soprattutto quando non è più possibile tornare indietro…

NEWTON COMPTON EDITORI

ANGELA MARSONS

UNA MORTE PERFETTA

Volume rilegato, pagine 384, euro 9,90

Il laboratorio di Westerley non è un posto per i deboli di cuore. Si tratta di una struttura che studia i cadaveri in decomposizione. Ma quando la detective Kim Stone e la sua squadra scoprono proprio lì il corpo ancora caldo di una giovane donna, diventa chiaro che un assassino ha trovato il posto perfetto per coprire i suoi delitti. Quanti dei corpi arrivati al laboratorio sono sue vittime? Mentre i sospetti di Kim si fanno inquietanti, una seconda ragazza viene aggredita e rinvenuta in fin di vita con la bocca riempita di terra. Non c'è più alcun dubbio: c'è un serial killer che va fermato il prima possibile, o altre persone saranno uccise. Ma chi sarà la prossima vittima? Appena Tracy Frost, giornalista della zona, scompare improvvisamente, le ricerche si fanno frenetiche. Kim sa bene che la vita della donna è in grave pericolo e intende setacciarne il passato per trovare la chiave che la condurrà all'assassino. Riuscirà a decifrare i segreti di una mente contorta e spietata, pronta a uccidere ancora?

NEWTON COMPTON EDITORI